W9-ACG-006

III Heretia - B - symbolist,?
C. Sully Prudhomme

FRENCH
ROMANTIC POETRY

AN ANTHOLOGY

FRENCH ROMANTIC POETRY

AN ANTHOLOGY

Edited by

WILLIAM LEONARD SCHWARTZ

ASSOCIATE PROFESSOR OF
ROMANIC LANGUAGES
STANFORD UNIVERSITY

HARPER & BROTHERS PUBLISHERS

New York and London

1 9 3 2

TO

MY WIFE

Dis nous MIL HUIT CENT TRENTE
Époque fulgurante,
Ses luttes, ses ardeurs
  Et les splendeurs

De cette apocalypse, . . .
—Th. de Banville, *"L'Aube romantique"*

Table of Contents

~~~~~~~~~~

PREFACE

THE centenary of French romanticism has brought forth so many important contributions to a better understanding of the literature of this period, that the publication of a new collection of French romantic poetry is fully justified, even if it were not unique in its scope. It seems that the 150 poems by thirty authors grouped here by order of birth illustrate all the aspects of the poetry of the great French romanticists, their friends, some of their rivals, and their forerunners. The manuscript included nearly all of their most frequently quoted verses, whether of supreme beauty, of mere biographical interest or of doctrinal importance. Though the book has since been much condensed, a few selections still border on the grotesque or the prosaic; two are significant counter-blasts against romanticism. They include poems by André Chénier as well as some of the later poetry of Victor Hugo. Most of the poems are quoted in their entirety, for length is sometimes a romantic characteristic. All subtitles of books, dedications or epigraphs have been likewise carefully reproduced. As far as possible, the text, capitalization and punctuation are taken from the best critical editions. The compiler's enormous debt to his predecessors is hereby acknowledged, as well as assistance received from Henri Grégoire, dean of the Faculty of Letters, Brussels, and Professors Albert Feuillerat, Yale University, Jean-Albert Bédé of Princeton, Frederick Anderson and John McClelland, Stanford University.

W. L. S.

Stanford University

INTRODUCTION

IT IS important to note that romanticism was never satisfactorily defined by the French romantics themselves, nor is it well characterized in many modern histories of French literature. The young romanticists were exposed to attacks that strove to expel them from the republic of letters, and hence they were loath to stand as innovators. Then again, romanticism is a complex entity. Romantic tendencies are to be found even in Greek literature, and the specific pre-romantic movement was as wide as Europe itself,—a manifestation of personality, passion, mystical idealism and imagination expressing itself throughout the XVIIIth century wherever society was skeptical of the existing social order. In Germany and then in England schools of romantic writers flowered before the opening of the XIXth century, to arise later in France, Scandinavia, Italy, Spain, Russia, Poland, etc., opposing everywhere the principle of freedom in literature, painting and life to the classical principles of restraint and reason. Since France had been for years the center of an imitative pseudo-classical school, romanticism in this country soon assumed the character of a violent reaction against the work of the XVIIth and XVIIIth centuries. Hence neither the first romantics nor their successors could state just what they wanted, they only knew what they did not want and what they disliked. They cried: *"Qui nous délivrera des Grecs et des Romains?"*[1]

Qui me délivrera des Grecs et des Romains?
Du sein de leurs tombeaux ces peuples inhumains
Feront assurément le malheur de ma vie;
Mes amis, écoutez mon discours, je vous prie:

[1] This famous verse, always misquoted, was first published in 1796, to become popular thirty years later. Its author, Joseph Berchoux (1765-1839) is remembered for a mock-heroic epic, *La Gastronomie*, 1800. This minor prophet of romanticism was thirty-one when he composed his *"Elégie sur les Grecs et les Romains,"* of which the larger part is given here.

A peine je fus né, qu'un maudit rudiment   ⁵
Poursuivit mon enfance avec acharnement.
La langue des Césars faisait tout mon supplice:
Hélas! je préférais celle de ma nourrice,
Et je me vis fessé pendant six ans et plus,
Grâces à Cicéron, Tite, Cornélius,   10
Tous Romains enterrés depuis maintes années,
Dont je maudissais fort les œuvres surannées.
Je fis ma rhétorique, et n'appris que des mots
Qui chargeaient ma mémoire, et troublaient mon repos.
Tous ces mots étaient grecs: c'était la *catachrèse*,   15
La *paronomasie* avec la *syndérèse*,
L'*épenthèse*, la *crase*, et tout ce qui s'ensuit.
    Dans le monde savant je me vis introduit.
J'entendis des discours sur toutes les matières,
Jamais sans qu'on citât les Grecs et leurs confrères;   20
Et le moindre grimaud trouvait toujours moyen
De parler de *Scamandre* et du peuple troyen.

    Ce fut bien pis encor quand je fus au théâtre:
Je n'entendis jamais que Phèdre, Cléopâtre,
Ariane, Didon; leurs amants, leurs époux,   25
Tous princes enragés, hurlant comme des loups;
Rodogune, Jocaste, et tous les Pélopides,
Et tant d'autres héros noblement parricides . . .
Et toi, triste famille, à qui Dieu fasse paix,
Race d'Agamemnon qui ne finis jamais,   30
Dont je voyais partout les querelles antiques,
Et les assassinats mis en vers héroïques. . . .

    O vous, qui gouvernez notre triste patrie,
Qu'il ne soit plus parlé des Grecs, je vous supplie,
Ils ne peuvent prétendre à de plus longs succès!   60
Vous serait-il égal de nous parler français?
Votre néologisme effarouche les dames;
Elles n'entendent rien à vos myriagrammes!

La langue que parlaient Racine et Fénelon   65
Nous suffirait encor, si vous le trouviez bon. . . .

DEFINITIONS

Two contemporary definitions of French romanticism will
retain our attention. The earliest of these is essentially etymo-
logical, as given by Madame de Staël in her *De l'Allemagne*
(part ii, ch. xi, 1810): *"Il n'y a dans l'Europe littéraire que deux
grandes divisions très marquées: la littérature des anciens, et
celle qui doit sa naissance à l'esprit du moyen-âge . . . Le nom
de romantique[2] a été introduit nouvellement en Allemagne, pour
désigner la poésie dont les chants des troubadours ont été
l'origine, celle qui est née de la chevalerie et du christianisme."*
Madame de Staël thought romantic literature akin to the medieval
romance, Christian, not pagan, Gothic, not Attic, Northern rather
than Southern, indigenous, capable of growth, and not trans-
planted. Her definition characterizes the attitude and writings of
such early romantic authors as Chateaubriand, Nodier, Émile
Deschamps, all conservatives in politics, in the first decades of
the nineteenth century.

The second contemporary definition to which reference is made
better characterizes militant romanticism, and was formulated
by Sainte-Beuve in an article on Théodore de Banville at the
close of the romantic period (1857): *"Dans l'acception la plus
générale et qui n'est pas inexacte, la qualification de* romantique
*s'étend à tous ceux qui, parmi nous, ont essayé, soit par la doc-
trine, soit dans la pratique, de renouveler l'Art et de l'affranchir
de certaines règles convenues."* These lines echo Victor Hugo's
epigram (Preface to *Hernani*, 1830): *"Le romantisme, tant de
fois mal défini, n'est à tout prendre, et c'est là sa définition réelle,*

[2] It is probable that Letourneur, the translator of Shakespeare, was the
first writer to substitute the word *romantique*, derived from English, for
the French word *romanesque*. *"Si ce vallon n'est que* pittoresque, *c'est un
point de l'étendu qui prête au peintre, et qui mérite d'être distingué et
signalé par l'art. Mais s'il est* romantique *on désire s'y reposer . . . et
bientôt l'imagination attendrie le peuple de scènes intéressantes; elle oublie
le vallon pour se complaire dans les idées qu'il lui inspire."* Discours des
préfaces, 1776.

si l'on ne l'envisage que sous son côté militant, que le libéralisme
*en littérature . . . La liberté dans l'art, la liberté dans la société;
voilà le double but auquel doivent tendre d'un même pas tous les
esprits conséquents et logiques."*[3]

French romanticism was essentially a violent reaction against
pseudo-classicism, and that is why the oscillations of the literary
pendulum continue to this day in France (E. A. Peers). Sainte-
Beuve and Victor Hugo both insist upon freedom in art, as opposed to the restraint of classicism. This new freedom is to break
down divisions and genres of literature, to mingle the sublime
and the grotesque (Preface to Hugo's *Cromwell*) and to liberalize

[3] There are at least three other contemporary French definitions of
romanticism which should be quoted in this connection:—
1. Stendhal, *Racine et Shakespeare*, 1823: "*Le* romanticisme *est l'art de
présenter aux peuples les œuvres littéraires qui, dans l'état actuel de leurs
habitudes et de leurs croyances, sont susceptibles de leur donner le plus de
plaisir possible.*

Le classicisme, *au contraire, leur présente la littérature qui donnait le plus
grand plaisir possible à leurs arrière-grands-pères.*"
2. Vitet, article in *le Globe*, April 2, 1825: "*Pour préparer cette nouvelle
révolution, de nouveaux encyclopédistes se sont élevés; on les appelle* romantiques. *Héritiers . . . du rôle de leurs devanciers, ils plaident pour
. . . l'indépendance en matière de goût. Leur tâche se borne à réclamer pour
tout Français . . . le droit de s'amuser de ce qui lui fait plaisir, de s'émouvoir de ce qui l'émeut, . . . Tel est le* romantisme *pour ceux qui le compren-
nent dans son acception . . . la plus philosophique. C'est, en deux mots, le*
protestantisme *dans les lettres et les arts.*"
3. Musset, *Lettres de Dupuis et Cotonet*, I, "Sur l'abus qu'on fait des adjectifs," *Revue des Deux Mondes*, Sept. 15, 1836: "*Nous crûmes, jusqu'en
1830, que le romantisme était l'imitation des Allemands, et nous y ajoutâmes
les Anglais, sur le conseil qu'on nous en donna. . . .*

*De 1830 à 1831, nous crûmes que le romantisme était le genre historique,
. . .*

De 1831 à l'année suivante, . . . nous pensâmes que c'était le genre intime
dont on parlait fort. . . .

*De 1832 à 1833, il nous vint à l'esprit que le romantisme pouvait être un
système de philosophie et d'économie politique. . . .*

*Qu'est-ce donc que le romantisme? Est-ce l'emploi des mots crus? Est-ce
la haine des périphrases? . . . Est-ce la manie du suicide et de l'héroïsme à
la Byron? . . .*

*Nous voilà arrivés au sujet de cette lettre; c'est que nous pensons qu'on
met trop d'adjectifs dans ce moment-ci. . . . Pour en finir, nous croyons que
le romantisme consiste à employer tous ces adjectifs, et non en autre chose.*"

French versification, making poetry more suggestive and more natural. The romantic is subjective, full of himself; whether he is Rousseau, Chateaubriand, Hugo or Musset, he triumphs in lyricism—classicism is objective. Then again, because classical art is selective, preoccupied with universal truth and exclusive of the accidental, trivial or ugly, the two watch-words of the French romantic reaction were *nature* and *truth*: *"ce n'est pas un besoin de nouveauté qui tourmente les esprits, c'est un besoin de vérité; et il est immense."* (V. Hugo, Preface to *Odes et Ballades*, 1824.) As Pellissier pointed out, romanticism is not exclusively lyrical, *"son rôle fut de substituer le particulier au général, le caractéristique au beau"* (cf. Victor Hugo: *"Si le poète doit choisir dans les choses—et il le doit—ce n'est pas le beau, c'est le caractéristique." Préface de Cromwell.*) None the less, realism remains "the first cousin of classicism", and romanticism merely indulges in a superficial inclusiveness, a taste for "local color", with cosmopolitan interests and a backward look toward all the ages (Peers).

The foregoing considerations will serve to introduce the laconic definition given recently by Lanson and Tuffrau: *"Romantisme. Mouvement littéraire caractérisé à la fois par la négation du* classicisme *(disparition des genres et des règles, choix de sujets nationaux, imitation des littératures étrangères modernes) et par le triomphe de l'*individualisme, *c'est-à-dire de la sensibilité et de l'imagination, qui sont ce que chacun de nous a de plus personnel."* (*Manuel illustré d'Histoire de la littérature française*, 1931.)

PRE-ROMANTICISM IN FRANCE; THE RETURN TO NATURE AND FEELING.

A pre-romantic period from 1800-1820, to include the writings of Madame de Staël, Chateaubriand and the generation suffering from *Weltschmerz* or its French equivalent, *le Mal de René*, and a romantic period (1820-1850), suffering from *le mal du siècle* (see Musset, *Confession d'un enfant du siècle*, II)—such, roughly, is the chronology of French romantic fiction and poetry. Nonetheless, volumes have been written with perfect propriety on romanticism in France in the XVIIIth century (D. Mornet), an age of feeling as well as of philosophy. English influences then tended towards a simpler life, life in the country as an escape from the drawing room. The moralizing novelists, Fielding and Richardson, and their passionate heroes and pathetic heroines, the new poetry of Gray, Hervey's *Meditations among the Tombs* and Young's *Night Thoughts* were translated and enjoyed, creating a taste for tombs, death, ruins and somber gloom in France, and reviving elegiac poetry. Society was thus prepared for the message of Rousseau with his call to live the natural life according to the morals of the heart, sensitive to all the beauties of nature. Many passages from Rousseau's writings reappear later as themes of romantic poetry, though Rousseau himself was fundamentally optimistic, sacrificing in his novels even love to his passion for virtue. The romantic maladies, René's *vague des passions* or *le mal du siècle*, are derived from the forgotten fiction of l'Abbé Prévost, the gloomy tales of Baculard d'Arnaud and Louis-Sébastien Mercier, or the translation of Goethe's *Werther* (1776). Macpherson's *Poems of Ossian* (translated between 1762 and 1777) afforded appropriate settings for the reveries of this new melancholy—the "northern Homer" became the favorite book of Napoleon, as First Consul and Emperor. Shakespeare was discussed, adapted, imitated, as well as the *Idyllen* of Gessner, the Swiss. Towards the end of the century, fashion turned toward the romances and songs of the troubadours; ballads of knights, ladies, pages, donjons and tournaments flourished upon the publication of the Count de Tressan's *Extraits des romans de chevalerie* (1782).

But at the same time classical archæology was developing rapidly, Pompeii was reopened, the churches of Sainte-Geneviève and of Sainte-Madeleine were rising upon classical lines. Thus the only true poet of the closing XVIIIth century was essentially Greek, essentially imitative, essentially unoriginal save in genius, —André Chénier, executed at the close of the reign of terror. His work was posthumously published by Henri de Latouche, on the eve of the romantic revival (1819), and the young romantics read it as though Chénier belonged to their own age. In reality, efforts for the renewal of feeling and form in French literature had exhausted themselves before the storm of 1789 (André Monglond).

The revolution is essentially an attempt to finish the unifying and centralizing trend of the Ancien Régime, and Napoleon only bent his greater energies to the same task. Republic or Empire, these periods were preëminently classical. Save for André Chénier's poetry and the stanzas of the *Marseillaise* nothing survives from an epoch in which l'Abbé Delille was "prince of poets", when Lebrun could justify his name "Lebrun-Pindare" by the glory of his odes, when Fabre d'Églantine poetically renamed the months of the revolutionary year and perished on the guillotine, when Marie-Joseph Chénier wrote the *"Chant du Départ"* and Baour-Lormian again versified *Ossian*. Though the creole Parny stimulated Lamartine, remember that Louis de Fontanes, *grand-maître de l'Université,* was unable to present Napoleon with a dozen poets, as he wished. Yet the revolution had its effects upon literature. The interruption of society life, the closing of the schools, the rise of the press, an immense increase in the reading public, the wanderings and discoveries of the *émigrés*,—here is a break in literary tradition, potent for change in French literary taste.

During the Napoleonic era, the second Rousseauistic generation of French poets comprised only such weaklings as Chênedollé, Arnault, Soumet, Millevoye and the song-writers Désaugiers, Edmond Géraud and Béranger. Chateaubriand, the real poet of the age, lacked the wings of song, as did Madame de Staël. "It has been said that the rôle of Madame de Staël was to understand and make others understand, that of Chateaubriand, to feel and teach others to feel."[4] It was her privilege to make Italy beloved in France, and to set forth the triumphs of Schiller and Goethe in poetry and drama, creating a mysterious image of Germany as a fairy-land of national tradition, song and philosophy. Charles Nodier was the first writer to benefit by her revelations, replacing Madame de Staël as an interpreter of Europe to the next generation. *"Chateaubriand peut être considéré comme l'aïeul ou, si vous*

[4] Irving Babbitt, *Masters of Modern French Criticism*, p. 5.

l'aimez mieux, comme le Sachem du Romantisme en France. Dans le Génie du Christianisme *il restaura la cathédrale gothique; dans les* Natchez, *il rouvrit la grande nature fermée, dans* René, *il inventa la mélancolie et la passion moderne.*"[5] By example and teaching, Chateaubriand showed how the author's personality enriches his writings, and revealed the beauty of Christian and national subjects; above all, his melodious prose enchanted his century: *"c'est lui qui est la source vive de notre romantisme"* (Souriau, *Histoire du Romantisme en France*, I, 307).

THE POETRY OF FRENCH ROMANTICISM (1820-1850)

The third Rousseauistic generation in France influenced by Byron, Walter Scott, Goethe, Schiller, Hoffmann, the Bible, Milton and Shakespeare, created a romantic school and fought for romantic principles over the paintings of Delacroix and the dramas of Victor Hugo (battle of *Hernani*, 1830, failure of *les Burgraves*, 1843). But this is to anticipate. . . . From 1815 to 1830, the national poet was Béranger, *"dont les chansons sont exactement, avec beaucoup moins d'esprit ou de grâce, dans le style d'un Voltaire ou d'un Parny"* (Mornet), or Casimir Delavigne. Lamartine's *Méditations poétiques*, published in 1820, contain the first masterpieces of the new poetry. *"Voici donc enfin des poèmes d'un poète, des poésies qui sont de la poésie!"* exclaims Victor Hugo, aged 18, in his magazine, the *Conservateur littéraire*. *"J'ai lu vos vers, monsieur,"* said the publisher Firmin Didot to Lamartine, returning his manuscript; *"ils sont sans étude. Ils ne ressemblent à rien de ce qui est reçu et recherché dans nos poètes. On ne sait où vous avez pris la langue, les idées, les images de cette poésie: elle ne se classe dans aucun genre défini; c'est dommage, il y a de l'harmonie. Renoncez à ces nouveautés qui dépayseraient le génie français; lisez nos maîtres, Delille, Parny, Michaud, Raynouard, Luce de Lancival, Fontanes; Voilà des poètes chéris du public; ressemblez à quelqu'un, si vous voulez qu'on vous reconnaisse et qu'on vous lise"* (*Raphaël*, chap. CXVIII). But immediate success crowned the *Méditations* when

[5] Théophile Gautier, *Histoire du Romantisme*.

published in March 1820. Transposing true feeling into melodies
that still sound to French ears like purest poetry, Lamartine thus
revived the lyric which had languished since the Renaissance.[6]
His reward was a post in the diplomatic service in Italy; thus
he remained apart from the later poets, Vigny, Hugo and Musset,
whom he inspired.

LE PREMIER CÉNACLE, LE CÉNACLE DE LA MUSE FRANÇAISE
(1823-27)

Victor Hugo and his eldest brother Abel entered on a literary
life as disciples of Chateaubriand, founding their *Conservateur
littéraire* late in 1819 as a royalist magazine. However, the young
critic was captivated by the novels of Walter Scott and praised
Lamartine. His *Odes et Poésies diverses*, published in 1822
brought him a pension from Louis XVIII, but until after 1824 he
"knew absolutely nothing about any *genre classique* or *genre
romantique*." Alfred de Vigny's *Poèmes* were published a little
earlier, composed presumably before the posthumous poems of
Chénier appeared in 1819.

As the old "quarrel of the Ancients and Moderns" broke out
with new virulence, the romantics grouped themselves on the
defensive, first forming *"le Cénacle de la* Muse française" meeting Monday evenings at the home of Émile Deschamps, Rue de
la Ville-l'Évêque. Soumet was the chief promoter of this short-
lived monthly (July 1823-June 1824) and Alexandre Guiraud
composed its prospectus. Other contributors were Hugo, Vigny,
Nodier, Émile Deschamps, Madame Desbordes-Valmore, Sophie
and Delphine Gay, who all displayed a great interest in foreign
literature. *La Muse française* published Hugo's ballad in defense
of medievalism and Gothic architecture, *"La Bande noire"*. In
April 1824, the meetings of *le Premier Cénacle* began to be held
on Sunday evenings in the drawing-rooms of the *Bibliothèque de*

[6] *"La poésie, dont une sorte de profanation intellectuelle avait fait parmi
nous une habile torture de la langue, un jeu stérile de l'esprit"* was reborn
in France as *"fille de l'enthousiasme et de l'inspiration, expression idéale et
mystérieuse de ce que l'âme a de plus éthéré et de plus inexprimable, sens
harmonieux des douleurs ou des voluptés de l'esprit."* (From Lamartine's
Discours de réception at the French Academy, 1830.)

l'Arsenal, where the librarian, Nodier, was host, assisted by his tactful wife and charming daughter. Musset, *l'enfant terrible du romantisme,* has preserved in graceful verse (see No. 137) his memories of these gatherings where many new faces were soon to be seen:—Félix Arvers, Henri de Latouche, Antoni Deschamps, Sainte-Beuve, Guttinguer, Chênedollé, Jules de Rességuier, Alexandre Dumas, and sometimes the painters Delacroix, Devéria and Boulanger.

After the failure of *La Muse française,* the foundation of *Le Globe* (Sept. 1824) assisted the romantics. It published the *Portraits Littéraires* of Sainte-Beuve and the first draft of his *Tableau historique et critique de la poésie française au XVIe siècle.* In the meetings of the Académie française, in 1824, Louis Auger criticized the *nouveau schisme littéraire,* the *poétique barbare* of *la secte naissante,* proclaimed that *"les genres ont été reconnus et fixés, on ne peut pas en changer la nature ni en augmenter le nombre",* and similar attacks sufficed to convert Hugo to romanticism in his *Odes et Ballades* of 1826. French translations of foreign writers somewhat kindred to the French spirit multiplied. Walter Scott's novels, Shakespeare, the plays of Schiller, Bürger's *"Lenore",* Maturin's novels, Byron and Moore, Abel Hugo's *Romances historiques* (*el Romancero*) 1822, Fauriel's *Chants populaires de la Grèce moderne* (1824), the tales of Hoffmann, Manzoni's novels, the pessimistic Foscolo's *Lettre di Jacopo Ortis,* and Gérard de Nerval's translation of *Faust* (1828) or Antoni Deschamps' rendering of Dante, 1829, helped to reduce opposition to romanticism.

LE GRAND CÉNACLE, LE CÉNACLE DE JOSEPH DELORME
(1827-1830)

Now, for a short time, romanticism becomes a true school with a recognized leader—Victor Hugo—and sets of principles for poetry—Émile Deschamps' *Préface des Études françaises et étrangères,* and for the drama, *la Préface de Cromwell* (1828), "which glowed like the Tables of the Law upon Sinai."[7] The

[7] This is the passage in the *Préface* where Hugo announces the reform of poetical style that he desired: *"Que si nous avions le droit de dire quel*

success of Hugo's *Orientales* (1829) brought new prestige, and battalions of his admirers fought the battle of *Hernani* to win victory for their cause upon the stage of the Comédie-Française. A close friend, Sainte-Beuve, who had discovered ancestors for the romantics among the poets of the *Pléiade*, was the critic and theorist of the group, hence often called *le Cénacle de Joseph Delorme* after Sainte-Beuve's pen-name. Some of its members were still visitors to Nodier. At Hugo's house in Rue Notre-Dame-des-Champs, no semi-classicists were now to be found but more artists: Vigny, Nodier and the Deschamps brothers; younger men, Sainte-Beuve, Dumas, Mérimée, Musset, Aloysius Bertrand; neophytes—the *"Jeunes-France"*—Gérard de Nerval, Pétrus Borel, Théophile Gautier; artists, Delacroix, Louis Boulanger, Achille and Eugène Devéria, Tony Johannot, and the sculptor David d'Angers.

This unity dissolved in the heat of the Revolution of July 1830, when political excitement and personal rivalries really destroyed the existence of a school. Romanticism continued and flourished in painting, architecture, sculpture, music, poetry, fiction, history, criticism and the drama, but only as a movement whose history is the biography of its exponents.

LE PETIT CÉNACLE, LES JEUNES-FRANCE (1830-1832)

Part of a younger romantic generation still felt the need of a rallying-ground, and those who were soon to be called *"Jeunes-France"* gathered in the studio of the sculptor Jehan Dusseigneur, Rue de Vaugirard, forming what history calls *le Petit Cénacle* toward the close of the year, 1830. This was the meeting place of Pétrus Borel, Gérard de Nerval, Théophile Gautier, Auguste Maquet, (Dumas' collaborator), Jules Vabre, the artist Célestin

---

pourrait être, à notre gré, le style du drame, nous voudrions un vers libre, franc, loyal, osant tout dire sans pruderie, tout exprimer sans recherche; passant . . . du sublime au grotesque; . . . sachant briser à propos et déplacer la césure pour déguiser sa monotonie d'alexandrin; plus ami de l'enjambement qui l'allonge que de l'inversion qui l'embrouille; fidèle à la rime, cette esclave reine, cette suprême grâce de notre poésie, ce générateur de notre mètre; inépuisable dans la variété de ses tours. . . ."

Nanteuil, Napoléon Tom, Philothée O'Neddy and Joseph Bouchardy. *"De quoi s'occupait-on dans le Cénacle?"* Maxime Du
Camp asked Gautier. *"De tout, mais je ne sais guère ce que l'on
disait parce que tout le monde parlait à la fois."* The truth is that
le Petit Cénacle was the first center of art for art's sake (Jasinski,
Les Années Romantiques de Théophile Gautier, p. 71 ff.). Republican in principle, also for the sake of art, each member was
original and independent in costume. O'Neddy says that they
called themselves the *Jeunes-France*.[8] Assuming a Byronic melancholy, the *Jeunes-France* hid their health and happiness under a
semblance of mortal disease and woe, to rage in their "orgies"
against the *Académie*, the classics, the bald bourgeois, as enthusiasts for medievalism, passion, color, noise and fantasy. Poetical
expressions of their frenzies will be found in this volume among
the selections from Borel, O'Neddy and Gautier.

A word is needed concerning romanticism in the provinces,
where it was received with enthusiastic curiosity, as we know
from what Flaubert said of the Collège de Rouen. *"J'ignore quels
sont les rêves des collégiens, mais les nôtres étaient superbes
d'extravagance,—expansions dernières du romantisme arrivant
jusqu'à nous, et qui, comprimées par le milieu provincial, faisaient
dans nos cervelles d'étranges bouillonnements. . . . Mais on était
avant tout artiste; les pensums finis, la littérature commençait;
et on se crevait les yeux à lire aux dortoirs des romans, on portait
un poignard dans sa poche comme Antony; on faisait plus: par
dégoût de l'existence, Bar*** se cassa la tête d'un coup de pistolet,
And*** se pendit avec sa cravate. Nous méritions peu d'éloges,
certainement! Mais quelle haine de toute platitude! quels élans
vers la grandeur! quel respect des maîtres! comme on admirait
Victor Hugo"* (Preface to the *Dernières Chansons* of Bouilhet).
But as provincial romanticism produced little poetry of merit, it

---

[8] This amusing label for ultra-enthusiastic romanticism was invented by
the *Figaro* for August 30, 1831. *"Le jeune-France est né du jour où la
peinture a fait alliance avec la littérature romantique. Le poète a dit au
peintre: Vous peignez, mais vous ne savez pas parler; prenez mon jargon.
. . . Le peintre a répondu au poète: Vous écrivez, mais vous ne savez pas
peindre; prenez ma barbe."*

is only represented here by selections from Brizeux, Hégésippe Moreau and the often-imitated prose-poet of Dijon, Aloysius Bertrand.

DECLINE OF THE FRENCH ROMANTIC MOVEMENT

French romanticism embodied three conflicting tendencies, two of which went out of fashion about 1840, while the third developed and transformed itself after 1852. (1) The tendency inherent in romanticism to release or expand the ego and pour out confessions and feelings, produced what was called *"le genre intime"* in 1830. It is illustrated by the first poetry of Lamartine, and by that of Sainte-Beuve and Musset. This attitude was too easily imitated to escape criticism and subsequent unpopularity. (2) The second tendency, expressed in the dogma of a useful art and a belief in utilitarian poetry with social values, though maintained by Lamartine, Vigny and Hugo, failed to find younger recruits. They were disillusioned by the fruits of the revolution of 1830 and by the failure of the Saint-Simonian social reform movement which followed. (3) The other tendency was essentially objective and above all picturesque, beginning with the triumph of *les Orientales* and the imperfect achievements of *le Petit Cénacle*, and reaching maturity in the word paintings of Gautier's *Émaux et Camées* (1852).

Admiration for the great romantics must not conceal the fact that they were much imitated in their time, and this imitation brought decay. When the younger exponents of romantic tendencies found themselves the butt of satire, they naturally asserted their independence or themselves became critical of romanticism. Such mockery began as early as 1833, with Gautier's *les Jeunes-France*, followed by Musset's *Lettres de Dupuis et Cotonet*, in 1836. The quality of this satire can be judged from the ironical summary of the romantic attitudes placed by Louis Reybaud, the author of *Jérôme Paturot à la recherche d'une position sociale* (1843) in the mouth of an elderly dealer in nightcaps:

"C'était alors le moment de la croisade littéraire dont vous avez sans doute entendu parler, quoiqu'elle soit aujourd'hui de l'histoire ancienne. Une sorte de fièvre semblait s'être emparée de la jeunesse. La révolte contre la vieille école éclatait dans toute sa fureur. On démolissait Voltaire, on enfonçait Racine, on humiliait Boileau avec son prénom de Nicolas, on traitait Corneille de perruque, on donnait à tous nos vieux auteurs l'épithète un peu légère de *polissons*. Passez-moi le mot; il est historique. En même temps, on disait à l'univers que le temps des génies était arrivé, qu'il suffisait de frapper du pied la terre pour en faire sortir des œuvres rutilantes et colorées, où le don de la forme devait s'épanouir en mille arabesques plus ou moins orientales. On annonçait que le grand style, le vrai style, le suprême style allait naître, style à ciselures, style chatoyant et miroitant, empruntant au ciel son azur, à l'amour sa lave, à la jalousie ses poignards, à la vertu son sourire, aux passions humaines leurs tempêtes. . . .

"Voilà ce que nous voulions, ni plus ni moins.

"Je dis nous, monsieur, car je fus le cent quatre-vingt-dix huitième génie de cette école, par numéro d'ordre. A peine eut-on proclamé un chef que je m'écriai: *De ta suite, j'en suis!* Et j'en fus. Comme titre d'admission, je composai une pièce de vers monosyllabiques que l'on porta aux nues. . . .

". . . Oui, monsieur, tel que vous me voyez, j'ai été une victime du sonnet, ce qui ne m'a pas empêché de donner dans la ballade, dans l'orientale, dans l'ïambe, dans la méditation, dans le poème en prose et autres délassements modernes. Mais mon encens le plus pur a brûlé en l'honneur de cette divinité que l'on nomme la couleur locale. A volonté mes vers étaient albanais, cophtes, yolofs, cherokees, papous, tcherkesses, afghans et patagons . . ." (Chap. I, *"Paturot poète chevelu"*).

Thus the romantic revolt never triumphed, and the group of romantic writers reached only a part of the public. "*Même entre 1820 et 1835, on goûte aussi vivement des historiens, des critiques, des philosophes dont l'art et les doctrines sont fort différents de l'art et des doctrines romantiques"* (Mornet). It was the picturesque and objective tendency of the French romantic poets which found acceptance with the next literary generation, the Parnassian school. "After the reign of the heart, the reign of the eye" (Thérive). Gautier's *Émaux et Camées* were accompanied by the publication of Leconte de Lisle's *Poèmes antiques* (1852), with a preface attacking Hugo's philosophizing as well as Lamartine's and Musset's confessions of the heart. With the advance of history, archæology and philology, the new poet's ambition was to understand and explain the past in a positivistic spirit, not to attempt its embodiment in "visions". Art for art's sake became the motto of the whole Parnassian school. Its insistence upon impeccable literary technique corresponded to the rise of a school of realism in painting (Courbet's *Enterrement à Ornans*, Salon of 1850) and in the novel (Champfleury, Duranty, Murger). On the stage, romanticism had already been checked by *l'école du bon sens*, when Ponsard's *Lucrèce*, interpreted by the gifted Rachel, vanquished Hugo's *Burgraves* in 1843. The publication of Baudelaire's *Fleurs du Mal* and Flaubert's *Madame Bovary*, in 1857, marks for the historian the close of the romantic period in France.

"*Il n'y a ni romantiques ni classiques. Tout cela, c'est des bêtises*," said Jean Moréas, on his death-bed in 1910. Though himself the founder of an "*École romane*", Moréas meant that classicism, romanticism, the Parnassus, decadence and symbolism are in reality a continuous effort, an identical poetical tradition, which tends towards the attainment of an ever-widening artistic ambition. During the romantic period, the artist won liberty, his release from false rules that were never imposed on Homer, Dante and Shakespeare. Meanwhile, the French romantic poets actually created a new language. French words were made free and equal. Above all, the speech of the poet became a thing of beauty as well as the expression of truth, the poetry of French romanticism a delight for all nations.

FRENCH
ROMANTIC POETRY

André Chénier

Constantinople, 1762—Paris, 1794

BORN in the European quarter of Constantinople of a Greek mother, Chénier appears to posterity as the most truly Greek poet of the classical age in France. His genius and perseverance transmuted all that he knew of Greek poetry into spontaneous melodies marked by the graceful simplicity of classic art. He perished on the guillotine at an age when he had published only two poems, and his affecting death naturally fostered interest in his work. When Latouche finally published Chénier's manuscripts in 1819, the ideas of his own literary generation had been forgotten, so that the young romantics of 1828 were able to discover affinities with Chénier, and Sainte-Beuve in his *Pensées de Joseph Delorme* (1829), borrowed as a war-cry, the verse: "*Sur des pensers nouveaux faisons des vers antiques.*"

Hugo, Vigny, Sainte-Beuve, Musset and Lamartine forgot that it was Chénier who gave Lebrun his nickname of "Pindare," and that Chénier's "inventions" were practiced in his own lifetime by their enemy, l'Abbé Delille. Even the liberties of Chénier's versification had been successfully practiced by others. However, the romantics read and imitated Chénier alone and in truth justified their displaced cæsuras and *enjambements* by his special example.

To give Chénier his true aspect as a forerunner of romanticism, several fragments from his didactic poem "*l'Invention*", replace in this collection two masterpieces, "*l'Aveugle*" and "*le Jeune Malade*." His bucolics are represented only by four shorter idyls, followed by the two best known poems that he composed in the revolutionary prisons. These selections are arranged with the headings of the Latouche edition which the romantics knew, but follow Dimoff's edition which preserves Chénier's punctuation. Chénier's poetry was known in manuscript form to Chateaubriand, Chênedollé, Millevoye and Vigny.

1

Œuvres Complètes, critical edition by P. Dimoff, 3 vols. Ref-ences: É. Faguet, *André Chénier*, 1902, F. Roz, *André Chénier*, 1913, H. Potez, *L'Élégie en France avant le romantisme*, 1898.

IDYLLES

XIV

1.   LA JEUNE TARENTINE

Pleurez, doux alcyons! ô vous, oiseaux sacrés,
Oiseaux chers à Théthis; doux alcyons, pleurez.
Elle a vécu, Myrto, la jeune Tarentine.
Un vaisseau la portait aux bords de Camarine.
Là l'hymen, les chansons, les flûtes, lentement   5
Devaient la reconduire au seuil de son amant.
Une clef vigilante a pour cette journée
Dans le cèdre enfermé sa robe d'hyménée
Et l'or dont au festin ses bras seront parés
Et pour ses blonds cheveux les parfums préparés.   10
Mais, seule sur la proue, invoquant les étoiles,
Le vent impétueux qui soufflait dans les voiles
L'enveloppe. Étonnée, et loin des matelots,
Elle crie, elle tombe, elle est au sein des flots.
Elle est au sein des flots, la jeune Tarentine.   15
Son beau corps a roulé sous la vague marine.
Théthis, les yeux en pleurs, dans le creux d'un rocher
Aux monstres dévorants eut soin de le cacher.
Par ses ordres bientôt les belles Néréides
L'élèvent au-dessus des demeures humides,   20
Le portent au rivage, et dans ce monument
L'ont au cap du Zéphyr, déposé mollement.
Puis de loin à grands cris appelant leurs compagnes,
Et les Nymphes des bois, des sources, des montagnes,
Toutes, frappant leur sein, et traînant un long deuil,   25
Répétèrent: «Hélas!» autour de son cercueil.

Hélas! chez ton amant tu n'es point ramenée.
Tu n'as point revêtu ta robe d'hyménée.
L'or autour de tes bras n'a point serré de nœuds.
Les doux parfums n'ont point coulé sur tes cheveux. 30

FRAGMENTS D'IDYLLES

I

2. ŒTA, MONT ENNOBLI PAR CETTE NUIT ARDENTE

Œta, mont ennobli par cette nuit ardente,
Quand l'infidèle époux d'une épouse imprudente
Reçut de son amour un présent trop jaloux,
Victime du Centaure immolé par ses coups.
Il brise tes forêts. Ta cime épaisse et sombre 5
En un bûcher immense amoncelle sans nombre
Les sapins résineux que son bras a ployés.
Il y porte la flamme. Il monte; sous ses pieds
Étend du vieux lion la dépouille héroïque,
Et l'œil au ciel, la main sur la massue antique, 10
Attend sa récompense et l'heure d'être un Dieu.
Le vent souffle et mugit. Le bûcher tout en feu
Brille autour du héros; et la flamme rapide
Porte aux palais divins l'âme du grand Alcide.

II

3. J'ÉTAIS UN FAIBLE ENFANT QU'ELLE ÉTAIT GRANDE ET BELLE

J'étais un faible enfant qu'elle était grande et belle.
Elle me souriait et m'appelait près d'elle.
Debout sur ses genoux, mon innocente main
Parcourait ses cheveux, son visage, son sein,
Et sa main quelquefois, aimable et caressante,   5
Feignait de châtier une enfance imprudente.
C'est devant ses amants, auprès d'elle confus,
Que la fière beauté me caressait le plus.
Que de fois (mais, hélas! que sent-on à cet âge?)
Les baisers de sa bouche ont pressé mon visage!   10
Et les bergers disaient, me voyant triomphant:
«Oh! que de biens perdus! ô trop heureux enfant!»

III

4.   TOUJOURS CE SOUVENIR M'ATTENDRIT ET ME TOUCHE

Toujours ce souvenir m'attendrit et me touche,
Quand lui-même appliquant la flûte sur ma bouche,
Riant et m'asseyant sur lui, près de son cœur,
M'appelait son rival et déjà son vainqueur.
Il façonnait ma lèvre inhabile et peu sûre   5
A souffler une haleine harmonieuse et pure.
Et ses savantes mains prenaient mes jeunes doigts,
Les levaient, les baissaient, recommençaient vingt fois,
Leur enseignant ainsi, quoique faibles encore,
A fermer tour à tour les trous du buis sonore.   10

POÈMES

I

5. ### L'INVENTION

Poème

Audendum est.

I

O fils du Mincius, je te salue, ô toi
Par qui le Dieu des arts fut roi du peuple roi!
Et vous, à qui jadis, pour créer l'harmonie,
L'Attique, et l'onde Égée, et la belle Ionie,
Donnèrent un ciel pur, les plaisirs, la beauté,   5
Des mœurs simples, des lois, la paix, la liberté,
Un langage sonore, aux douceurs souveraines,
Le plus beau qui soit né sur des lèvres humaines.
Nul âge ne verra pâlir vos saints lauriers,
Car vos pas inventeurs ouvrirent les sentiers;   10
Et du temple des arts que la gloire environne
Vos mains ont élevé la première colonne.
A nous tous aujourd'hui, vos faibles nourrissons,
Votre exemple a dicté d'importantes leçons.
Il nous dit que nos mains, pour vous être fidèles,   15
Y doivent élever des colonnes nouvelles.
L'esclave imitateur naît et s'évanouit;
La nuit vient, le corps reste, et son ombre s'enfuit.
      Ce n'est qu'aux inventeurs que la vie est promise:
Nous voyons les enfants de la fière Tamise,   20
De toute servitude ennemis indomptés;
Mieux qu'eux, par votre exemple, à vous vaincre excités,
Osons; de votre gloire éclatante et durable
Essayons d'épuiser la source inépuisable.

· · · · ·

Tout a changé pour nous, mœurs, sciences, coutumes.   100
Pourquoi donc nous faut-il, par un pénible soin,
Sans rien voir près de nous, voyant toujours bien loin,
Vivant dans le passé, laissant ceux qui commencent,
Sans penser écrivant d'après d'autres qui pensent,
Retraçant un tableau que nos yeux n'ont point vu,   105
Dire et dire cent fois ce que nous avons lu?
De la Grèce héroïque et naissante et sauvage
Dans Homère à nos yeux vit la parfaite image.
Démocrite, Platon, Epicure, Thalès,
Ont de loin à Virgile indiqué les secrets   110
D'une nature encore à leurs yeux trop voilée.
Toricelli, Newton, Kepler et Galilée,
Plus doctes, plus heureux dans leurs puissants efforts,
A tout nouveau Virgile ont ouvert des trésors.
Tous les arts sont unis: les sciences humaines   115
N'ont pu de leur empire étendre les domaines,
Sans agrandir aussi la carrière des vers.
Quel long travail pour eux a conquis l'univers!

      .   .   .   .

Pensez-vous, si Virgile ou l'Aveugle divin
Renaissaient aujourd'hui, que leur savante main
Négligeât de saisir ces fécondes richesses,
De notre Pinde auguste éclatantes largesses?
Nous en verrions briller leurs sublimes écrits: 145
Et ces mêmes objets, que vos doctes mépris
Accueillent aujourd'hui d'un front dur et sévère,
Alors à vos regards auraient seuls droit de plaire;
Alors, dans l'avenir, votre inflexible humeur
Aurait soin de défendre à tout jeune rimeur   150
D'oser sortir jamais de ce cercle d'images
Que vos yeux auraient vu tracé dans leurs ouvrages.

      .   .   .   .   .

Puis, ivres des transports qui nous viennent surprendre,
Parmi nous, dans nos vers, revenons les répandre;   180

Changeons en notre miel leurs plus antiques fleurs;
Pour peindre notre idée, empruntons leurs couleurs;
Allumons nos flambeaux à leurs feux poétiques;
Sur des pensers nouveaux faisons des vers antiques.

. . . . .

Qui que tu sois enfin, ô toi, jeune poète,
Travaille; ose achever cette illustre conquête.
De preuves, de raisons, qu'est-il encor besoin?
Travaille. Un grand exemple est un puissant témoin.
Montre ce qu'on peut faire en le faisant toi-même. 255
Si pour toi la retraite est un bonheur suprême,
Si chaque jour les vers de ces maîtres fameux
Font bouillonner ton sang et dressent tes cheveux;
Si tu sens chaque jour, animé de leur âme,
Ce besoin de créer, ces transports, cette flamme, 260
Travaille. A nos censeurs, c'est à toi de montrer
Tous ces trésors nouveaux qu'ils veulent ignorer.

. . . . .

ODES

XII

6.

LA JEUNE CAPTIVE

Saint-Lazare

«L'épi naissant mûrit de la faux respecté;
Sans crainte du pressoir, le pampre tout l'été
    Boit les doux présents de l'aurore;
Et moi, comme lui belle, et jeune comme lui,
Quoi que l'heure présente ait de trouble et d'ennui, 5
    Je ne veux point mourir encore.

Qu'un stoïque aux yeux secs vole embrasser la mort:
Moi je pleure et j'espère. Au noir souffle du nord
    Je plie et relève ma tête.

S'il est des jours amers, il en est de si doux!   10
Hélas! quel miel jamais n'a laissé de dégoûts?
    Quelle mer n'a point de tempête?

L'illusion féconde habite dans mon sein.
D'une prison sur moi les murs pèsent en vain,
    J'ai les ailes de l'espérance.   15
Échappée aux réseaux de l'oiseleur cruel,
Plus vive, plus heureuse, aux campagnes du ciel
    Philomèle chante et s'élance.

Est-ce à moi de mourir? Tranquille je m'endors
Et tranquille je veille; et ma veille aux remords   20
    Ni mon sommeil ne sont en proie.
Ma bienvenue au jour me rit dans tous les yeux;
Sur des fronts abattus, mon aspect dans ces lieux
    Ranime presque de la joie.

Mon beau voyage encore est si loin de sa fin!   25
Je pars, et des ormeaux qui bordent le chemin
    J'ai passé les premiers à peine.
Au banquet de la vie à peine commencé,
Un instant seulement mes lèvres ont pressé
    La coupe en mes mains encor pleine.   30

Je ne suis qu'au printemps. Je veux voir la moisson,
Et comme le soleil, de saison en saison,
    Je veux achever mon année.
Brillante sur ma tige et l'honneur du jardin,
Je n'ai vu luire encor que les feux du matin;   35
    Je veux achever ma journée.

O mort! tu peux attendre; éloigne, éloigne-toi;
Va consoler les cœurs que la honte, l'effroi,
    Le pâle désespoir dévore.
Pour moi Palès encore a des asiles verts,   40

Les amours des baisers, les Muses des concerts.
  Je ne veux point mourir encore.»

Ainsi, triste et captif, ma lyre toutefois
S'éveillait, écoutant ces plaintes, cette voix,
      Ces vœux d'une jeune captive;   45
Et secouant le faix de mes jours languissants,
Aux douces lois des vers je pliais les accents
      De sa bouche aimable et naïve.

Ces chants, de ma prison témoins harmonieux,
Feront à quelque amant des loisirs studieux   50
      Chercher quelle fut cette belle.
La grâce décorait son front et ses discours,
Et comme elle craindront de voir finir leurs jours
      Ceux qui les passeront près d'elle.

IAMBES

V

7.   SAINT-LAZARE

Comme un dernier rayon, comme un dernier zéphyre
      Animent la fin d'un beau jour,
Au pied de l'échafaud j'essaye encor ma lyre.
      Peut-être est-ce bientôt mon tour.
Peut-être avant que l'heure en cercle promenée   5
      Ait posé sur l'émail brillant,
Dans les soixante pas où sa route est bornée,
      Son pied sonore et vigilant;
Le sommeil du tombeau pressera ma paupière.
      Avant que de ses deux moitiés   10
Ce vers que je commence ait atteint la dernière,
      Peut-être en ces murs effrayés

Le messager de mort, noir recruteur des ombres,
    Escorté d'infâmes soldats,
Ébranlant de mon nom ces longs corridors sombres,   15
    Où seul dans la foule à grands pas
J'erre, aiguisant ces dards persécuteurs du crime,
    Du juste trop faibles soutiens,
Sur mes lèvres soudain va suspendre la rime;
    Et chargeant mes bras de liens,   20
Me traîner, amassant en foule à mon passage
    Mes tristes compagnons reclus,
Qui me connaissaient tous avant l'affreux message,
    Mais qui ne me connaissent plus.
Eh bien! j'ai trop vécu. Quelle franchise auguste,   25
    De mâle constance et d'honneur
Quels exemples sacrés, doux à l'âme du juste,
    Pour lui quelle ombre de bonheur,
Quelle Thémis terrible aux têtes criminelles,
    Quels pleurs d'une noble pitié,   30
Des antiques bienfaits quels souvenirs fidèles,
    Quels beaux échanges d'amitié,
Font digne de regrets l'habitacle des hommes?
    La peur fugitive est leur Dieu;
La bassesse; la feinte. Ah! lâches que nous sommes   35
    Tous, oui, tous. Adieu, terre, adieu.
Vienne, vienne la mort!—Que la mort me délivre!
    Ainsi donc mon cœur abattu
Cède au poids de ses maux? Non, non. Puissé-je vivre!
    Ma vie importe à la vertu. ‑ *moral quality of man*   40
Car l'honnête homme enfin, victime de l'outrage,
    Dans les cachots, près du cercueil,
Relève plus altiers son front et son langage,
    Brillants d'un généreux orgueil.
S'il est écrit aux cieux que jamais une épée   45
    N'étincellera dans mes mains;
Dans l'encre et l'amertume une autre arme trempée
    Peut encor servir les humains.

Justice, Vérité, si ma main, si ma bouche
    Si mes pensers les plus secrets 50
Ne froncèrent jamais votre sourcil farouche,
    Et si les infâmes progrès,
Si la risée atroce, ou, plus atroce injure,
    L'encens de hideux scélérats
Ont pénétré vos cœurs d'une longue blessure; 55
    Sauvez-moi. Conservez un bras
Qui lance votre foudre, un amant qui vous venge.
    Mourir sans vider mon carquois!
Sans percer, sans fouler, sans pétrir dans leur fange
    Ces bourreaux barbouilleurs de lois! 60
Ces vers cadavéreux de la France asservie,
    Égorgée! O mon cher trésor,
O ma plume! fiel, bile, horreur, Dieux de ma vie!
    Par vous seuls je respire encor:
Comme la poix brûlante agitée en ses veines 65
    Ressuscite un flambeau mourant,
Je souffre; mais je vis. Par vous, loin de mes peines,
    D'espérance un vaste torrent
Me transporte. Sans vous, comme un poison livide,
    L'invisible dent du chagrin, 70
Mes amis opprimés, du menteur homicide
    Les succès, le sceptre d'airain;
Des bons proscrits par lui la mort ou la ruine,
    L'opprobre de subir sa loi,
Tout eût tari ma vie; ou contre ma poitrine 75
    Dirigé mon poignard. Mais quoi!
Nul ne resterait donc pour attendrir l'histoire
    Sur tant de justes massacrés?
Pour consoler leurs fils, leurs veuves, leur mémoire,
    Pour que des brigands abhorrés 80
Frémissent aux portraits noirs de leur ressemblance,
    Pour descendre jusqu'aux enfers
Nouer le triple fouet, le fouet de la vengeance
    Déjà levé sur ces pervers?

Pour cracher sur leurs noms, pour chanter leur supplice?   85
    Allons, étouffe tes clameurs;
Souffre, ô cœur gros de haine, affamé de justice.
    Toi, Vertu, pleure si je meurs.

Antoine-Vincent Arnault

Paris, 1766—Goderville, 1834

Not a real poet, not a romantic, Arnault wrote tragedies that found favor at the close of the XVIIIth century and won for this bourgeois of Paris the esteem of Bonaparte. During the Empire, Arnault was attached to the Ministry of Education, giving himself up to society and society-verse (his *Fables*). During the Hundred Days, he held the portfolio of Education and was banished by Louis XVIII upon his return. The following elegy, which exactly suited the taste of the times, was composed on a pale January morning in 1816 when walking in the country-side at L'Isle-Adam. Of *"la Feuille"*, Sainte-Beuve says: *"Arnault avait rencontré là une de ces feuilles qui surnagent, un parfum qui devait à jamais s'attacher à son nom. Il avait eu, une fois, de la mélancolie et de la mollesse."* (*Causeries du Lundi,* vii.)

Works: *Fables,* 1813, *Œuvres complètes,* 1817-19, *Fables et Poésies,* 1826.

8. «LA FEUILLE»

«De ta tige détachée,
Pauvre feuille desséchée,
Où vas-tu?»—Je n'en sais rien.
L'orage a brisé le chêne
Qui seul était mon soutien; 5
De son inconstante haleine
Le zéphyr ou l'aquilon
Depuis ce jour me promène
De la forêt à la plaine,
De la montagne au vallon. 10
Je vais où le vent me mène,

Sans me plaindre ou m'effrayer;
Je vais où va toute chose,
Où va la feuille de rose
Et la feuille de laurier!

15

François-René de Chateaubriand

Saint Malo, 1768—Paris, 1848

Atala, 1801, *le Génie du Christianisme* (which contained *René*, 1802, *Les Martyrs*, 1809, *l'Itinéraire de Paris à Jérusalem*, 1811, *les Natchez, les Aventures du dernier Abencerage, Voyage en Amérique*, 1826-31, these are the works of Chateaubriand which awakened romantic emotions and gave stimulus to lyrical poetry, history, historical fiction and literary criticism. Victor Hugo, as a school-boy of fourteen wrote in his note-book: *"Je veux être Chateaubriand ou rien."* His prose has the ring of poetry, but of all the verse which he ever composed only the little love-song now known as *"le Montagnard exilé"* or *"A Hélène"* survived. It was on an excursion to the Mont-Dore in Auvergne (1805) that Chateaubriand transcribed a local melody to which he set words. *"Je n'ai eu en tout cela,"* said Chateaubriand, *"d'autre mérite que de mettre en tête de l'air, une fois noté,* adagio *à la place d'*alle-gretto; *en ralentissant la mesure au gré de la mélancolie, l'hilarité du pâtre s'est changée en complainte de l'exilé. Les paroles alors me sont venues d'elles-mêmes."* This "romance", published with music under the title *le Montagnard émigré* in the *Mercure de France*, May, 1806, was incorporated in *les Aventures du dernier Abencerage* (1826), composed about 1807, to please the *goût troubadour* of Madame de Mouchy, living at Granada.

Books recommended: Sainte-Beuve, *Chateaubriand et son groupe littéraire*, P. Moreau, *Chateaubriand*, 1927, and H. Le Savoureux, *Chateaubriand*, 1930.

LES AVENTURES DU DERNIER ABENCERAGE

9. LE MONTAGNARD EXILÉ

Combien j'ai douce souvenance
Du joli lieu de ma naissance!

Ma sœur, qu'ils étaient beaux les jours
    De France!
O mon pays, sois mes amours 5
    Toujours!

Te souvient-il que notre mère
Au foyer de notre chaumière
Nous pressait sur son cœur joyeux,
    Ma chère! 10
Et nous baisions ses blancs cheveux
    Tous deux.

Ma sœur, te souvient-il encore
Du château que baignait la Dore?
Et de cette tant vieille tour 15
    Du Maure,
Où l'airain sonnait le retour
    Du jour?

Te souvient-il du lac tranquille
Qu'effleurait l'hirondelle agile; 20
Du vent qui courbait le roseau
    Mobile,
Et du soleil couchant sur l'eau
    Si beau?

Oh! qui me rendra mon Hélène 25
Et ma montagne et le grand chêne!
Leur souvenir fait tous les jours
    Ma peine:
Mon pays sera mes amours
    Toujours! 30

Charles Lioult de Chênedollé

Vire, 1769—Le Coisel, 1833

CHÊNEDOLLÉ was one of the semi-classicists interested enough in new literary tendencies to attend occasionally the *Cénacle de la Muse française* or visit Nodier when in Paris. He was brought up in the country and learned to know nature and mediocre poetry like the verse of Delille and translations of Gessner's *Idyllen*. At thirty, in Paris, he was associated with Chateaubriand, Joubert and Fontanes, and fell in love with François-René's younger sister Lucile, the widowed Mme de Caud, who died in 1804, disordered mentally. She had learned that Chênedollé was already married. To win success his poem *le Génie de l'homme* should have appeared in the same year as *le Génie du christianisme* (1802), but it was published in 1807. In 1810, Chênedollé became a teacher and again missed a triumph by publishing his *Études poétiques* (1820) just after Lamartine's *Méditations*. It is Sainte-Beuve who wrote: *"De toutes les pièces des* Études, le Clair de lune de mai *me semble la plus heureusement touchée, la plus revêtue de mollesse et de rêverie."*

Works: *Le Génie de l'homme*, 1807; *Études poétiques*, 1820; *Œuvres complètes*, 1864. Consult Sainte-Beuve, *Chateaubriand et son groupe littéraire*, 1860, Vol. II; Mme Paul de Samie, *A l'Aube du romantisme: Chênedollé*, 1922.

ÉTUDES POÉTIQUES

10.   LE CLAIR DE LUNE DE MAI

> Au bout de sa longue carrière,
> Déjà le soleil moins ardent
> Plonge, et dérobe sa lumière
> Dans la pourpre de l'occident.

La terre n'est plus embrasée   5
Du souffle brûlant des chaleurs,
Et le Soir aux pieds de rosée
S'avance, en ranimant les fleurs.

Sous l'ombre par degrés naissante,
Le coteau devient plus obscur,   10
Et la lumière décroissante
Rembrunit le céleste azur.

Parais, ô Lune désirée!
Monte doucement dans les cieux:
Guide la paisible Soirée   15
Sur son trône silencieux.

Amène la brise légère
Qui, dans l'air, précède tes pas,
Douce haleine, à nos champs si chère,
Qu'aux cités on ne connaît pas.   20

A travers la cime agitée
Du saule incliné sur les eaux,
Verse ta lueur argentée,
Flottante en mobiles réseaux.

Que ton image réfléchie   25
Tombe sur le ruisseau brillant,
Et que la vague au loin blanchie
Roule ton disque vacillant!

Descends, comme une faible aurore,
Sur des objets trop éclatants;   30
En l'adoucissant, pare encore
La jeune pompe du Printemps.

Aux fleurs nouvellement écloses
Prête un demi-jour enchanté,
Et blanchis ces vermeilles roses 35
De ta pâle et molle clarté.

Et toi, sommeil, de ma paupière
Écarte tes pesants pavots.
Phœbé, j'aime mieux ta lumière
Que tous les charmes du repos. 40

Je veux, dans sa marche insensible,
Ivre d'un poétique amour,
Contempler ton astre paisible
Jusqu'au réveil brillant du jour.

EDMOND GÉRAUD

Bordeaux, 1775—1831

FRENCH writers on romanticism form three groups, roughly, those who still condemn it as a foreign contamination, *"l'extrait dangereux des substances étrangères"* (Duvicquet, *Journal des Débats,* Oct. 10, 1825), those who are satisfied that the French romantics gathered from foreign masters only what France then required, and those who discover French origins for French romanticism. It is true that during the XVIth, XVIIth and XVIIIth centuries, interest in the chivalric traditions of the Middle Ages kept bright the image of heroism, naïve simplicity and the *bon vieux temps* in popular fiction, court entertainments and the drama. After 1775 scholarship and imagination combined to reveal to a still wider public the "romances of the troubadours" in a hybrid but assimilable form. A liking for tales and ballads in a similar vein—*le goût troubadour*—thus precedes the romantic movement. It found occasional expression in the poetry of young Hugo, Musset and Vigny, until the publication of French medieval literature in authentic texts made imitation dangerous—just at a time when new interesting English and German themes came in.

Good tunes popularized insipid words. In 1817, wrote Victor Hugo retrospectively: *"Toutes les jeunes filles chantaient* l'Ermite de Sainte-Avelle, *paroles d'Edmond Géraud"* (*les Misérables, l'Année 1817*).

Works: *Poésies diverses,* 1818, 1822, *Le Voyage de Marie Stuart, élégie,* 1825. Consult H. Jacoubet, *Le Genre troubadour et les Origines françaises du romantisme,* and *Un Homme de lettres sous l'Empire et la Restauration, fragments de journal intime,* published by Maurice Albert.

POÉSIES

11.   ### L'ERMITE DE SAINTE-AVELLE

Aux rochers de Sainte-Avelle
La reine Berte autrefois
Fit bâtir une chapelle
A Notre-Dame-des-Bois.
Ce fut dans ce lieu sauvage   5
Qu'un jour, disant son missel,
L'ermite du voisinage
Reçut un beau damoisel.

Bien que le vieillard d'avance
Cherchât à le rassurer,   10
L'étranger en sa présence
Soudain se prit à pleurer.
«Mon fils, dit le solitaire,
Parlez; d'où naissent vos pleurs?
—Hélas, je n'ose, mon père   15
Vous confier mes douleurs.

Pour avoir de noble dame
Obtenu simple baiser,
Je vais brûlant d'une flamme
Que rien ne peut apaiser.   20
Oh! dites-moi, je vous prie,
Par quel charme si fatal
Le doux baiser d'une amie
Est cause de tant de mal.

Je ne saurais, la nuit même,   25
Reposer dans mon sommeil;
Et dès l'aube un trouble extrême
Précipite mon réveil.
Tout vient irriter ma peine;

Tout m'offre le souvenir   30
De la belle châtelaine
Dont les baisers font mourir.

Mais un époux dans Grenade
La tient sous sa dure loi;
Et j'apprends qu'à la croisade   35
Il me faut suivre le roi.
Je viens donc ici, mon père,
Vous demander instamment
Ou croix bénite, ou rosaire,
Pour apaiser mon tourment.   40

—Mon fils, répondit l'ermite,
De Notre-Dame-des-Bois   .
Le pouvoir est sans limite,
Et le ciel s'ouvre à sa voix.
Mais, hélas! sur cette terre   45
Où l'homme ne vit qu'un jour,
Il n'est ni croix, ni rosaire
Qui guérisse de l'amour.»

GUILLAUME VIENNET

Béziers, 1777—Val-Saint-Germain, 1868

THE last of the classics, an Academician, author of forgotten tragedies, *Fables* and *Épîtres*, Viennet is only remembered for his jibes at the Romantics, and by their jests at his expense. *"Je suis le seul homme, disait-il un jour gaiement, qui se soit relevé d'une chose dont on meurt ordinairement en France, du ridicule."* (Sainte-Beuve, *Nouveaux Lundis*, xii, p. 439.) His *"Épître aux Muses"*, of which a part follows, was published in the *Mercure du XIXe siècle* ten days before the anti-romantic anathema of Auger at the annual public session of the Royal Institute, April 24, 1824. But in 1829, when F. R. de Toreinx (assumed name of E. Ronteix) published a brief *Histoire du romantisme en France*, Viennet's line: *"Et hors du romantisme il n'est plus de salut"* could already be used seriously as the epigraph for an impartial sketch of the romantic movement. Viennet is also remembered for his statement to Baudelaire, then a candidate for the Academy: *"Il n'y a que cinq genres, monsieur! La tragédie, la comédie, la poésie épique, la satire et la poésie fugitive qui comprend la fable, où j'excelle!"*

ÉPITRES ET SATIRES

12.   AUX MUSES, SUR LES ROMANTIQUES

Allons, Muses, debout; faisons du romantique,
Extravaguons ensemble et narguons la critique;
Livrons-nous sans réserve aux élans vagabonds
De ce feu créateur, qu'en ses gouffres profonds
D'un cœur impétueux nourrit l'indépendance.
Mon vigoureux génie, enfant de la licence,
S'indigne des liens qu'au langage des dieux

5

Imposa trop longtemps un goût injurieux.
Que la raison, fuyant aux accords de ma lyre,
De mes sens emportés respecte le délire.　　　　　10
Ma pensée est captive en ce vaste univers:
Lançons-nous dans le vague; et qu'au bruit de mes vers
Jaillissent au hasard sur la terre éblouie
Des torrents de lumière et des flots d'harmonie.

Quoi! vous me regardez! et vos yeux secs et froids　　15
Semblent me demander si je parle iroquois!
Vous ne comprenez pas ces figures sublimes;
Nos grands auteurs pour vous sont donc des anonymes!
A douze éditions leurs vers sont parvenus,
Et leurs noms immortels ne vous sont pas connus!　　20
Dormez-vous sur le Pinde? et faut-il que j'explique
Ce qu'on nomme aujourd'hui le genre romantique?

Vous m'embarrassez fort; car je dois convenir
Que ses plus grands fauteurs n'ont pu le définir.
Depuis quinze ou vingt ans que la France l'admire,　　25
On ne sait ce qu'il est, ni ce qu'il veut nous dire.
Stendhal, Morgan, Schlégel. . . . Ne vous effrayez pas,
Muses, ce sont des noms fameux dans nos climats,
Chefs de la propaganda, ardents missionnaires,
Parlant le romantique et prêchant ses mystères.　　30
Il n'est pas un Anglais, un Suisse, un Allemand,
Qui n'éprouve à leurs noms un saint frémissement.
Quand on connaît le slave, on comprend leur système;
Et s'ils étaient d'accord, je l'entendrais moi-même;
Mais un adepte enfin m'ayant endoctriné,　　35
Je vais dire à peu près ce que j'ai deviné.

C'est une vérité qui n'est point la nature;
Un art qui n'est point l'art, de grands mots sans enflure;
C'est la mélancolie et la mysticité;

C'est l'affectation de la naïveté, ⁴⁰
C'est un monde idéal qu'on voit dans les nuages:
Tout, jusqu'au sentiment, n'y parle qu'en images.
C'est la voix du désert ou la voix du torrent,
Ou le roi des tilleuls ou le fantôme errant
Qui le soir au vallon vient siffler ou se plaindre; ⁴⁵
Des figures enfin qu'un pinceau ne peut peindre.
C'est un je ne sais quoi dont on est transporté,
Et moins on le comprend, plus on est enchanté. . . .

Ne me citez donc plus Voltaire ni Racine,
Ils n'avaient point reçu l'influence divine; ⁵⁰
Ils parlaient comme on parle, et leur style bien net
Peignait le cœur humain comme Dieu l'avait fait.
Cette erreur a fini comme leur renommée.
Leur immortalité vient d'être supprimée,
Et c'est de Lilliput que l'arrêt est daté. ⁵⁵
Il faut voir de quel air Despréaux est traité.
Ce rimeur se traînant dans l'ornière d'Horace,
Prétendait à son tour régenter le Parnasse,
Aux lois du sens commun soumettre l'art des vers,
Limiter le génie et lui donner des fers. ⁶⁰
Le romantique est libre et se moque des règles.
Les chaînes, les barreaux sont-ils faits pour les aigles?
C'était bon pour Racine et tous les beaux esprits
Que l'hôtel Rambouillet a justement flétris.
Aussi qu'a-t-il produit? *Andromaque, Athalie;* ⁶⁵
Un style fatigant par sa monotonie;
Point de verve, d'élan, rien qui vise à l'effet.
Voltaire s'est permis de le trouver parfait.
Hélas! qu'en savait-il, lui qui rimait à peine?
Les vers trop aisément s'échappaient de sa veine. ⁷⁰
Le style de sa prose est trop simple et trop clair.
Ses histoires, d'ailleurs, sont des contes en l'air.
Regnard fait rire encor la vile populace;

Mais sa plaisanterie est de mauvaise grâce.
Jean-Jacques, trop diffus, manque de profondeur.   75
Fénelon est sans nerf, sans pompe, sans couleur.
Corneille, que soutient une vieille énergie,
S'il n'était inégal n'aurait point de génie;
Et Molière lui-même eût été réformé
Si le Welche et l'Anglais ne l'avaient estimé.   80
De ces arrêts en vain notre raison murmure;
Nous sommes les ultras de la littérature;
Et comme en tous pays les ultras sont des fous,
Dans Paris, sans façon, l'on se moque de nous.
Muses, à mes dépens, je ne veux plus qu'on rie,   85
Et vous m'inspirerez suivant ma fantaisie.
Si vous dictez un vers qui ne sente l'effort,
Et qu'avant d'applaudir on comprenne d'abord,
Je le mets au rebut comme un vieil invalide.
Je veux du clair obscur, du nébuleux limpide,   90
De ces mots qu'à Ronsard inspirait Apollon.
C'est le goût de mon siècle, et qui paye a raison.
Je veux que l'on m'achète, et surtout qu'on m'admire.
De l'office au boudoir je veux me faire lire;
J'entends que mon libraire élève mes écrits   95
A treize éditions, dussé-je en payer dix.
Je prétends qu'à tout prix on me fasse une gloire;
Que dans tous les journaux on chante ma victoire.
J'ai la marotte enfin d'aller à l'Institut;
Et hors du romantique il n'est plus de salut.   100

PIERRE-JEAN DE BÉRANGER

Paris, 1780—1857

THOUGH indifferent to romanticism, and the embodiment of the bourgeois spirit, Béranger—*"chantre des amours faciles et des habits râpés"* (Flaubert)—passed until 1840 as one of the greatest French writers, and now appears in retrospect as the true national poet for the years 1815 to 1830. At the age of eight, Pierre had witnessed the fall of the Bastille, at twenty he funked conscription and at thirty-three wrote perhaps the finest French political song, *"le Roi d'Yvetot,"* satirizing Napoleon with complete impunity. During the "white terror" that marked the reigns of Louis XVIII and Charles X, this "pseudo-Franklin and *faux-bonhomme"* derided the arrogance of the émigré class and their clerical allies, magnifying by contrast the name of Napoleon, thus bringing on the rule of cotton nightcaps and Louis-Philippe. Béranger's verses, passing from mouth to mouth, baffled the vigilant press censorship. His punishment for this ill-advised promotion of the Napoleonic legend was the coup d'état of Napoleon III.

Works: *Chansons morales et autres*, 1815, *Chansons*, 1821, 1825, 1828, *Chansons nouvelles et dernières*, 1833, *Dernières chansons*, 1857; *Œuvres complètes*, 9 vols. Recommended: J. E. Mansion, *Chansons choisies de Béranger*, Oxford, 1908; Léon Four, *La Vie en chansons de Béranger*, 1930.

CHANSONS MORALES ET AUTRES

13.   LE ROI D'YVETOT

Il était un roi d'Yvetot
Peu connu dans l'histoire,

Se levant tard, se couchant tôt,
    Dormant fort bien sans gloire,
Et couronné par Jeanneton 5
D'un simple bonnet de coton,
    Dit-on.
Oh! oh! oh! oh! ah! ah! ah! ah!
Quel bon petit roi c'était là!
    La, la. 10

Il faisait ses quatre repas
    Dans son palais de chaume,
Et sur un âne, pas à pas,
    Parcourait son royaume.
Joyeux, simple et croyant le bien, 15
Pour toute garde il n'avait rien
    Qu'un chien.
Oh! oh! oh! oh! ah! ah! ah! ah!
Quel bon petit roi c'était là!
    La, la. 20

Il n'avait de goût onéreux
    Qu'une soif un peu vive;
Mais, en rendant son peuple heureux,
    Il faut bien qu'un roi vive.
Lui-même, à table et sans suppôt, 25
Sur chaque muid levait un pot
    D'impôt.
Oh! oh! oh! oh! ah! ah! ah! ah!
Quel bon petit roi c'était là!
    La, la. 30

Aux filles de bonnes maisons
    Comme il avait su plaire,
Ses sujets avaient cent raisons
    De le nommer leur père.
D'ailleurs il ne levait de ban 35

Que pour tirer, quatre fois l'an,
    Au blanc.
Oh! oh! oh! oh! ah! ah! ah! ah!
Quel bon petit roi c'était là!
    La, la.   40

Il n'agrandit point ses États,
    Fut un voisin commode,
Et, modèle des potentats,
    Prit le plaisir pour code.
Ce n'est que lorsqu'il expira   45
Que le peuple, qui l'enterra,
    Pleura.
Oh! oh! oh! oh! ah! ah! ah! ah!
Quel bon petit roi c'était là!
    La, la.   50

On conserve encor le portrait
    De ce digne et bon prince:
C'est l'enseigne d'un cabaret
    Fameux dans la province.
Les jours de fête, bien souvent,   55
La foule s'écrie en buvant
    Devant:
Oh! oh! oh! oh! ah! ah! ah! ah!
Quel bon petit roi c'était là!
    La, la.   60

CHANSONS (1821)

14.   ## LE MARQUIS DE CARABAS

    Voyez ce vieux marquis
Nous traiter en peuple conquis;
    Son coursier décharné
De loin chez nous l'a ramené.
    Vers son vieux castel   5

Ce noble mortel
Marche en brandissant
Un sabre innocent.
Chapeau bas! chapeau bas!
Gloire au marquis de Carabas!   10

Aumôniers, châtelains,
Vassaux, vavassaux et vilains,
C'est moi, dit-il, c'est moi
Qui seul ai rétabli mon roi.
Mais s'il ne me rend   15
Les droits de mon rang,
Avec moi, corbleu!
Il verra beau jeu.
Chapeau bas! chapeau bas!
Gloire au marquis de Carabas!   20

Pour me calomnier,
Bien qu'on ait parlé d'un meunier,
Ma famille eut pour chef
Un des fils de Pépin le Bref.
D'après mon blason,   25
Je crois ma maison
Plus noble, ma foi,
Que celle du roi.
Chapeau bas! chapeau bas!
Gloire au marquis de Carabas!   30

Qui me résisterait?
La marquise a le tabouret.
Pour être évêque un jour
Mon dernier fils suivra la cour.
Mon fils le baron,   35
Quoique un peu poltron,
Veut avoir des croix:

Il en aura trois.
Chapeau bas! chapeau bas!
Gloire au marquis de Carabas! 40

Vivons donc en repos.
Mais l'on m'ose parler d'impôts!
A l'État, pour son bien,
Un gentilhomme ne doit rien.
Grâce à mes créneaux, 45
A mes arsenaux,
Je puis au préfet
Dire un peu son fait.
Chapeau bas! chapeau bas!
Gloire au marquis de Carabas! 50

Prêtres que nous vengeons,
Levez la dîme, et partageons;
Et toi, peuple animal,
Porte encor le bât féodal.
Seuls nous chasserons, 55
Et tous vos tendrons
Subiront l'honneur
Du droit du seigneur.
Chapeau bas! chapeau bas!
Gloire au marquis de Carabas! 60

Curé, fais ton devoir,
Remplis pour moi ton encensoir.
Vous, pages et varlets,
Guerre aux vilains, et rossez-les!
Que de mes aïeux 65
Ces droits glorieux
Passent tout entiers
A mes héritiers.
Chapeau bas! chapeau bas!
Gloire au marquis de Carabas! 70

CHANSONS (1828)

15.   LES SOUVENIRS DU PEUPLE

On parlera de sa gloire
Sous le chaume bien longtemps,
L'humble toit, dans cinquante ans,
Ne connaîtra plus d'autre histoire.
Là viendront les villageois   5
Dire alors à quelque vieille:
Par des récits d'autrefois,
Mère, abrégez notre veille.
Bien, dit-on, qu'il nous ait nui,
Le peuple encor le révère,   10
    Oui, le révère.
Parlez-nous de lui, grand'mère,
    Parlez-nous de lui.

Mes enfants, dans ce village,
Suivi de rois, il passa.   15
Voilà bien longtemps de ça:
Je venais d'entrer en ménage.
A pied grimpant le coteau
Où pour voir je m'étais mise,
Il avait petit chapeau   20
Avec redingote grise.
Près de lui je me troublai;
Il me dit: Bonjour, ma chère,
    Bonjour, ma chère.
—Il vous a parlé, grand'mère!   25
    Il vous a parlé!

L'an d'après, moi, pauvre femme,
A Paris étant un jour,
Je le vis avec sa cour:

Il se rendait à Notre-Dame. 30
Tous les cœurs étaient contents;
On admirait son cortège.
Chacun disait: Quel beau temps!
Le ciel toujours le protège.
Son sourire était bien doux; 35
D'un fils Dieu le rendait père,
    Le rendait père.
—Quel beau jour pour vous, grand'mère!
    Quel beau jour pour vous!

Mais quand la pauvre Champagne 40
Fut en proie aux étrangers,
Lui, bravant tous les dangers,
Semblait seul tenir la campagne.
Un soir, tout comme aujourd'hui,
J'entends frapper à la porte; 45
J'ouvre. Bon Dieu! c'était lui,
Suivi d'une faible escorte.
Il s'assoit où me voilà,
S'écriant: Oh! quelle guerre!
    Oh! quelle guerre! 50
—Il s'est assis là, grand'mère!
    Il s'est assis là!

J'ai faim, dit-il; et bien vite
Je sers piquette et pain bis;
Puis il sèche ses habits, 55
Même à dormir le feu l'invite.
Au réveil, voyant mes pleurs,
Il me dit: Bonne espérance!
Je cours de tous ses malheurs
Sous Paris venger la France. 60
Il part; et, comme un trésor,
J'ai depuis gardé son verre,
    Gardé son verre.

—Vous l'avez encor, grand'mère!
   Vous l'avez encor!   65

Le voici. Mais à sa perte
Le héros fut entraîné.
Lui, qu'un pape a couronné,
Est mort dans une île déserte.
Longtemps aucun ne l'a cru;   70
On disait: Il va paraître.
Par mer il est accouru;
L'étranger va voir son maître.
Quand d'erreur on nous tira,
Ma douleur fut bien amère!   75
   Fut bien amère!
—Dieu vous bénira, grand'mère,
   Dieu vous bénira.

CHANSONS NOUVELLES ET DERNIÈRES

16.   **LES FOUS**

Vieux soldats de plomb que nous sommes,
Au cordeau nous alignant tous,
Si des rangs sortent quelques hommes,
Tous nous crions: A bas les fous!
On les persécute, on les tue,   5
Sauf, après un lent examen,
A leur dresser une statue
Pour la gloire du genre humain.

Combien de temps une pensée,
Vierge obscure, attend son époux!   10
Les sots la traitent d'insensée;
Le sage lui dit: Cachez-vous.
Mais, la rencontrant loin du monde,

Un fou qui croit au lendemain
L'épouse; elle devient féconde 15
Pour le bonheur du genre humain.

J'ai vu Saint-Simon le prophète,
Riche d'abord, puis endetté,
Qui des fondements jusqu'au faîte
Refaisait la société. 20
Plein de son œuvre commencée,
Vieux, pour elle il tendait la main,
Sûr qu'il embrassait la pensée
Qui doit sauver le genre humain.

Fourier nous dit: Sors de la fange, 25
Peuple en proie aux déceptions.
Travaille, groupé par phalange,
Dans un cercle d'attractions.
La terre, après tant de désastres,
Forme avec le ciel un hymen, 30
Et la loi qui régit les astres
Donne la paix au genre humain!

Enfantin affranchit la femme,
L'appelle à partager nos droits.
Fi! dites-vous; sous l'épigramme 35
Ces fous rêveurs tombent tous trois.
Messieurs, lorsqu'en vain notre sphère
Du bonheur cherche le chemin,
Honneur au fou qui ferait faire
Un rêve heureux au genre humain! 40

Qui découvrit un nouveau monde?
Un fou qu'on raillait en tout lieu.
Sur la croix que son sang inonde
Un fou qui meurt nous lègue un Dieu.

Si demain, oubliant d'éclore,
Le jour manquait, eh bien! demain
Quelque fou trouverait encore
Un flambeau pour le genre humain.

CHARLES NODIER

Besançon, 1780—Paris, 1844

IN THE story of French poetry, *"le bon Nodier"* counts only after he was made librarian of the Bibliothèque de l'Arsenal (1824). After *la Muse française* stopped publication, the hospitality proferred by Nodier was all that prevented the break-up of the romantic group. The Sunday evenings in Madame Nodier's *salon*, (see Musset's poem, No. 137) have become a fond legend. From eight to ten, if in prime spirits, Nodier held forth, at his best in some whimsical tale. But if Lamartine were in Paris, or had Hugo written a new ode, Nodier formed a circle of admiring listeners. On the stroke of ten, his charming daughter Marie, *"Notre Dame de l'Arsenal"* (Hugo), sat down at the piano and the young people danced. Nodier went to his card table, and the talkers, grave young Hugo among them, moved back into the corner.

Nodier was more widely travelled, more widely read and a better linguist than his friends, who made great drafts on his knowledge. He discovered in the German romantics a fantastic supernaturalism that appears in his own tales and is echoed in Hugo's poetry. In his later years his influence acted as a check on romantic extravagance. He then defined romanticism as *"la liberté régie par le goût."*

Books recommended: M. Salomon, *Charles Nodier et le groupe romantique*, 1908, M. Henry-Rosier, *La Vie de Charles Nodier*, 1931.

LA PERCE-NEIGE

17. DU STYLE

«Tout bon habitant du Marais
Fait des vers qui ne coûtent guère;

Moi, c'est ainsi que je les fais,
Et, si je voulais les mieux faire,
Je les ferais bien plus mauvais.»   5

C'est ainsi que parlait Chapelle,
Et moi je pense comme lui.
Le vers qui vient sans qu'on l'appelle,
Voilà le vers qu'on se rappelle;
Rêver autrement, c'est ennui.   10

Peu m'importe que la pensée
Qui s'égare en objets divers,
Dans une phrase cadencée
Soumette sa marche pressée
Aux règles faciles des vers;   15

Ou que la prose journalière,
Avec moins d'étude et d'apprêts,
L'enlace, vive et familière,
Comme les bras d'un jeune lierre
Un orme géant des forêts;   20

Si la manière en est bannie
Et qu'un sens toujours de saison
S'y déploie avec harmonie,
Sans prêter les droits du génie
Aux débauches de la raison.   25

La parole est la voix de l'âme,
Elle vit par le sentiment;
Elle est comme une pure flamme
Que la nuit du néant réclame,
Quand elle manque d'aliment.   30

Elle part prompte et fugitive
Comme la flèche qui fend l'air,

Et son trait vif, rapide et clair
Va frapper la foule attentive
D'un jour plus brillant que l'éclair,   35

Si quelque gêne l'emprisonne,
Défiez-vous de son lien.
Tout effort est contraire au bien,
Et la parole en vain frissonne
Sitôt que le cœur ne dit rien.   40

Le simple, c'est le beau que j'aime,
Qui, sans frais, sans tours éclatants
Fait le charme de tous les temps.
Je donnerais un long poème
Pour un cri du cœur que j'entends.   45

En vain une muse fardée
S'enlumine d'or et d'azur;
Le naturel est bien plus sûr;
Le mot doit mûrir sur l'idée,
Et puis tomber comme un fruit mûr.   50

CHARLES-HUBERT MILLEVOYE

Abbeville, 1782—Paris, 1816

"Venu dans un temps difficile pour les hommes d'imagination comme pour les hommes d'État"—wrote Nodier—*"Millevoye parut romantique."* His quiet life was spent in the country or the suburbs; pensions and the sale of his books enabled him to own fine horses and smart cabriolets. Thus his poem, *"la Chute des feuilles"*, was written in the forest of Crécy, to win the silver pansy granted for elegies in 1811 by the *Académie des Jeux-Floraux* at Toulouse. Sainte-Beuve in an immortal criticism, assures us that he never did better again: *"Il se trouve, en un mot, dans les trois quarts des hommes, . . . un poète qui meurt jeune, tandis que l'homme survit"* (*Revue des Deux-Mondes*, June 1, 1837). Perhaps *"le Poète mourant"*, influenced by a study of Chénier's papers, is really better, although it leads the reader to take Millevoye for a young consumptive; the *poètes poitrinaires* were so interesting! Millevoye not only made dying poets popular, he influenced the earlier work of Lamartine, Vigny and Hugo.

Works: *Belzunce ou la Peste de Marseille*, 1808. *La Mort de Rotrou, les Embellissements de Paris*, 1811. *Élégies*, 1812. *Œuvres complètes*, 4 vols. 1822. Consult P. Ladoué, *Un Précurseur du romantisme, Millevoye*, 1912, or H. Potez, *l'Élégie en France avant le romantisme*, 1898.

LA MORT DE ROTROU

18. ### LA CHUTE DES FEUILLES

De la dépouille de nos bois
L'automne avait jonché la terre;
Le bocage était sans mystère,

Le rossignol était sans voix.
Triste et mourant à son aurore   5
Un jeune malade, à pas lents,
Parcourait une fois encore
Le bois cher à ses premiers ans.

«Bois que j'aime, adieu! je succombe:
Votre deuil me prédit mon sort,   10
Et dans chaque feuille qui tombe
Je lis un présage de mort!
Fatal oracle d'Épidaure,
Tu m'as dit: 'Les feuilles des bois
A tes yeux jauniront encore,   15
Et c'est pour la dernière fois.
La nuit du trépas t'environne;
Plus pâle que la pâle automne,
Tu t'inclines vers le tombeau.
Ta jeunesse sera flétrie   20
Avant l'herbe de la prairie,
Avant le pampre du coteau.'
Et je meurs! De sa froide haleine
Un vent funeste m'a touché,
Et mon hiver s'est approché   25
Quand mon printemps s'écoule à peine.
Arbuste en un seul jour détruit,
Quelques fleurs faisaient ma parure;
Mais ma languissante verdure
Ne laisse après elle aucun fruit.   30
Tombe, tombe, feuille éphémère,
Voile aux yeux ce triste chemin,
Cache au désespoir de ma mère
La place où je serai demain!
Mais vers la solitaire allée   35
Si mon amante désolée
Venait pleurer quand le jour fuit,

Éveille par un léger bruit
Mon ombre un moment consolée.»

Il dit, s'éloigne . . . et sans retour!   40
La dernière feuille qui tombe
A signalé son dernier jour.
Sous le chêne on creusa sa tombe.
Mais son amante ne vint pas
Visiter la pierre isolée;   45
Et le pâtre de la vallée
Troubla seul du bruit de ses pas
Le silence du mausolée.

ÉLÉGIES

19.   LE POÈTE MOURANT

Le poète chantait: de sa lampe fidèle
S'éteignaient par degrés les rayons pâlissants;
Et lui, prêt à mourir comme elle,
Exhalait ces tristes accents:

«La fleur de ma vie est fanée;   5
Il fut rapide, mon destin!
De mon orageuse journée
Le soir toucha presque au matin.

«Il est sur un lointain rivage
Un arbre où le Plaisir habite avec la Mort,   10
Sous ces rameaux trompeurs, malheureux qui s'endort!
Volupté des amours! cet arbre est ton image,
Et moi j'ai reposé sous le mortel ombrage;
Voyageur imprudent, j'ai mérité mon sort.

«Brise-toi, lyre tant aimée!   15
Tu ne survivras point à mon dernier sommeil;
Et tes hymnes sans renommée
Sous la tombe avec moi dormiront sans réveil.

Je ne paraîtrai pas devant le trône austère
Où la postérité, d'une inflexible voix,   20
    Juge les gloires de la terre,
Comme l'Égypte au bord de son lac solitaire,
    Jugeait les ombres de ses rois.

«Compagnons dispersés de mon triste voyage,
O mes amis! ô vous qui me fûtes si chers!   25
De mes chants imparfaits recueillez l'héritage,
Et sauvez de l'oubli quelques-uns de mes vers.
Et vous par qui je meurs, vous à qui je pardonne,
Femmes! vos traits encore à mon œil incertain
    S'offrent comme un rayon d'automne,   30
    Ou comme un songe du matin.
Doux fantômes! venez, mon ombre vous demande
Un dernier souvenir de douleur et d'amour:
Au pied de mon cyprès effeuillez pour offrande
    Les roses qui vivent un jour.»   35

Le poète chantait: quand la lyre fidèle
S'échappa tout à coup de sa débile main:
    Sa lampe mourut, et comme elle
    Il s'éteignit le lendemain.

Henri de Latouche

La Châtre, 1785—Aulnay, 1851

An early exponent of the literary reform desired by Mme de Staël, Latouche soon won reputation (translations of Bürger's *"Lenore"*, Goethe's *"Erlkönig"*, etc., and little comedies written with É. Deschamps played in 1818). Hence Foulon and Baudoin, applying to the Chéniers for permission to publish the poetry of André Chénier, could propose Latouche as editor of his manuscripts. His edition of Chénier's *Œuvres*, in which he took certain liberties with the text, appeared in 1819. *"Le soin qui me fut confié de cette publication sera mon meilleur titre littéraire."* But Latouche dishonestly kept a part of the autograph manuscript. His detestable character prevented him from becoming the head of the romantic movement.[1] As a liberal in politics, Latouche disagreed with the many royalists belonging to the group. He was even jealous of the talents which he had helped to form: Mme Desbordes-Valmore, George Sand, Balzac and Louis Veuillot. Latouche has often been pilloried as the betrayer of Marceline Desbordes-Valmore.

Works: *Marie Stuart* (trans. from Schiller) 1820, *Épître à M. de Chateaubriand par un paysan de la Vallée aux Loups*, 1824, *Les Classiques vengés*, 1825, *Les Adieux, Les Agrestes, poésies*, 1844. Consult Léon Séché, *Le Cénacle de Joseph Delorme*, 1912, Vol. I, and Frédéric Ségu, *Henri de Latouche*, 1931.

[1] In a poem to accompany Guttinguer's mediocre *Mélanges poétiques*, 1824, he inserted this perfidious line:

"Publiez-les, vos vers, et qu'on n'en parle plus."

LES ADIEUX

20.   L'HIRONDELLE

Dès qu'avril renaîtra, j'ouvrirai ma fenêtre,
Plus tôt et de plus loin pour te voir apparaître;
J'éteindrai sous ton vol, hôte religieux,
La bleuâtre fumée à mon foyer joyeux.
—Mais si l'épais volet, resté clos à l'aurore,   5
Ne sait plus s'entr'ouvrir à ta voix qui l'implore,
Pense que ton ami, loin, bien loin à son tour,
Pour un autre voyage est parti sans retour.
Crains de déployer là tes ailes assoupies:
Car d'un dur successeur les servantes impies   10
Te pourraient disputer ta patrie en lambeaux.
Alors, va de l'église habiter les arceaux;
Cherche l'enclos bordé de prunelliers, de mûres,
Où la brise du soir fait pleurer ses murmures;
Et de la croix de fer où Christ a bu le fiel   15
Laisse, pour ton ami, monter tes chants au ciel.

ULRIC GUTTINGUER

Rouen, 1785—Paris, 1866

A CONTRIBUTOR to *la Muse Française*, but a better friend than
poet, and older than the other romantics, Guttinguer enjoyed the
special trust of Sainte-Beuve and Musset. Marie Nodier called
Guttinguer her guardian. His confession-novel *Arthur* (1836)
suggested to Sainte-Beuve his novel *Volupté*, while serious conversations with Musset explain such a poem as his *"Espoir en
Dieu."* In 1824, Guttinguer thus defined the aims of the romantic
school: *"Ils veulent que les autels se parent de poésie, que nos
souvenirs historiques revivent, que nos temps soient connus, que
Dieu et notre pays soient chantés."*

Les Deux Ages du poète, collected poems, 1844. Book recommended: L. Séché, *Le Cénacle de la Muse française*, 1909.

LES DEUX AGES DU POÈTE

21.   ÉLÉGIE

Ils ont dit: «L'amour passe, et sa flamme est rapide;
Le plaisir le plus doux, toujours suivi du vide,
    Laisse au cœur un vague tourment!»
Et nous, qui dans l'amour consumons nos journées,
Nous qui de nos regards vivrions des années,   5
    Nous disons: «Ce n'est qu'un moment!»

Et lorsque du départ vient l'heure inexorable,
Plus épris, plus brûlants de l'ivresse adorable
    Où l'amour longtemps nous plongea,
Indignés et surpris du temps qui nous réclame,   10
Sortant comme d'un rêve avec la mort dans l'âme,
    Tous les deux nous disons: «Déjà . . . »

As-tu des mots, dis-moi, pour ce bonheur immense?
Moi je n'en trouve pas! Un son confus s'élance,
    Stérile, hélas! et sans vigueur.   15
Alors, désespéré, je garde le silence,
    Mais l'hymne est au fond de mon cœur!

Là se disent des chants inconnus à la terre,
Des chants trop forts pour l'homme, et que l'homme doit taire,
    Des chants que le Ciel envîrait!   20
Celui qui, les sachant, trahirait leur mystère,
    Sans doute, en les lisant, mourrait!

Tout ce que la parole invente de tendresse,
Ce que disent les yeux et leur vive caresse,
    La voix, le sourire et les pleurs,   25
De ce divin langage et des mots qu'il t'adresse
    N'égaleraient pas les douceurs.

Que de regrets, ô Ciel! si tu ne peux comprendre,
Hélas! que par des mots ce langage si tendre
    Et cet hymne consolateur!   30
Mais non; car sur ton sein j'ai cru souvent entendre
    Les mêmes accents dans ton cœur.

ALEXANDER SOUMET

Castelnaudary, 1786—Paris, 1845

IN NOVEMBER 1822, both the state theatres, the Comédie Française and the Odéon, were performing plays in verse by Soumet. He had won the prizes of the *Académie des Jeux-Floraux* at Toulouse, like Millevoye, but leaned towards romanticism enough to found with Alexandre Guiraud that magazine, *la Muse française*, which marks the rise of militant romanticism. However, upon his election to the Academy, Soumet's *discours de réception* (Nov. 25, 1824) was interpreted as a recantation, or a profession of literary orthodoxy. But as late as 1825, even Victor Hugo called Soumet "our great poet". Now he is only remembered by one elegy in *vers libres*, *"la Pauvre Fille"* (1814), imitated often in his own day. Like his friend Guiraud, the earliest poet of the humble poor whose elegy, *"le Petit Savoyard"*, would be found here if not too long, Soumet was a writer of the transition period.

Works: Lyrical poems never published in book form; tragedies, *Clytemnestre, Saül,* 1822, *Jeanne d'Arc,* 1825, *Une Fête de Néron,* 1830. Alexandre Guiraud (1788-1847), *Élégies savoyardes,* 1823. Consult on Soumet and Guiraud, Léon Séché, *Le Cénacle de la Muse française,* 1909.

22.   «LA PAUVRE FILLE»

J'ai fui ce pénible sommeil
Qu'aucun songe heureux n'accompagne;
J'ai devancé sur la montagne
Les premiers rayons du soleil.

S'éveillant avec la nature,   5
Le jeune oiseau chantait sur l'aubépine en fleurs;

Sa mère lui portait sa douce nourriture;
    Mes yeux se sont mouillés de pleurs.

    Oh! pourquoi n'ai-je pas de mère?
Pourquoi ne suis-je pas semblable au jeune oiseau   10
Dont le nid se balance aux branches de l'ormeau?
    Rien ne m'appartient sur la terre;
    Je n'ai pas même de berceau,
Et je suis un enfant trouvé sur une pierre,
    Devant l'église du hameau.   15

    Loin de mes parents exilée,
De leurs embrassements j'ignore la douceur,
    Et les enfants de la vallée
    Ne m'appellent jamais leur sœur.

Je ne partage point les jeux de la veillée;   20
    Jamais, sous un toit de feuillée
Le joyeux laboureur ne m'invite à m'asseoir,
    Et, de loin, je vois sa famille
    Autour du sarment qui pétille
Chercher sur ses genoux les caresses du soir.   25
    Vers la chapelle hospitalière
    En pleurant j'adresse mes pas,
    La seule demeure ici-bas
    Où je ne sois pas étrangère,
La seule devant moi qui ne se ferme pas.   30

    Souvent, je contemple la pierre
    Où commencèrent mes douleurs,
    J'y cherche la trace des pleurs
Qu'en m'y laissant, peut-être, y répandit ma mère.

    Souvent aussi, mes pas errants   35
Parcourent des tombeaux l'asile solitaire;

Mais pour moi les tombeaux sont tous indifférents.
La pauvre fille est sans parents
Au milieu des cercueils ainsi que sur la terre.
J'ai pleuré quatorze printemps,   40
Loin des bras qui m'ont repoussée.
Reviens, ma mère, je t'attends!
Sur la pierre où tu m'as laissée.

Marceline Desbordes-Valmore

Douai, 1786—Paris, 1859

No epoch has had more "Muses" than the romantic period, there were twenty-four as early as 1816. *La Muse française* published one of the last poems of Madame Dufrénoy (1765-1825). Madame Amable Tastu (1798-1885) won many prizes from the *Académie des Jeux-Floraux*. Delphine Gay (1804-55) who called herself *"la muse de la patrie,"* was witty and assiduous at the gatherings of the Arsenal. She would have been Vigny's wife but for his mother's opposition. This Delphine was crowned on the Capitol at Rome in 1827. There was more pathos in the destiny and verses of Élisa Mercœur (b. 1809), a school mistress who died of consumption at twenty-six. Marie Nodier, who rimed charmingly, was content to inspire the sonnet of Arvers and the fugitive verse of Musset. The blue-stocking, Louise Colet, (1810-76), made her début in 1836, and sought out Musset in his last years.

By the side of these ladies, the ill-educated actress Marceline Desbordes-Valmore long seemed a humble rimer for the young. But the publication of her finer poems after her death slowly established *"Notre-Dame des Pleurs"* as a great love poet. *"A vingt ans des peines profondes m'obligèrent à renoncer au chant parce que ma voix me faisait pleurer; mais la musique roulait dans ma tête malade, et une mesure toujours égale arrangeait mes idées à l'insu de ma réflexion. Je fus forcée de les écrire pour me délivrer de ce frappement fiévreux, et l'on me dit que c'était une élégie."* Her "Olivier",—a precocious poet who, like Latouche, bore one of her own Christian names, Joseph,—had left her with a child in 1809. Her *Élégies* were prepared for publication in the year of her marriage to Valmore, a young comrade of the boards. Marceline's masterpieces, admired by Baudelaire and A. France, anticipate the simple frankness and rhythms of Verlaine.

Works: *Élégies et romances*, 1818, *Poésies de Mme Desbordes-Valmore*, 1822; *Élégies et poésies nouvelles*, 1825; *Poésies inédites*, 1830; *Les Pleurs*, 1833; *Poésies inédites*, 1860. *Œuvres complètes*, 3 vols., 1886-7, *Poésies complètes* (3 vols.), edited by B. Guégan, 1931 . . . Consult Sainte-Beuve, *Nouveaux Lundis*, XII, J. Boulenger, *Marceline Desbordes-Valmore*, 1909, Lucien Descaves, *La Vie douloureuse de Marceline Desbordes-Valmore*, 1910. Jean Larnac's *Histoire de la littérature féminine*, 1929, is also useful.

ÉLÉGIES

23.   ÉLÉGIE

J'étais à toi peut-être avant de t'avoir vu.
Ma vie, en se formant, fut promise à la tienne;
Ton nom m'en avertit par un trouble imprévu;
Ton âme s'y cachait pour éveiller la mienne.
Je l'entendis un jour et je perdis la voix;   5
Je l'écoutai longtemps, j'oubliai de répondre.
Mon être avec le tien venait de se confondre:
Je crus qu'on m'appelait pour la première fois.
Savais-tu ce prodige? Eh bien, sans te connaître,
J'ai deviné par lui mon amant et mon maître,   10
Et je le reconnus dans tes premiers accents,
Quand tu vins éclairer mes beaux jours languissants.
Ta voix me fit pâlir, et mes yeux se baissèrent.
Dans un regard muet nos âmes s'embrassèrent;
Au fond de ce regard ton nom se révéla,   15
Et sans le demander j'avais dit: Le voilà!
Dès lors il ressaisit mon oreille étonnée;
Elle y devint soumise, elle y fut enchaînée.
J'exprimais par lui seul mes plus doux sentiments;
Je l'unissais au mien pour signer mes serments.   20
Je le lisais partout, ce nom rempli de charmes,
        Et je versais des larmes.

D'un éloge enchanteur toujours environné,
A mes yeux éblouis il s'offrait couronné.
Je l'écrivais . . . bientôt je n'osai plus l'écrire,　　25
Et mon timide amour le changeait en sourire.
Il me cherchait la nuit, il berçait mon sommeil,
Il résonnait encore autour de mon réveil;
Il errait dans mon souffle, et, lorsque je soupire,
C'est lui qui me caresse et que mon cœur respire.　　30
Nom chéri! nom charmant! oracle de mon sort!
Hélas! que tu me plais, que ta grâce me touche!
Tu m'annonças la vie, et, mêlé dans la mort,
Comme un dernier baiser tu fermeras ma bouche.

24.　　　　　　　SOUVENIR

Quand il pâlit un soir, et que sa voix tremblante
S'éteignit tout à coup dans un mot commencé;
Quand ses yeux, soulevant leur paupière brûlante,
Me blessèrent d'un mal dont je le crus blessé;
Quand ses traits plus touchants, éclairés d'une flamme　　5
　　　Qui ne s'éteint jamais,
S'imprimèrent vivants dans le fond de mon âme:
　　　Il ne m'aimait pas, j'aimais!

25.　　　　　　　MA CHAMBRE

　　Ma demeure est haute,
　　Donnant sur les cieux:
　　La lune en est l'hôte
　　Pâle et sérieux.
　　En bas que l'on sonne,　　5
　　Qu'importe aujourd'hui?
　　Ce n'est plus personne,
　　Quand ce n'est pas lui!

Aux autres cachée,
Je brode mes fleurs;   10
Sans être fâchée,
Mon âme est en pleurs;
Le ciel bleu sans voiles,
Je le vois d'ici;
Je vois les étoiles,   15
Mais l'orage aussi!

Vis-à-vis la mienne
Une chaise attend:
Elle fut la sienne,
La nôtre un instant;   20
D'un ruban signée,
Cette chaise est là,
Toute résignée,
Comme me voilà!

ROMANCES

26.   S'IL L'AVAIT SU

S'il avait su quelle âme il a blessée,
Larmes du cœur, s'il avait pu vous voir,
Ah! si ce cœur, trop plein de sa pensée,
De l'exprimer eût gardé le pouvoir,
Changer ainsi n'eût pas été possible;   5
Fier de nourrir l'espoir qu'il a déçu,
A tant d'amour il eût été sensible,
        S'il l'avait su.

S'il avait su tout ce qu'on peut attendre
D'une âme simple, ardente et sans détour,   10
Il eût voulu la mienne pour l'entendre;
Comme il l'inspire, il eût connu l'amour.
Mes yeux baissés recélaient cette flamme;

Dans leur pudeur n'a-t-il rien aperçu?   15
Un tel secret valait toute son âme,
    S'il l'avait su.

Si j'avais su, moi-même, à quel empire
On s'abandonne en regardant ses yeux,
Sans le chercher comme l'air qu'on respire
J'aurais porté mes jours sous d'autres cieux.   20
Il est trop tard pour renouer ma vie.
Ma vie était un doux espoir déçu.
Diras-tu pas, toi qui me l'as ravie:
    «Si j'avais su?»

POÉSIES POSTHUMES

27.   LES ROSES DE SAADI

J'ai voulu ce matin te rapporter des roses;
Mais j'en avais tant pris dans mes ceintures closes
Que les nœuds trop serrés n'ont pu les contenir.

Les nœuds ont éclaté. Les roses, envolées
Dans le vent, à la mer s'en sont toutes allées.   5
Elles ont suivi l'eau pour ne plus revenir;

La vague en a paru rouge et comme enflammée.
Ce soir, ma robe encore en est tout embaumée . . .
Respires-en sur moi l'odorant souvenir.

28.   LES SÉPARÉS

N'écris pas! Je suis triste, et je voudrais m'éteindre;
Les beaux étés, sans toi, c'est l'amour sans flambeau.
J'ai refermé mes bras qui ne peuvent t'atteindre;

Et, frapper à mon cœur, c'est frapper au tombeau.
      N'écris pas!   5

N'écris pas! n'apprenons qu'à mourir à nous-mêmes.
Ne demande qu'à Dieu . . . qu'à toi si je t'aimais.
Au fond de ton silence écouter que tu m'aimes,
C'est entendre le ciel sans y monter jamais.
      N'écris pas!   10

N'écris pas! Je te crains; j'ai peur de ma mémoire;
Elle a gardé ta voix qui m'appelle souvent.
Ne montre pas l'eau vive à qui ne peut la boire.
Une chère écriture est un portrait vivant.
      N'écris pas!   15

N'écris pas ces deux mots que je n'ose plus lire:
Il semble que ta voix les répand sur mon cœur,
Que je les vois briller à travers ton sourire;
Il semble qu'un baiser les empreint sur mon cœur.
      N'écris pas!   20

29.   LA COURONNE EFFEUILLÉE

J'irai, j'irai porter ma couronne effeuillée
Au jardin de mon père où revit toute fleur;
J'y répandrai longtemps mon âme agenouillée:
Mon père a des secrets pour vaincre la douleur.

J'irai, j'irai lui dire, au moins avec mes larmes: 5
«Regardez, j'ai souffert . . . » Il me regardera,
Et sous mes jours changés, sous mes pâleurs sans charmes,
Parce qu'il est mon père il me reconnaîtra.

Il dira: «C'est donc vous, chère âme désolée!
La terre manque-t-elle à vos pas égarés?   10

Chère âme, je suis Dieu; ne soyez plus troublée;
Voici votre maison, voici mon cœur, entrez.»

O clémence! ô douceur! ô saint refuge! ô Père!
Votre enfant qui pleurait vous l'avez entendu!
Je vous obtiens déjà puisque je vous espère   15
Et que vous possédez tout ce que j'ai perdu.

Vous ne rejetez pas la fleur qui n'est plus belle;
Ce crime de la terre au ciel est pardonné.
Vous ne maudirez pas votre enfant infidèle,
Non d'avoir rien vendu, mais d'avoir tout donné.   20

30.   RENONCEMENT

Pardonnez-moi, Seigneur, mon visage attristé,
Vous qui l'aviez formé de sourire et de charmes;
Mais sous le front joyeux vous aviez mis les larmes,
Et de vos dons, Seigneur, ce don seul m'est resté.

C'est le moins envié, c'est le meilleur peut-être.   5
Je n'ai plus à mourir à mes liens de fleurs;
Ils vous sont tous rendus, cher auteur de mon être,
Et je n'ai plus à moi que le sel de mes pleurs.

Les fleurs sont pour l'enfant; le sel est pour la femme:
Faites-en l'innocence et trempez-y mes jours,   10
Seigneur! quand tout ce sel aura lavé mon âme,
Vous me rendrez un cœur pour vous aimer toujours!

Tous mes étonnements sont finis sur la terre,
Tous mes adieux sont faits, l'âme est prête à jaillir
Pour atteindre à ses fruits protégés de mystère   15
Que la pudique mort a seule osé cueillir.

O Sauveur! soyez tendre au moins à d'autres mères,
Par amour pour la vôtre et par pitié pour nous!
Baptisez leurs enfants de nos larmes amères,
Et relevez les miens tombés à vos genoux!   20

Alphonse de Lamartine

Macon, 1790—Passy, 1869

Les Méditations poétiques, published in March 1820, established Lamartine as a great poet, and marked the beginning of the romantic period in French poetry. The slender volume tells a story of disappointed love and religious unrest expressed in terms of vague and tender melancholy. These *Méditations,* neither original in subject nor in style, throbbed with an intense spontaneity that had not been felt in France since the time of La Fontaine and Racine. Gautier's verdict: *"Lamartine, ce n'est pas un poète, c'est la poésie même",* best defines this genius for posterity.

An unruly boy, Lamartine was sent off to church schools until he was seventeen. The following years were full of idleness and vague aspirations because of Napoleon's reign, to whom the Lamartines were opposed. After his first love affair, Alphonse was sent to Italy to forget, but at Naples, in his twenty-second year, he seems to have again fallen in love with a humble Italian idealized later under the name of Graziella. A biblical tragedy, *Saül,* and an epic on *Clovis* were begun on his return to France in 1812. When Napoleon fell, Lamartine served for a year in the Life Guards, resigning at twenty-six, unsettled, undecided, and unwell.

Thus in the autumn of 1816, Lamartine arrived at Aix-les-Bains to drink the waters. Here he met Julie Charles, the young wife of a famous physicist, who was there for her lungs. An accident a few days later on the Lac du Bourget allowed Alphonse to feel that he had saved Mme Charles from drowning, and for an idyllic fortnight, they became inseparables. On parting, they promised to write each other daily. He calls her his "mother" in these letters. The following January, the young man spent four months in Paris, departing with the expectation of meeting Julie again at Aix at the end of the summer. Then Mme Charles' health failed suddenly. Lamartine revisited in his disappointment the places endeared to him by memory, and at the Abbaye d'Hautecombe, above the lake, wrote the first lines of his masterpiece, *"le Lac."* As Mme Charles found consolation in religion for her sufferings, so Lamartine's thoughts turned upon the problems of destiny, finding relief in hard work, the completion of his *Saül* and the writing of more *Méditations*. *Saül* was refused by the great Talma. But at Aix, again, in the summer of 1819, Lamartine met and proposed to a charming Englishwoman, Maria Anna Eliza Birch. He now consented to the publication of his *Méditations poétiques*, and obtained his nomination as attaché to the embassy at Naples just before his poems came out in March 1820. The poet left Paris famous and in June reached Italy with his bride.

Lamartine never thought of himself as a writer, he lived only as a country gentleman, in the diplomatic service or on leave, until 1830. It was only in 1823 that Lamartine published his *Nouvelles Méditations poétiques*. The public demanded a new masterpiece, and these poems were judged a disappointment. Two years later Lamartine issued his *Dernier Chant du pèlerinage de Childe Harold* in homage to Byron and the Greek insurgents, *"du romantique le mieux conditionné"*, and a poem on the coronation of Charles X. Thus he was elected a member of the Academy in 1829, a victory for romanticism. His *Harmonies poétiques et religieuses* came out a few weeks before the revolution of July 1830. They comprise some fifty "modern psalms", written for the most part in Italy: *"Hymne du matin, Hymne de l'enfant à son réveil, Milly ou la terre natale,"* etc.

The third epoch in the life of Lamartine began with the Revolution of July, 1830 and closed soon after the revolution of 1848. He plunged into politics, and in 1843 was a recognized leader of the opposition to Louis-Philippe. When the king fell, Lamartine proclaimed the foundation of the second Republic, his eloquence saving France from the mob's red flag and restoring the tricolored standard. A few weeks later, in the elections for the Presidency, he was defeated by Louis-Napoleon, 5,434,326 votes to 17,910!

During this period poetry is represented by *Jocelyn, épisodes* (1836), *la Chute d'un ange* (1838) and *les Recueillements poétiques* (1839). As early as 1821, Lamartine had conceived an immense romantic epic to deal with the avatars of an angel who had fallen by love for a daughter of man. *Jocelyn*, which is a sort of novel in verse based partly on the life of abbé Dumont, one of Lamartine's first teachers, was planned as the last part of this epic. It became widely popular. The long *"Neuvième Époque"* contains some of his finest verses devoted to the labors of the field. *La Chute d'un ange*, reminiscent of Thomas Moore's *The Loves of the Angels* (1822) was to come just after a third poem on the creation. Cédar and Daïdha meet in the mountains of Lebanon, suffer in the city of Babel and perish in the Flood. A portion of this poem, entitled *"le Livre primitif"* represents an ambitious attempt at philosophical poetry. His *Recueillements poétiques* are the lyrics of "the autumn of life", but many of them were only composed for special occasions. The poet relied too often upon his undoubted powers of improvisation, and when he wrote over a hundred lines of verse in two hours, his art suffered.

The last twenty years of Lamartine's life were burdened with debt. Few poets have ever owed a million dollars, but Lamartine was a speculator in farm lands. When turned from politics by the Second Empire, he began to write prose to pay his debtors. One of his first expedients was to bring out an edition of his own works (1849), and to tempt subscribers, he promised new poems and a *Commentaire* on each poem. This was a grave mistake. The commentaries developed fact into legend, while the poet seemed to lay aside his dignity at sixty by unveiling his private life. The next generation of readers, contemporaries of the Parnassian poets, found fault with these personal revelations and criticized Lamartine's careless versification. But twenty years after his death, when French literary taste changed under the influence of the symbolist movement (1889), Lamartine's star began to shine as brightly as that of Victor Hugo, at least in France.

Books recommended: H. Remsen Whitehouse, *The Life of Lamartine*, 2 vols., 1918; René Doumic, *Lamartine*, 1912, Paul Hazard, *Lamartine*, 1925, Maurice Levaillant, *Lamartine, œuvres choisies*, 1925. A critical edition of the *Méditations poétiques* was published by Gustave Lanson in 1915.

PREMIÈRES
MÉDITATIONS POÉTIQUES

I

31.   L'ISOLEMENT

Souvent sur la montagne, à l'ombre du vieux chêne,
Au coucher du soleil, tristement je m'assieds;
Je promène au hasard mes regards sur la plaine,
Dont le tableau changeant se déroule à mes pieds.

Ici, gronde le fleuve aux vagues écumantes,   5
Il serpente, et s'enfonce en un lointain obscur;
Là, le lac immobile étend ses eaux dormantes
Où l'étoile du soir se lève dans l'azur.

Au sommet de ces monts couronnés de bois sombres,
Le crépuscule encor jette un dernier rayon,   10
Et le char vaporeux de la reine des ombres
Monte, et blanchit déjà les bords de l'horizon.

Cependant, s'élançant de la flèche gothique,
Un son religieux se répand dans les airs,
Les voyageur s'arrête, et la cloche rustique   15
Aux derniers bruits du jour mêle de saints concerts.

Mais à ces doux tableaux mon âme indifférente
N'éprouve devant eux ni charme ni transports,

Je contemple la terre, ainsi qu'une ombre errante:
Le soleil des vivants n'échauffe plus les morts.   20

De colline en colline en vain portant ma vue,
Du sud à l'aquilon, de l'aurore au couchant,
Je parcours tous les points de l'immense étendue,
Et je dis: Nulle part le bonheur ne m'attend.

Que me font ces vallons, ces palais, ces chaumières?   25
Vains objets dont pour moi le charme est envolé;
Fleuves, rochers, forêts, solitudes si chères,
Un seul être vous manque, et tout est dépeuplé.

Que le tour du soleil ou commence ou s'achève,
D'un œil indifférent je le suis dans son cours;   30
En un ciel sombre ou pur qu'il se couche ou se lève,
Qu'importe le soleil? je n'attends rien des jours.

Quand je pourrais le suivre en sa vaste carrière,
Mes yeux verraient partout le vide et les déserts;
Je ne désire rien de tout ce qu'il éclaire,   35
Je ne demande rien à l'immense univers.

Mais peut-être au delà des bornes de sa sphère,
Lieux où le vrai soleil éclaire d'autres cieux,
Si je pouvais laisser ma dépouille à la terre,
Ce que j'ai tant rêvé paraîtrait à mes yeux?   40

Là, je m'eniverais à la source où j'aspire,
Là, je retrouverais et l'espoir et l'amour,
Et ce bien idéal que toute âme désire
Et qui n'a pas de nom au terrestre séjour!

Que ne puis-je, porté sur le char de l'aurore,   45
Vague objet de mes vœux, m'élancer jusqu'à toi;

Sur la terre d'exil pourquoi resté-je encore?
Il n'est rien de commun entre la terre et moi.

Quand la feuille des bois tombe dans la prairie,
Le vent du soir s'élève et l'arrache aux vallons;   50
Et moi, je suis semblable à la feuille flétrie:
Emportez-moi comme elle, orageux aquilons!

II

32.   L'HOMME

A Lord Byron

Toi, dont le monde encore ignore le vrai nom,
Esprit mystérieux, mortel, ange, ou démon,
Qui que tu sois, Byron, bon ou fatal génie,
J'aime de tes concerts la sauvage harmonie,
Comme j'aime le bruit de la foudre et des vents   5
Se mêlant dans l'orage à la voix des torrents!
La nuit est ton séjour, l'horreur est ton domaine:
L'aigle, roi des déserts, dédaigne ainsi la plaine;
Il ne veut, comme toi, que des rocs escarpés
Que l'hiver a blanchis, que la foudre a frappés;   10
Des rivages couverts des débris du naufrage,
Ou des champs tout noircis des restes du carnage;
Et tandis que l'oiseau qui chante ses douleurs,
Bâtit au bord des eaux son nid parmi les fleurs,
Lui, des sommets d'Athos franchit l'horrible cime,   15
Suspend aux flancs des monts son aire sur l'abîme,
Et là, seul, entouré de membres palpitants,
De rochers d'un sang noir sans cesse dégouttants,
Trouvant sa volupté dans les cris de sa proie,
Bercé par la tempête, il s'endort dans sa joie.   20
Et toi, Byron, semblable à ce brigand des airs,
Les cris du désespoir sont tes plus doux concerts.
Le mal est ton spectacle, et l'homme est ta victime.

Ton œil, comme Satan, a mesuré l'abîme,
Et ton âme, y plongeant loin du jour et de Dieu, 25
A dit à l'espérance un éternel adieu!
Comme lui, maintenant, régnant dans les ténèbres,
Ton génie invincible éclate en chants funèbres;
Il triomphe, et ta voix, sur un mode infernal,
Chante l'hymne de gloire au sombre dieu du mal. 30
    Mais que sert de lutter contre sa destinée?
Que peut contre le sort la raison mutinée?
Elle n'a comme l'œil qu'un étroit horizon.
Ne porte pas plus loin tes yeux ni ta raison:
Hors de là tout nous fuit, tout s'éteint, tout s'efface; 35
Dans ce cercle borné Dieu t'a marqué ta place,
Comment? pourquoi? qui sait? De ses puissantes mains
Il a laissé tomber le monde et les humains,
Comme il a dans nos champs répandu la poussière,
Ou semé dans les airs la nuit et la lumière; 40
Il le sait, suffit: l'univers est à lui,
Et nous n'avons à nous que le jour d'aujourd'hui!
    Notre crime est d'être homme et de vouloir connaître:
Ignorer et servir, c'est la loi de notre être.
Byron, ce mot est dur: longtemps j'en ai douté; 45
Mais pourquoi reculer devant la vérité?
Ton titre devant Dieu c'est d'être son ouvrage!
De sentir, d'adorer ton divin esclavage;
Dans l'ordre universel faible atome emporté,
D'unir à ses desseins ta libre volonté, 50
D'avoir été conçu par son intelligence,
De le glorifier par ta seule existence!
Voilà, voilà ton sort. Ah! loin de l'accuser,
Baise plutôt le joug que tu voulais briser,
Descends du rang des dieux qu'usurpait ton audace; 55
Tout est bien, tout est bon, tout est grand à sa place;
Aux regards de celui qui fit l'immensité,
L'insecte vaut un monde: ils ont autant coûté!
    Mais cette loi, dis-tu, révolte ta justice;

Elle n'est à tes yeux qu'un bizarre caprice,   60
Un piège où la raison trébuche à chaque pas.
Confessons-la, Byron, et ne la jugeons pas!
Comme toi, ma raison en ténèbres abonde,
Et ce n'est pas à moi de t'expliquer le monde.
Que celui qui l'a fait t'explique l'univers!   65
Plus je sonde l'abîme, hélas! plus je m'y perds.
Ici-bas, la douleur à la douleur s'enchaîne,
Le jour succède au jour, et la peine à la peine.
Borné dans sa nature, infini dans ses vœux,
L'homme est un dieu tombé qui se souvient des cieux;   70
Soit que déshérité de son antique gloire,
De ses destins perdus il garde la mémoire;
Soit que de ses désirs l'immense profondeur
Lui présage de loin sa future grandeur:
Imparfait ou déchu, l'homme est le grande mystère.   75
Dans la prison des sens enchaîné sur la terre,
Esclave, il sent un cœur né pour la liberté;
Malheureux, il aspire à la félicité;
Il veut sonder le monde, et son œil est débile;
Il veut aimer toujours, ce qu'il aime est fragile!   80

Tout mortel est semblable à l'exilé d'Éden:
Lorsque Dieu l'eut banni du céleste jardin,
Mesurant d'un regard les fatales limites,
Il s'assit en pleurant aux portes interdites.
Il entendit de loin dans le divin séjour   85
L'harmonieux soupir de l'éternel amour,
Les accents du bonheur, les saints concerts des anges
Qui, dans le sein de Dieu, célébraient ses louanges;
Et, s'arrachant du ciel dans un pénible effort,
Son œil avec effroi retomba sur son sort.   90

      Malheur à qui du fond de l'exil de la vie
Entendit ces concerts d'un monde qu'il envie!
Du nectar idéal sitôt qu'elle a goûté,
La nature répugne à la réalité:
Dans le sein du possible en songe elle s'élance;   95

Le réel est étroit, le possible est immense;
L'âme avec ses désirs s'y bâtit un séjour,
Où l'on puise à jamais la science et l'amour;
Où, dans des océans de beauté, de lumière,
L'homme, altéré toujours, toujours se désaltère;   100
Et de songes si beaux enivrant son sommeil,
Ne se reconnaît plus au moment du réveil.

    Hélas! tel fut ton sort, telle est ma destinée.
J'ai vidé comme toi la coupe empoisonnée;
Mes yeux, comme les tiens, sans voir se sont ouverts;   105
J'ai cherché vainement le mot de l'univers.
J'ai demandé sa cause à toute la nature,
J'ai demandé sa fin à toute créature;
Dans l'abîme sans fond mon regard a plongé;
De l'atome au soleil, j'ai tout interrogé;   110
J'ai devancé les temps, j'ai remonté les âges.
Tantôt passant les mers pour écouter les sages,
Mais le monde à l'orgueil est un livre fermé!
Tantôt, pour deviner le monde inanimé,
Fuyant avec mon âme au sein de la nature,   115
J'ai cru trouver un sens à cette langue obscure.
J'étudiai la loi par qui roulent les cieux;
Dans leurs brillants déserts Newton guida mes yeux,
Des empires détruits je méditai la cendre:
Dans ses sacrés tombeaux Rome m'a vu descendre;   120
Des mânes les plus saints troublant le froid repos,
J'ai pesé dans mes mains la cendre des héros.
J'allais redemander à leur vaine poussière
Cette immortalité que tout mortel espère!
Que dis-je? suspendu sur le lit des mourants,   125
Mes regards la cherchaient dans des yeux expirants;
Sur ces sommets noircis par d'éternels nuages,
Sur ces flots sillonnés par d'éternels orages,
J'appelais, je bravais le choc des éléments.
Semblable à la sibylle en ses emportements,   130
J'ai cru que la nature, en ces rares spectacles

Laissait tomber pour nous quelqu'un de ses oracles;
J'aimais à m'enfoncer dans ces sombres horreurs.
Mais en vain dans son calme, en vain dans ses fureurs,
Cherchant ce grand secret sans pouvoir le surprendre,   135
J'ai vu partout un Dieu sans jamais le comprendre!
J'ai vu le bien, le mal, sans choix et sans dessein,
Tomber comme au hasard, échappés de son sein,
J'ai vu partout le mal où le mieux pouvait être,
Et je l'ai blasphémé, ne pouvant le connaître;   140
Et ma voix, se brisant contre ce ciel d'airain,
N'a pas même eu l'honneur d'irriter le destin.

    Mais, un jour que, plongé dans ma propre infortune,
J'avais lassé le ciel d'une plainte importune,
Une clarté d'en haut dans mon sein descendit,   145
Me tenta de bénir ce que j'avais maudit,
Et cédant sans combattre au souffle qui m'inspire,
L'hymne de la raison s'élança de ma lyre.

    —«Gloire à toi, dans les temps et dans l'éternité!
Éternelle raison, suprême volonté!   150
Toi, dont l'immensité reconnaît la présence!
Toi, dont chaque matin annonce l'existence!
Ton souffle créateur s'est abaissé sur moi;
Celui qui n'était pas a paru devant toi!
J'ai reconnu ta voix avant de me connaître,   155
Je me suis élancé jusqu'aux portes de l'être:
Me voici! le néant te salue en naissant;
Me voici! mais que suis-je? un atome pensant!
Qui peut entre nous deux mesurer la distance?
Moi, qui respire en toi ma rapide existence,   160
A l'insu de moi-même à ton gré façonné,
Que me dois-tu, Seigneur, quand je ne suis pas né?
Rien avant, rien après: Gloire à la fin suprême:
Qui tira tout de soi se doit tout à soi-même!
Jouis, grand artisan, de l'œuvre de tes mains: 165
Je suis, pour accomplir tes ordres souverains,
Dispose, ordonne, agis; dans les temps, dans l'espace,

Marque-moi pour ta gloire et mon jour et ma place;
Mon être, sans se plaindre, et sans t'interroger,
De soi-même en silence accourra s'y ranger; 170
Comme ces globes d'or qui dans les champs du vide
Suivent avec amour ton ombre qui les guide,
Noyé dans la lumière, ou perdu dans la nuit,
Je marcherai comme eux où ton doigt me conduit;
Soit que choisi par toi pour éclairer les mondes, 175
Réfléchissant sur eux les flots dont tu m'inondes,
Je m'élance entouré d'esclaves radieux,
Et franchisse d'un pas tout l'abîme des cieux;
Soit que, me reléguant loin, bien loin de ta vue,
Tu ne fasses de moi, créature inconnue, 180
Qu'un atome oublié sur les bords du néant,
Ou qu'un grain de poussière emporté par le vent,
Glorieux de mon sort, puisqu'il est ton ouvrage,
J'irai, j'irai partout te rendre un même hommage,
Et d'un égal amour accomplissant ta loi, 185
Jusqu'aux bords du néant mumurer: Gloire à toi!
—«Ni si haut, ni si bas! simple enfant de la terre,
Mon sort est un problème, et ma fin un mystère;
Je ressemble, Seigneur, au globe de la nuit
Qui, dans la route obscure où ton doigt le conduit, 190
Réfléchit d'un côté les clartés éternelles,
Et de l'autre est plongé dans les ombres mortelles.
L'homme est le point fatal où les deux infinis
Par la toute-puissance ont été réunis.
A tout autre degré, moins malheureux, peut-être 195
J'eusse été. . . . Mais je suis ce que je devais être,
J'adore sans la voir ta suprême raison,
Gloire à toi qui m'as fait! ce que tu fais est bon!
—«Cependant, accablé, sous le poids de ma chaîne,
Du néant au tombeau l'adversité m'entraîne; 200
Je marche dans la nuit par un chemin mauvais,
Ignorant d'où je viens, incertain où je vais,
Et je rappelle en vain ma jeunesse écoulée,

Comme l'eau du torrent dans sa source troublée.
Gloire à toi! Le malheur en naissant m'a choisi;   205
Comme un jouet vivant, ta droite m'a saisi;
J'ai mangé dans les pleurs le pain de ma misère,
Et tu m'as abreuvé des eaux de ta colère.
Gloire à toi! J'ai crié, tu n'as pas répondu;
J'ai jeté sur la terre un regard confondu.   210
J'ai cherché dans le ciel le jour de ta justice;
Il s'est levé, Seigneur, et c'est pour mon supplice!
Gloire à toi! L'innocence est coupable à tes yeux:
Un seul être, du moins, me restait sous les cieux;
Toi-même de nos jours avais mêlé la trame,   215
Sa vie était ma vie, et son âme mon âme;
Comme un fruit encor vert du rameau détaché,
Je l'ai vu de mon sein avant l'âge arraché!
Ce coup, que tu voulais me rendre plus terrible,
La frappa lentement pour m'être plus sensible;   220
Dans ses traits expirants, où je lisais mon sort,
J'ai vu lutter ensemble et l'amour et la mort;
J'ai vu dans ses regards la flamme de la vie,
Sous la main du trépas par degrés assoupie,
Se ranimer encore au souffle de l'amour!   225
Je disais chaque jour: Soleil, encore un jour!
Semblable au criminel qui, plongé dans les ombres,
Et descendu vivant dans les demeures sombres,
Près du dernier flambeau qui doive l'éclairer,
Se penche sur sa lampe et la voit expirer,   230
Je voulais retenir l'âme qui s'évapore;
Dans son dernier regard je la cherchais encore!
Ce soupir, ô mon Dieu, dans ton sein s'exhala;
Hors du monde avec lui mon espoir s'envola!
Pardonne au désespoir un moment de blasphème,   235
J'osai. . . . Je me repens: Gloire au maître suprême!
Il fit l'eau pour couler, l'aquilon pour courir,
Les soleils pour brûler, et l'homme pour souffrir!
   —«Que j'ai bien accompli cette loi de mon être!

La nature insensible obéit sans connaître;   240
Moi seul, te découvrant sous la nécessité,
J'immole avec amour ma propre volonté,
Moi seul, je t'obéis avec intelligence;
Moi seul, je me complais dans cette obéissance;
Je jouis de remplir, en tout temps, en tout lieu,   245
La loi de ma nature et l'ordre de mon Dieu;
J'adore en mes destins ta sagesse suprême,
J'aime ta volonté dans mes supplices même,
Gloire à toi! Gloire à toi! Frappe, anéantis-moi!
Tu n'entendras qu'un cri: Gloire à jamais à toi!»   250
     Ainsi ma voix monta vers la voûte céleste:
Je rendis gloire au ciel, et le ciel fit le reste.

     Mais silence, ô ma lyre! Et toi, qui dans tes mains
Tiens le cœur palpitant des sensibles humains,
Byron, viens en tirer des torrents d'harmonie: 255
C'est pour la vérité que Dieu fit le génie.
Jette un cri vers le ciel, ô chantre des enfers!
Le ciel même aux damnés enviera tes concerts!
Peut-être qu'à ta voix, de la vivante flamme
Un rayon descendra dans l'ombre de ton âme?   260
Peut-être que ton cœur, ému de saints transports,
S'apaisera soi-même à tes propres accords,
Et qu'un éclair d'en haut perçant ta nuit profonde,
Tu verseras sur nous la clarté qui t'inonde?

     Ah! si jamais ton luth, amolli par tes pleurs,   265
Soupirait sous tes doigts l'hymne de tes douleurs,
Ou si du sein profond des ombres éternelles,
Comme un ange tombé, tu secouais tes ailes,
Et prenant vers le jour un lumineux essor,
Parmi les chœurs sacrés tu t'asseyais encor;   270
Jamais, jamais l'écho de la céleste voûte,
Jamais ces harpes d'or que Dieu lui-même écoute,
Jamais des séraphins les chœurs mélodieux
De plus divins accords n'auraient ravi les cieux!
Courage! enfant déchu d'une race divine!   275

Tu portes sur ton front ta superbe origine!
Tout homme en te voyant reconnaît dans tes yeux
Un rayon éclipsé de la splendeur des cieux!
Roi des chants immortels, reconnais-toi toi-même!
Laisse aux fils de la nuit le doute et le blasphème; 280
Dédaigne un faux encens qu'on t'offre de si bas,
La gloire ne peut être où la vertu n'est pas.
Viens reprendre ton rang dans ta splendeur première,
Parmi ces purs enfants de gloire et de lumière,
Que d'un souffle choisi Dieu voulut animer, 285
Et qu'il fit pour chanter, pour croire et pour aimer!

v

33.   LE VALLON

Mon cœur, lassé de tout, même de l'espérance,
N'ira plus de ses vœux importuner le sort;
Prêtez-moi seulement, vallons de mon enfance,
Un asile d'un jour pour attendre la mort.

Voici l'étroit sentier de l'obscure vallée: 5
Du flanc de ces coteaux pendent des bois épais
Qui, courbant sur mon front leur ombre entremêlée,
Me couvrent tout entier de silence et de paix.

Là, deux ruisseaux cachés sous des ponts de verdure,
Tracent en serpentant les contours du vallon; 10
Ils mêlent un moment leur onde et leur murmure,
Et non loin de leur source ils se perdent sans nom.

La source de mes jours comme eux s'est écoulée,
Elle a passé sans bruit, sans nom, et sans retour:
Mais leur onde est limpide, et mon âme troublée 15
N'aura pas réfléchi les clartés d'un beau jour.

La fraîcheur de leurs lits, l'ombre qui les couronne
M'enchaînent tout le jour sur les bords des ruisseaux;
Comme un enfant bercé par un chant monotone,
Mon âme s'assoupit au murmure des eaux.   20

Ah! c'est là qu'entouré d'un rempart de verdure,
D'un horizon borné qui suffit à mes yeux,
J'aime à fixer mes pas, et, seul dans la nature,
A n'entendre que l'onde, à ne voir que les cieux.

J'ai trop vu, trop senti, trop aimé dans ma vie,   25
Je viens chercher vivant le calme du Léthé;
Beaux lieux, soyez pour moi ces bords où l'on oublie:
L'oubli seul désormais est ma félicité.

Mon cœur est en repos, mon âme est en silence!
Le bruit lointain du monde expire en arrivant,   30
Comme un son éloigné qu'affaiblit la distance,
A l'oreille incertaine apporté par le vent.

D'ici je vois la vie, à travers un nuage,
S'évanouir pour moi dans l'ombre du passé;
L'amour seul est resté: comme une grande image   35
Survit seule au réveil dans un songe effacé.

Repose-toi, mon âme, en ce dernier asile,
Ainsi qu'un voyageur, qui, le cœur plein d'espoir,
S'assied, avant d'entrer, aux portes de la ville,
Et respire un moment l'air embaumé du soir.   40

Comme lui, de nos pieds secouons la poussière;
L'homme par ce chemin ne repasse jamais;
Comme lui, respirons au bout de la carrière
Ce calme avant-coureur de l'éternelle paix.

Tes jours, sombres et courts comme les jours d'automne,   45
Déclinent comme l'ombre au penchant des coteaux;
L'amitié te trahit, la pitié t'abandonne,
Et, seule, tu descends le sentier des tombeaux.

Mais la nature est là qui t'invite et qui t'aime;
Plonge-toi dans son sein qu'elle t'ouvre toujours;   50
Quand tout change pour toi, la nature est la même,
Et le même soleil se lève sur tes jours.

De lumière et d'ombrage elle t'entoure encore;
Détache ton amour des faux biens que tu perds;
Adore ici l'écho qu'adorait Pythagore,   55
Prête avec lui l'oreille aux célestes concerts.

Suis le jour dans le ciel, suis l'ombre sur la terre,
Dans les plaines de l'air vole avec l'aquilon,
Avec les doux rayons de l'astre du mystère
Glisse à travers les bois dans l'ombre du vallon.   60

Dieu, pour le concevoir, a fait l'intelligence;
Sous la nature enfin découvre son auteur!
Une voix à l'esprit parle dans son silence,
Qui n'a pas entendu cette voix dans son cœur?

VI

34.   LE DÉSESPOIR

Lorsque du Créateur la parole féconde,
Dans une heure fatale, eut enfanté le monde
  Des germes du chaos,
De son œuvre imparfaite il détourna sa face,
Et d'un pied dédaigneux le lançant dans l'espace,   5
  Rentra dans son repos.

«Va, dit-il, je te livre à ta propre misère;
Trop indigne à mes yeux d'amour ou de colère,
    Tu n'es rien devant moi.
Roule au gré du hasard dans les déserts du vide;   10
Qu'à jamais loin de moi le destin soit ton guide,
    Et le Malheur ton roi.»

Il dit. Comme un vautour qui plonge sur sa proie,
Le Malheur, à ces mots, pousse, en signe de joie,
    Un long gémissement;   15
Et pressant l'univers dans sa serre cruelle,
Embrasse pour jamais de sa rage éternelle
    L'éternel aliment.

Le mal dès lors régna dans son immense empire;
Dès lors tout ce qui pense et tout ce qui respire   20
    Commença de souffrir;
Et la terre, et le ciel, et l'âme, et la matière,
Tout gémit: et la voix de la nature entière
    Ne fut qu'un long soupir.

Levez donc vos regards vers les célestes plaines,   25
Cherchez Dieu dans son œuvre, invoquez dans vos peines
    Ce grand consolateur,
Malheureux! sa bonté de son œuvre est absente,
Vous cherchez votre appui? l'univers vous présente
    Votre persécuteur.   30

De quel nom te nommer, ô fatale puissance?
Qu'on t'appelle destin, nature, providence,
    Inconcevable loi!
Qu'on tremble sous ta main, ou bien qu'on la blasphème,
Soumis ou révolté, qu'on te craigne ou qu'on t'aime,   35
    Toujours, c'est toujours toi!

Hélas! ainsi que vous j'invoquai l'espérance;
Mon esprit abusé but avec complaisance
    Son philtre empoisonneur;
C'est elle qui, poussant nos pas dans les abîmes,   40
De festons et de fleurs couronne les victimes
    Qu'elle livre au Malheur.

Si du moins au hasard il décimait les hommes,
Ou si sa main tombait sur tous tant que nous sommes
    Avec d'égales lois?   45
Mais les siècles ont vu les âmes magnanimes,
La beauté, le génie, ou les vertus sublimes,
    Victimes de son choix.

Tel, quand des dieux de sang voulaient en sacrifices
Des troupeaux innocents les sanglantes prémices,   50
    Dans leurs temples cruels,
De cent taureaux choisis on formait l'hécatombe,
Et l'agneau sans souillure, ou la blanche colombe
    Engraissaient leurs autels.

Créateur, Tout-Puissant, principe de tout être!   55
Toi pour qui le possible existe avant de naître!
    Roi de l'immensité,
Tu pouvais cependant, au gré de ton envie,
Puiser pour tes enfants le bonheur et la vie
    Dans ton éternité?   60

Sans t'épuiser jamais, sur toute la nature
Tu pouvais à longs flots répandre sans mesure
    Un bonheur absolu.
L'espace, le pouvoir, le temps, rien ne te coûte.
Ah! ma raison frémit; tu le pouvais sans doute,   65
    Tu ne l'as pas voulu.

Quel crime avons-nous fait pour mériter de naître?
L'insensible néant t'a-t-il demandé l'être,
  Ou l'a-t-il accepté?
Sommes-nous, ô hasard, l'œuvre de tes caprices?   70
Ou plutôt, Dieu cruel, fallait-il nos supplices
  Pour ta félicité?

Montez donc vers le ciel, montez, encens qu'il aime,
Soupirs, gémissements, larmes, sanglots, blasphème,
  Plaisirs, concerts divins!   75
Cris du sang, voix des morts, plaintes inextinguibles,
Montez, allez frapper les voûtes insensibles
  Du palais des destins!

Terre, élève ta voix; cieux, répondez; abîmes,
Noirs séjours où la mort entasse ses victimes,   80
  Ne formez qu'un soupir.
Qu'une plainte éternelle accuse la nature,
Et que la douleur donne à toute créature
  Une voix pour gémir.

Du jour où la nature, au néant arrachée,   85
S'échappa de tes mains comme une œuvre ébauchée,
  Qu'as-tu vu cependant?
Aux désordres du mal la matière asservie,
Toute chair gémissant, hélas! et toute vie
  Jalouse du néant.   90

Des éléments rivaux les luttes intestines;
Le temps qui flétrit tout, assis sur les ruines
  Qu'entassèrent ses mains,
Attendant sur le seuil tes œuvres éphémères;
Et la mort étouffant, dès le sein de leurs mères,   95
  Les germes des humains!

La vertu succombant sous l'audace impunie,
L'imposture en honneur, la vérité bannie;
    L'errante liberté
Aux dieux vivants du monde offerte en sacrifice;   100
Et la force, partout, fondant de l'injustice
    Le règne illimité.

La valeur, sans les dieux, décidant les batailles!
Un Caton libre encor déchirant ses entrailles
    Sur la foi de Platon!   105
Un Brutus, qui, mourant pour la vertu qu'il aime,
Doute au dernier moment de cette vertu même,
    Et dit: «Tu n'es qu'un nom! . . .»

La fortune toujours du parti des grands crimes!
Les forfaits couronnés devenus légitimes!   110
    La gloire au prix du sang!
Les enfants héritant l'iniquité des pères!
Et le siècle qui meurt racontant ses misères
    Au siècle renaissant!

Eh quoi! tant de tourments, de forfaits, de supplices,   115
N'ont-ils pas fait fumer d'assez de sacrifices
    Tes lugubres autels?
Ce soleil, vieux témoin des malheurs de la terre,
Ne fera-t-il pas naître un seul jour qui n'éclaire
    L'angoisse des mortels?   120

Héritiers des douleurs, victimes de la vie,
Non, non, n'espérez pas que sa rage assouvie
    Endorme le Malheur!
Jusqu'à ce que la Mort, ouvrant son aile immense,
Engloutisse à jamais dans l'éternel silence   125
    L'éternelle douleur!

X

35.   LE LAC DE B***

Ainsi, toujours poussés vers de nouveaux rivages,
Dans la nuit éternelle emportés sans retour,
Ne pourrons-nous jamais sur l'océan des âges
    Jeter l'ancre un seul jour?

O lac! l'année à peine a fini sa carrière,   5
Et près des flots chéris qu'elle devait revoir,
Regarde! je viens seul m'asseoir sur cette pierre
    Où tu la vis s'asseoir!

Tu mugissais ainsi sous ces roches profondes,
Ainsi tu te brisais sur leurs flancs déchirés,   10
Ainsi le vent jetait l'écume de tes ondes
    Sur ses pieds adorés.

Un soir, t'en souvient-il? nous voguions en silence;
On n'entendait au loin, sur l'onde et sous les cieux,
Que le bruit des rameurs qui frappaient en cadence   15
    Tes flots harmonieux.

Tout à coup des accents inconnus à la terre
Du rivage charmé frappèrent les échos:
Le flot fut attentif, et la voix qui m'est chère
    Laissa tomber ces mots: 20

«O temps, suspends ton vol; et vous, heures propices!
    Suspendez votre cours:
Laissez-nous savourer les rapides délices
    Des plus beaux de nos jours!

«Assez de malheureux ici-bas vous implorent,   25
    Coulez, coulez pour eux;

Prenez avec leurs jours les soins qui les dévorent,
    Oubliez les heureux.

«Mais je demande en vain quelques moments encore,
    Le temps m'échappe et fuit;   30
Je dis à cette nuit: Sois plus lente; et l'aurore
    Va dissiper la nuit.

«Aimons donc, aimons donc! de l'heure fugitive,
    Hâtons-nous, jouissons!
L'homme n'a point de port, le temps n'a point de rive;   35
    Il coule, et nous passons!»

Temps jaloux, se peut-il que ces moments d'ivresse,
Où l'amour à longs flots nous verse le bonheur,
S'envolent loin de nous de la même vitesse
    Que les jours de malheur?   40

Eh quoi! n'en pourrons-nous fixer au moins la trace?
Quoi! passés pour jamais! quoi! tout entiers perdus!
Ce temps qui les donna, ce temps qui les efface,
    Ne nous les rendra plus!

Éternité, néant, passé, sombres abîmes,   45
Que faites-vous des jours que vous engloutissez?
Parlez: nous rendrez-vous ces extases sublimes
    Que vous nous ravissez?

O lac! rochers muets! grottes! forêt obscure!
Vous, que le temps épargne ou qu'il peut rajeunir,   50
Gardez de cette nuit, gardez, belle nature,
    Au moins le souvenir!

Qu'il soit dans ton repos, qu'il soit dans tes orages,
Beau lac, et dans l'aspect de tes riants coteaux,

Et dans ces noirs sapins, et dans ces rocs sauvages   55
    Qui pendent sur tes eaux.

Qu'il soit dans le zéphyr qui frémit et qui passe,
Dans les bruits de tes bords par tes bords répétés,
Dans l'astre au front d'argent qui blanchit ta surface
    De ses molles clartés.   60

Que le vent qui gémit, le roseau qui soupire,
Que les parfums légers de ton air embaumé,
Que tout ce qu'on entend, l'on voit ou l'on respire,
    Tout dise: Ils ont aimé!

XXIII

36.
L'AUTOMNE

Salut! bois couronnés d'un reste de verdure!
Feuillages jaunissants sur les gazons épars!
Salut, derniers beaux jours! le deuil de la nature
Convient à la douleur et plaît à mes regards!

Je suis d'un pas rêveur le sentier solitaire,   5
J'aime à revoir encor, pour la dernière fois,
Ce soleil pâlissant, dont la faible lumière
Perce à peine à mes pieds l'obscurité des bois!

Oui, dans ces jours d'automne où la nature expire,
A ses regards voilés je trouve plus d'attraits,   10
C'est l'adieu d'un ami, c'est le dernier sourire
Des lèvres que la mort va fermer pour jamais!

Ainsi prêt à quitter l'horizon de la vie,
Pleurant de mes longs jours l'espoir évanoui,
Je me retourne encore, et d'un regard d'envie   15
Je contemple ses biens dont je n'ai pas joui!

Terre, soleil, vallons, belle et douce nature,
Je vous dois une larme aux bords de mon tombeau;
L'air est si parfumé! la lumière est si pure!
Aux regards d'un mourant le soleil est si beau!   20

Je voudrais maintenant vider jusqu'à la lie
Ce calice mêlé de nectar et de fiel!
Au fond de cette coupe où je buvais la vie,
Peut-être restait-il une goutte de miel?

Peut-être l'avenir me gardait-il encore   25
Un retour de bonheur dont l'espoir est perdu?
Peut-être dans la foule, une âme que j'ignore
Aurait compris mon âme, et m'aurait répondu? . . .

La fleur tombe en livrant ses parfums au zéphire;
A la vie, au soleil, ce sont là ses adieux;   30
Moi, je meurs; et mon âme, au moment qu'elle expire,
S'exhale comme un son triste et mélodieux.

NOUVELLES MÉDITATIONS

XXI

37.   LE CRUCIFIX

Toi que j'ai recueilli sur sa bouche expirante
Avec son dernier souffle et son dernier adieu,
Symbole deux fois saint, don d'une main mourante,
    Image de mon Dieu!

Que de pleurs ont coulé sur tes pieds, que j'adore,   5
Depuis l'heure sacrée où, du sein d'un martyr,
Dans mes tremblantes mains tu passas, tiède encore
    De son dernier soupir!

Les saints flambeaux jetaient une dernière flamme;
Le prêtre murmurait ces doux chants de la mort, 10
Pareils aux chants plaintifs que murmure une femme
  A l'enfant qui s'endort.

. . . .

De son pieux espoir son front gardait la trace,
Et sur ses traits frappés d'une auguste beauté,
La douleur fugitive avait empreint sa grâce, 15
  La mort sa majesté.

Le vent qui caressait sa tête échevelée
Me montrait tour à tour ou me voilait ses traits,
Comme l'on voit flotter sur un blanc mausolée
  L'ombre des noirs cyprès. 20

Un de ses bras pendait de la funèbre couche;
L'autre, languissamment replié sur son cœur,
Semblait chercher encore et presser sur sa bouche
  L'image du Sauveur.

Ses lèvres s'entr'ouvraient pour l'embrasser encore; 25
Mais son âme avait fui dans ce divin baiser,
Comme un léger parfum que la flamme dévore
  Avant de l'embraser.

Maintenant tout dormait sur sa bouche glacée,
Le souffle se taisait dans son sein endormi, 30
Et sur l'œil sans regard la paupière affaissée
  Retombait à demi.

Et moi, debout, saisi d'une terreur secrète,
Je n'osais m'approcher de ce reste adoré,
Comme si du trépas la majesté muette 35
  L'eût déjà consacré.

Je n'osais! . . . Mais le prêtre entendit mon silence,
Et, de ses doigts glacés prenant le crucifix:
«Voilà le souvenir, et voilà l'espérance:
    Emportez-les, mon fils!»   40

Oui, tu me resteras, ô funèbre héritage!
Sept fois, depuis ce jour, l'arbre que j'ai planté
Sur sa tombe sans nom a changé son feuillage:
    Tu ne m'as pas quitté.

Placé près de ce cœur, hélas! où tout s'efface,   45
Tu l'as contre le temps défendu de l'oubli,
Et mes yeux goutte à goutte ont imprimé leur trace
    Sur l'ivoire amolli.

O dernier confident de l'âme qui s'envole,
Viens, reste sur mon cœur, parle encore, et dis-moi   50
Ce qu'elle te disait quand sa faible parole
    N'arrivait plus qu'à toi.

A cette heure douteuse où l'âme recueillie,
Se cachant sous le voile épaissi sur nos yeux
Hors de nos sens glacés pas à pas se replie,   55
    Sourds aux derniers adieux;

Alors qu'entre la vie et la mort incertaine,
Comme un fruit par son poids détaché du rameau,
Notre âme est suspendue et tremble à chaque haleine
    Sur la nuit du tombeau;   60

Quand des chants, des sanglots la confuse harmonie
N'éveille déjà plus notre esprit endormi,
Aux lèvres du mourant collé dans l'agonie,
    Comme un dernier ami;

Pour éclaircir l'horreur de cet étroit passage,   65
Pour relever vers Dieu son regard abattu,
Divin consolateur, dont nous baisons l'image,
    Réponds! Que lui dis-tu?

Tu sais, tu sais mourir! et tes larmes divines,
Dans cette nuit terrible où tu prias en vain,   70
De l'olivier sacré baignèrent les racines
    Du soir jusqu'au matin!

De la croix, où ton œil sonda ce grand mystère,
Tu vis ta mère en pleurs et la nature en deuil;
Tu laissas comme nous tes amis sur la terre,   75
    Et ton corps au cercueil!

Au nom de cette mort, que ma faiblesse obtienne
De rendre sur ton sein ce douloureux soupir:
Quand mon heure viendra, souviens-toi de la tienne,
    O toi qui sais mourir!   80

Je chercherai la place où sa bouche expirante
Exhala sur tes pieds l'irrévocable adieu,
Et son âme viendra guider mon âme errante
    Au sein du même Dieu!

Ah! puisse, puisse alors sur ma funèbre couche,   85
Triste et calme à la fois, comme un ange éploré,
Une figure en deuil recueillir sur ma bouche
    L'héritage sacré!

Soutiens ses derniers pas, charme sa dernière heure;
Et, gage consacré d'espérance et d'amour,   90
De celui qui s'éloigne à celui qui demeure
    Passe ainsi tour à tour!

Jusqu'au jour où, des morts perçant la voûte sombre,
Une voix, dans le ciel les appelant sept fois,
Ensemble éveillera ceux qui dormaient à l'ombre   95
    De l'éternelle croix!

JOCELYN

38.   NEUVIÈME ÉPOQUE—LES LABOUREURS

Au hameau de Valneige, 16 mai 1801.

Quelquefois dès l'aurore, après le sacrifice,
Ma Bible sous mon bras, quand le ciel est propice,
Je quitte mon église et mes murs jusqu'au soir,   285
Et je vais par les champs m'égarer ou m'asseoir,
Sans guide, sans chemin, marchant à l'aventure,
Comme un livre au hasard feuilletant la nature,
Mais partout recueilli, car j'y trouve en tout lieu
Quelque fragment écrit du vaste nom de Dieu.   290
Oh! qui peut lire ainsi les pages du grand livre
Ne doit ni se lasser ni se plaindre de vivre! . . .

Déjà, tout près de moi, j'entendais par moments
Monter des pas, des voix et des mugissements:
C'était le paysan de la haute chaumine
Qui venait labourer son morceau de colline;   320
Avec son soc plaintif traîné par ses bœufs blancs,
Et son mulet portant sa femme et ses enfants;
Et je pus, en lisant ma Bible ou la nature,
Voir tout le jour la scène et l'écrire à mesure.
Sous mon crayon distrait le feuillet devint noir.   325
O nature, on t'adore encor dans ton miroir!

*

Laissant souffler ses bœufs, le jeune homme s'appuie
Debout au tronc d'un chêne, et de sa main essuie
La sueur du sentier sur son front mâle et doux;

La femme et les enfants tout petits, à genoux 330
Devant les bœufs privés baissant leur corne à terre,
Leur cassent des rejets de frêne et de fougère,
Et jettent devant eux en verdoyants monceaux
Les feuilles que leurs mains émondent des rameaux.
Ils ruminent en paix, pendant que l'ombre obscure 335
Sous le soleil montant se replie à mesure,
Et, laissant de la glèbe attiédir la froideur,
Vient mourir, et border les pieds du laboureur.
Il rattache le joug, sous la forte courroie,
Aux cornes qu'en pesant sa main robuste ploie. 340
Les enfants vont cueillir des rameaux découpés,
Des gouttes de rosée encore tout trempés,
Au joug avec la feuille en verts festons les nouent,
Que sur leurs fronts voilés les fiers taureaux secouent,
Pour que leur flanc qui bat et leur poitrail poudreux 345
Portent sous le soleil un peu d'ombre avec eux.
Au joug de bois poli le timon s'équilibre,
Sous l'essieu gémissant le soc se dresse et vibre;
L'homme saisit le manche, et sous le coin tranchant
Pour ouvrir le sillon, le guide au bout du champ. 350

*

O travail, sainte loi du monde,
Ton mystère va s'accomplir!
Pour rendre la glèbe féconde,
De sueur il faut l'amollir!
L'homme, enfant et fruit de la terre, 355
Ouvre les flancs de cette mère
Qui germe les fruits et les fleurs;
Comme l'enfant mord la mamelle,
Pour que le lait monte et ruisselle
Du sein de sa nourrice en pleurs! 360

*

La terre, qui se fend sous le soc qu'elle aiguise,
En tronçons palpitants s'amoncelle et se brise,

Et, tout en s'entrouvrant, fume comme une chair
Qui se fend et palpite et fume sous le fer.
En deux monceaux poudreux les ailes la renversent;   365
Ses racines à nu, ses herbes se dispersent;
Ses reptiles, ses vers, par le soc déterrés,
Se tordent sur son sein en tronçons torturés.
L'homme les foule aux pieds, et, secouant le manche,
Enfonce plus avant le glaive qui les tranche;   370
Le timon plonge et tremble, et déchire ses doigts;
La femme parle aux bœufs du geste et de la voix;
Les animaux, courbés sur leur jarret qui plie,
Pèsent de tout leur front sur le joug qui les lie;
Comme un cœur généreux leurs flancs battent d'ardeur;   375
Ils font bondir le sol jusqu'en sa profondeur.
L'homme presse ses pas, la femme suit à peine;
Tous au bout du sillon arrivent hors d'haleine;
Ils s'arrêtent: le bœuf rumine, et les enfants
Chassent avec la main les mouches de leurs flancs. . . .   380

*

Un moment suspendu, les voilà qui reprennent
Un sillon parallèle, et sans fin vont et viennent
D'un bout du champ à l'autre, ainsi qu'un tisserand
Dont la main, tout le jour sur son métier courant,
Jette et retire à soi le lin qui se dévide,   445
Et joint le fil au fil sur sa trame rapide.
La sonore vallée est pleine de leurs voix;
Le merle bleu s'enfuit en sifflant dans les bois,
Et du chêne à ce bruit les feuilles ébranlées
Laissent tomber sur eux les gouttes distillées.   450
Cependant le soleil darde à nu; le grillon
Semble crier de feu sur le dos du sillon.
Je vois flotter, courir sur la glèbe embrasée
L'atmosphère palpable où nage la rosée
Qui rejaillit du sol et qui bout dans le jour,   455
Comme une haleine en feu de la gueule d'un four.

Des bœufs vers le sillon le joug plus lourd s'affaisse;
L'homme passe la main sur son front, sa voix baisse,
Le soc glissant vacille entre ses doigts nerveux;
La sueur, de la femme imbibe les cheveux.   460
Ils arrêtent le char à moitié de sa course;
Sur les flancs d'une roche ils vont lécher la source,
Et, la lèvre collée au granit humecté,
Savourent sa fraîcheur et son humidité. . . .

*

Mais le milieu du jour au repas les appelle: 495
Ils couchent sur le sol le fer; l'homme dételle
Du joug tiède et fumant les bœufs, qui vont en paix
Se coucher loin du soc sous un feuillage épais.
La mère et les enfants, qu'un peu d'ombre rassemble,
Sur l'herbe, autour du père, assis, rompent ensemble   500
Et se passent entre eux de la main à la main
Les fruits, les œufs durcis, le laitage et le pain;
Et le chien, regardant le visage du père,
Suit d'un œil confiant les miettes qu'il espère.
Le repas achevé, la mère, du berceau   505
Qui repose couché dans un sillon nouveau,
Tire un bel enfant nu qui tend ses mains vers elle,
L'enlève, et, suspendu, l'emporte à sa mamelle,
L'endort en le berçant du sein sur ses genoux,
Et s'endort elle-même, un bras sur son époux.   510
Et sous le poids du jour la famille sommeille
Sur la couche de terre, et le chien seul les veille,
Et les anges de Dieu d'en haut peuvent les voir,
Et les songes du ciel sur leurs têtes pleuvoir! . . .

*

Ils ont quitté leur arbre et repris leur journée.   545
Du matin au couchant l'ombre déjà tournée
S'allonge au pied du chêne et sur eux va pleuvoir;
Le lac, moins éclatant, se ride au vent du soir.

De l'autre bord du champ le sillon se rapproche.
Mais quel son a vibré dans les feuilles? La cloche,   550
Comme un soupir des eaux qui s'élève du bord,
Répand dans l'air ému l'imperceptible accord,
Et, par des mains d'enfants au hameau balancée,
Vient donner de si loin son coup à la pensée:
C'est l'Angélus qui tinte, et rappelle en tout lieu   555
Que le matin des jours et le soir sont à Dieu.
A ce pieux appel le laboureur s'arrête;
Il se tourne au clocher, il découvre sa tête,
Joint ses robustes mains d'où tombe l'aiguillon,
Élève un peu son âme au-dessus du sillon,   560
Tandis que les enfants, à genoux sur la terre,
Joignent leurs petits doigts dans les mains de leur mère.

*

Prière, ô voix surnaturelle
Qui nous précipite à genoux!
Instinct du ciel qui nous rappelle   565
Que la patrie est loin de nous!
Vent qui souffle sur l'âme humaine,
Et de la paupière trop pleine
Fait déborder de douces pleurs,
Comme un vent qui, par intervalles,   570
Fait pleuvoir les eaux virginales
Du calice incliné des fleurs! . . .

O saint murmure des prières,
Fais aussi dans mon cœur trop plein,
Comme des ondes sur des pierres,   595
Chanter mes peines dans mon sein;
Que le faible bruit de ma vie
En extase intime ravie
S'élève en aspirations;
Et fais que ce cœur que tu brises,   600

Instrument des célestes brises,
Éclate en bénédictions!

*

Un travail est fini, l'autre aussitôt commence.
Voilà partout la terre ouverte à la semence:
Aux corbeilles de jonc puisant à pleine main,   605
En nuage poudreux la femme épand le grain;
Les enfants, enfonçant les pas dans son ornière,
Sur sa trace, en jouant, ramassent la poussière
Que de leur main étroite ils laissent retomber,
Et que les passereaux viennent leur dérober.   610
Le froment répandu, l'homme attelle la herse,
Le sillon raboteux la cahote et la berce:
En groupe sur ce char les enfants réunis
Effacent sous leur poids les sillons aplanis.
Le jour tombe, et le soir sur les herbes s'essuie;   615
Et les vents chauds d'automne amèneront la pluie;
Et les neiges d'hiver, sous leur tiède tapis,
Couvriront d'un manteau de duvet les épis;
Et les soleils dorés en jauniront les herbes;
Et les filles des champs viendront nouer les gerbes,   620
Et, tressant sur leurs fronts les bluets, les pavots,
Iront danser en chœur autour des tas nouveaux;
Et la meule broiera le froment sous les pierres;
Et, choisissant la fleur, la femme des chaumières,
Levée avant le jour pour battre le levain,   625
De ses petits enfants aura pétri le pain;
Et les oiseaux du ciel, le chien, le misérable,
Ramasseront en paix les miettes de la table;
Et tous béniront Dieu, dont les fécondes mains
Au festin de la terre appellent les humains!   630

*

C'est ainsi que ta providence
Sème et cueille l'humanité,

Seigneur, cette noble semence
Qui germe pour l'éternité.
Ah! sur les sillons de la vie   635
Que ce pur froment fructifie!
Dans les vallons de ses douleurs,
O Dieu, verse-lui ta rosée!
Que l'argile fertilisée
Germe des hommes et des fleurs!   640

(Ici plusieurs dates perdues.)

POÉSIES DIVERSES

39.   LA MARSEILLAISE DE LA PAIX

Roule libre et superbe entre tes larges rives,
Rhin, Nil de l'Occident, coupe des nations!
Et des peuples assis qui boivent tes eaux vives
Emporte les défis et les ambitions!

Il ne tachera plus le cristal de ton onde,   5
Le sang rouge du Franc, le sang bleu du Germain;
Ils ne crouleront plus sous le caisson qui gronde,
Ces ponts qu'un peuple à l'autre étend comme une main!
Les bombes et l'obus, arc-en-ciel des batailles,
Ne viendront plus s'éteindre en sifflant sur tes bords;   10
L'enfant ne verra plus, du haut de tes murailles,
Flotter ces poitrails blonds qui perdent leurs entrailles,
        Ni sortir des flots ces bras morts!

Roule libre et limpide, en répétant l'image
De tes vieux forts verdis sous leurs lierres épais,   15
Qui froncent tes rochers, comme un dernier nuage
Fronce encor les sourcils sur un visage en paix.

Ces navires vivants dont la vapeur est l'âme
Déploieront sur ton cours la crinière du feu;
L'écume à coups pressés jaillira sous la rame;   20
La fumée en courant léchera ton ciel bleu.
Le chant des passagers, que ton doux roulis berce,
Des sept langues d'Europe étourdira tes flots,
Les uns tendant leurs mains avides de commerce,
Les autres allant voir, aux monts où Dieu te verse,   25
      Dans quel nid le fleuve est éclos.

Roule libre et béni! Ce Dieu qui fond la voûte
Où la main d'un enfant pourrait te contenir
Ne grossit pas ainsi ta merveilleuse goutte
Pour diviser ses fils, mais pour les réunir!   30

Pourquoi nous disputer la montagne ou la plaine?
Notre tente est légère, un vent va l'enlever;
La table où nous rompons le pain est encor pleine,
Que la mort, par nos noms, nous dit de nous lever!
Quand le sillon finit, le soc le multiplie;   35
Aucun œil du soleil ne tarit les rayons;
Sous le flot des épis la terre inculte plie:
Le linceul, pour couvrir la race ensevelie,
      Manque-t-il donc aux nations?

Roule libre et splendide à travers nos ruines,   40
Fleuve d'Arminius, du Gaulois, du Germain!
Charlemagne et César, campés sur tes collines,
T'ont bu sans t'épuiser dans le creux de leur main.

Et pourquoi nous haïr, et mettre entre les races
Ces bornes ou ces eaux qu'abhorre l'œil de Dieu?   45
De frontières au ciel voyons-nous quelques traces?
Sa voûte a-t-elle un mur, une borne, un milieu?

Nations, mot pompeux pour dire barbarie,
L'amour s'arrête-t-il où s'arrêtent vos pas?
Déchirez ces drapeaux; une autre voix vous crie: 50
«L'égoïsme et la haine ont seuls une patrie;
        La fraternité n'en a pas!»

Roule libre et royal entre nous tous, ô fleuve!
Et ne t'informe pas, dans ton cours fécondant,
Si ceux que ton flot porte ou que ton urne abreuve   55
Regardent sur tes bords l'aurore ou l'occident.

Ce ne sont plus des mers, des degrés, des rivières,
Qui bornent l'héritage entre l'humanité:
Les bornes des esprits sont leurs seules frontières;
Le monde en s'éclairant s'élève à l'unité.   60
Ma patrie est partout où rayonne la France,
Où son génie éclate aux regards éblouis!
Chacun est du climat de son intelligence:
Je suis concitoyen de tout âme qui pense:
        La vérité, c'est mon pays!   65

Roule libre et paisible entre ces fortes races
Dont ton flot frémissant trempa l'âme et l'acier,
Et que leur vieux courroux, dans le lit que tu traces,
Fonde au soleil du siècle avec l'eau du glacier!

Vivent les nobles fils de la grave Allemagne!   70
Le sang-froid de leurs fronts couvre un foyer ardent;
Chevaliers tombés rois des mains de Charlemagne,
Leurs chefs sont les Nestors des conseils d'Occident.
Leur langue a les grands plis du manteau d'une reine,
La pensée y descend dans un vague profond;   75
Leur cœur sûr est semblable au puits de la sirène,
Où tout ce que l'on jette, amour, bienfait ou haine,
        Ne remonte jamais du fond.

Roule libre et fidèle entre tes nobles arches,
O fleuve féodal, calme mais indompté! 80
Verdis le sceptre aimé de tes rois patriarches:
Le joug que l'on choisit est encor liberté!

Et vivent ces essaims de la ruche de France,
Avant-garde de Dieu, qui devancent ses pas!
Comme des voyageurs qui vivent d'espérance, 85
Ils vont semant la terre, et ne moissonnent pas . . .
Le sol qu'ils ont touché germe fécond et libre;
Ils sauvent sans salaire, ils blessent sans remord:
Fiers enfants, de leur cœur l'impatiente fibre
Est la corde de l'arc où toujours leur main vibre 90
    Pour lancer l'idée ou la mort!

Roule libre, et bénis ces deux sangs dans ta course;
Souviens-toi pour eux tous de la main d'où tu sors:
L'aigle et le fier taureau boivent l'onde à ta source;
Que l'homme approche l'homme, et qu'il boive aux deux 95
    bords!

Amis, voyez là-bas!—La terre est grande et plane!
L'Orient délaissé s'y déroule au soleil;
L'espace y lasse en vain la lente caravane,
La solitude y dort son immense sommeil!
Là, des peuples taris ont laissé leurs lits vides; 100
Là, d'empires poudreux les sillons sont couverts:
Là, comme un stylet d'or, l'ombre des Pyramides
Mesure l'heure morte à des sables livides
    Sur le cadran nu des déserts!

Roule libre à ces mers où va mourir l'Euphrate, 105
Des artères du globe enlace le réseau;
Rends l'herbe et la toison à cette glèbe ingrate:
Que l'homme soit un peuple, et les fleuves une eau!

Débordement armé des nations trop pleines,
Au souffle de l'aurore envolés les premiers,   110
Jetons les blonds essaims des familles humaines
Autour des nœuds des cèdres et du tronc des palmiers!
Allons, comme Joseph, comme ses onze frères,
Vers les limons du Nil que labourait Apis,
Trouvant de leurs sillons les moissons trop légères,   115
S'en allèrent jadis aux terres étrangères
        Et revinrent courbés d'épis!

Roule libre, et descends des Alpes étoilées
L'arbre pyramidal pour nous tailler nos mâts,
Et le chanvre et le lin de tes grasses vallées;   120
Tes sapins sont les ponts qui joignent les climats.

Allons-y, mais sans perdre un frère dans la marche,
Sans vendre à l'oppresseur un peuple gémissant,
Sans montrer au retour aux yeux du patriarche,
Au lieu d'un fils qu'il aime, une robe de sang!   125
Rapportons-en le blé, l'or, la laine et la soie,
Avec la liberté, fruit qui germe en tout lieu;
Et tissons de repos, d'alliance et de joie
L'étendard sympathique où le monde déploie
        L'unité, ce blason de Dieu!   130

Roule libre, et grossis tes ondes printanières,
Pour écumer d'ivresse autour de tes roseaux;
Et que les sept couleurs qui teignent nos bannières,
Arc-en-ciel de la paix, serpentent dans tes eaux!

                              Saint-Point, 28 mai, 1841.

ÉPITRES ET POÉSIES DIVERSES

XXXII

40.   VERS SUR UN ALBUM

Le livre de la vie est le livre suprême
Qu'on ne peut ni fermer ni rouvrir à son choix;
Le passage attachant ne s'y lit pas deux fois,
Mais le feuillet fatal se tourne de lui-même:
On voudrait revenir à la page où l'on aime,   5
Et la page où l'on meurt est déjà sous nos doigts!

ÉMILE DESCHAMPS

Bourges, 1791—Versailles, 1871

ÉMILE DESCHAMPS exerted a great influence on romantic literature. His *salon* afforded a meeting place for the members of the
first *Cénacle*, and he was the real editor of *la Muse française*.
Indeed, the manifesto of romantic poetry is the preface to his
Études françaises et étrangères (1828). In this volume, along
with original work, there are translations from Schiller (*Das
Lied der Glocke*) and Goethe *(Der Erlkönig)* and from the Spanish. "*Mon œuvre la plus importante est un poème sur* Rodrigue,
*dernier roi des Goths. . . . Ce poème est tiré de ces admirables
romances espagnoles, qu'on a si bien nommées une Iliade sans
Homère. . . . en me servant surtout de l'excellent travail de M.
Abel Hugo sur la poésie espagnole.*" Victor's eldest brother and
Deschamps made Spain popular with the romantics. His Preface
successfully reconciles a respect for tradition with a desire for
novelty. Romanticism is defined only as the literature of the
XIXth century. In poetry, Deschamps declares, other centuries
have triumphed in the epistle, the satire and the fable, let the
poets of today cultivate the lyric, the elegy and epic—where
older French poetry was weak. "*Aussi, M. Victor Hugo s'est-il
révélé dans l'Ode, M. de Lamartine dans l'Élégie et M. Alfred de
Vigny dans le Poème. . . . il a su renfermer la poésie épique
dans des compositions d'une moyenne étendue et toutes inventées;
il a su être grand sans être long.*" Of style, Deschamps proclaims:
"*Autant d'hommes de talent, autant de styles.*" He commends
Chénier's versification, the mobile cæsura, run-on lines and *rime
riche*, declaring before Sainte-Beuve and Banville: "*La rime est
le trait caractéristique de notre poésie.*" Hence, at the end of his
life, Deschamps is asked for poems to grace *le Parnasse contemporain* (1866).

Works: *Études françaises et étrangères*, 1828, *Poésies*, 1841,

Œuvres complètes, 6 vols, 1872-74. Consult, H. Girard, *Un bourgeois dilettante à l'époque romantique, Émile Deschamps*, 1921, and G. Lanson, *"Émile Deschamps et le Romancero," Revue d'histoire littéraire de la France*, 1899.

ÉTUDES FRANÇAISES ET ÉTRANGÈRES

41. ### LE POÈME DE RODRIGUE

V

Rodrigue Pendant La Bataille

C'est la huitième journée
De la bataille donnée
Aux bords du Guadalété;
Maures et chrétiens succombent,
Comme les cédrats qui tombent   5
Sous les flèches de l'été.

Sur le point qui les rassemble
Jamais tant d'hommes ensemble
N'ont combattu tant de jours;
C'est une bataille immense   10
Qui sans cesse recommence,
Plus formidable toujours.

Enfin le sort se décide,
Et la Victoire homicide
Dit: Assez pour aujourd'hui!   15
Soudain l'armée espagnole
Devant l'Arabe qui vole
Fuit . . . Les Espagnols ont fui!

Rodrigue, au bruit du tonnerre,
Comme un vautour de son aire,   20
S'échappe du camp tout seul,

Sur son front, altier naguère,
Jetant son manteau de guerre,
Comme l'on fait d'un linceul.

Son cheval, tout hors d'haleine,   25
Marche au hasard dans la plaine,
Insensible aux éperons;
Ses longs crins méconnaissables,
Ses pieds traînent sur les sables,
Ses pieds autrefois si prompts.   30

Dans une sombre attitude,
Mort de soif, de lassitude,
Le roi sans royaume allait,
Longeant la côte escarpée,
Broyant dans sa main crispée   35
Les grains d'or d'un chapelet.

Les pierres, de loin lancées,
Par son écu repoussées,
En ont bosselé le fer;
Son casque déformé pèse   40
Sur son cerveau, que n'apaise
Signe de croix ni *Pater*.

Sa dague, à peine attachée,
Figure, tout ébréchée,
Une scie aux mille dents;   45
Ses armures entr'ouvertes
Rougissent, de sang couvertes,
Comme des charbons ardents.

Sur la plus haute colline
Il monte; et, sa javeline   50
Soutenant ses membres lourds,

Il voit son armée en fuite,
Et de sa tente détruite
Pendre en lambeaux le velours;

Il voit ses drapeaux sans gloire 55
Couchés dans la fange noire,
Et pas un seul chef debout;
Les cadavres s'amoncellent,
Les torrents de sang ruissellent. . .
Le sien se rallume et bout. 60

Il cria: «Ah! quelle campagne!
Hier de toute l'Espagne
J'étais le seigneur et roi:
Xérès, Tolède, Séville,
Pas un bourg, pas une ville, 65
Hier, qui ne fût à moi.

«Hier, puissant et célèbre,
J'avais des châteaux sur l'Èbre,
Sur le Tage des châteaux.
Dans la fournaise rougie, 70
Sur l'or à mon effigie
Retentissaient les marteaux.

«Hier, deux mille chanoines
Et dix fois autant de moines
Jeûnaient tous pour mon salut; 75
Et comtesses et marquises,
Au dernier tournoi conquises,
Chantaient mon nom sur le luth.

«Hier, j'avais trois cents mules,
Des vents rapides émules, 80
Douze cents chiens haletants,

Trois fous, et des grands sans nombre
Qui, pour saluer mon ombre,
Restaient au soleil longtemps.

«Hier j'avais douze armées,   85
Vingt forteresses fermées,
Trente ports, trente arsenaux. . .
Aujourd'hui, pas une obole,
Pas une lance espagnole,
Pas une tour à créneaux!   90

«Périsse la nuit fatale
Où, sur ma couche natale,
Je poussai le premier cri!
Maudite soit et périsse
La Castillane nourrice   95
A qui d'abord j'ai souri!

«Ou plutôt, folle chimère!
Pourquoi le sein de ma mère
Ne fut-il pas mon tombeau?
Je dormirais sous la terre,   100
Dans mon caveau solitaire,
Aux lueurs d'un saint flambeau,

«Avec les rois, mes ancêtres,
Avec les guerriers, les prêtres,
Dont le trépas fut pleuré;   105
Ma gloire eût été sauvée,
Et l'Espagne préservée
De son Rodrigue abhorré!

«Et mon père, à ma naissance,
En grande réjouissance,   110
Fit partir deux cents hérauts!
Et des seigneurs très avares,

Aux joutes des deux Navarres,
Firent tuer leurs taureaux!

«Chaque madone eut cent cierges, 115
On dota cent belles vierges
Pour cent archers courageux,
On donna trois bals splendides,
On brûla trois juifs sordides . . .
Ce n'étaient qu'amours et jeux! 120

«Ah! que Dieu m'entende et m'aide!
Ce fer est mon seul remède;
Mais saint Jacques le défend.
Ce que je veux, je ne l'ose;
Car l'évêque de Tolose, 125
Qui m'a béni tout enfant,

«Promènerait sur la claie
Mon cadavre avec sa plaie,
Aux regards de tous les miens;
Puis, sur une grève inculte, 130
Le livrerait à l'insulte
Des loups et des Bohémiens.

«Mais les trahisons ourdies,
Les chagrins, les maladies
Sauront bien me secourir: 135
Assez de honte environne
Un front qui perd sa couronne,
Pour espérer d'en mourir.

«Car quelle duègne insensée
Me croirait l'humble pensée 140
De vivre avec des égaux? . . .
Celui qui de si haut tombe
De son poids creuse sa tombe . . .
Mort au dernier roi des Goths!»

CASIMIR DELAVIGNE

Havre, 1793—Lyons, 1843

A MODERATE in literature, this poet was a successful dramatist whose style was stiffly classical but whose best plays, *Marino Faliero* (1829), *Louis XI* (1832) and *les Enfants d'Édouard* (1833) owe something to the example of Shakespeare and Schiller. "*J'ai conçu l'espérance d'ouvrir une voie nouvelle où les auteurs qui suivront mon exemple pourront désormais marcher avec plus de hardiesse et de liberté*". He became cordially hated by the romantics as a dangerous rival, for he was too successful in "romanticizing classicism". As a lyrical poet, Delavigne won a national triumph in 1818 with jeremiads on the degradation of France after the fall of Napoleon, which he called "*Messéniennes*," of which 25,000 copies were sold. He was elected to the Academy in 1825, five years before Lamartine.

Works: *Messéniennes*, 1818, reprinted with additions until 1828. *Œuvres*, 1843, 6 vols.; 1849, 8 vols. Consult M. Souriau, *Histoire du romantisme*, 1927 and Mme Fauchier-Delavigne, *Casimir Delavigne intime*, 1907.

MESSÉNIENNES

. . . «J'ai préféré la forme de l'élégie, que des auteurs très anciens ont souvent choisie pour retracer les malheurs des nations. C'est ainsi que Tyrtée, dans ses élégies, avait décrit en partie les guerres des Lacédémoniens et des Messéniens; Callinus, celles qui de son temps affligèrent l'Ionie; Mimnerme, la bataille que les Smyrnéens livrèrent à Gygès, roi de Lydie.» (ANACHARSIS, ch. XL.)

Tout le monde a lu, dans le Voyage d'Anacharsis, les élégies sur les malheurs de la Messénie; j'ai cru pouvoir emprunter à Barthélemy le titre des MESSÉNIENNES, pour qualifier un genre de poésies nationales qu'on n'a pas encore essayé d'introduire dans notre littérature.

I

42.   LA BATAILLE DE WATERLOO
                    Juillet 1815

Ils ne sont plus, laissez en paix leur cendre:
Par d'injustes clameurs ces braves outragés
A se justifier n'ont pas voulu descendre;
        Mais un seul jour les a vengés:
        Ils sont tous morts pour vous défendre.   5

    Malheur à vous si vos yeux inhumains
        N'ont point de pleurs pour la patrie!
        Sans force contre vos chagrins,
Contre le mal commun votre âme est aguerrie,
Tremblez, la mort peut-être étend sur vous ses mains!   10

Que dis-je? quel Français n'a répandu des larmes
        Sur nos défenseurs expirants?
Prêt à revoir les rois qu'il regretta vingt ans,
Quel vieillard n'a rougi du malheur de nos armes!
En pleurant ces guerriers par le destin trahis,   15
Quel vieillard n'a senti s'éveiller dans son âme
Quelque reste assoupi de cette antique flamme
        Qui l'embrasait pour son pays?

Que de leçons, grand Dieu! que d'horribles images
L'histoire d'un seul jour présente aux yeux des rois!   20
Clio, sans que la plume échappe de ses doigts,
        Pourra-t-elle en tracer les pages?

Cachez-moi ces soldats sous le nombre accablés,
Domptés par la fatigue, écrasés par la foudre,
Ces membres palpitants dispersés sur la poudre,   25
        Ces cadavres amoncelés!
Éloignez de mes yeux ce monument funeste

De la fureur des nations:
O mort! épargne ce qui reste!
Varus, rends-nous nos légions!   30

Les coursiers frappés d'épouvante,
Les chefs et les soldats épars,
Nos aigles et nos étendards
Souillés d'une fange sanglante,
Insultés par les léopards,   35
Les blessés mourant sur les chars,
Tout se presse sans ordre, et la foule incertaine,
Qui se tourmente en vains efforts,
S'agite, se heurte, se traîne,
Et laisse après soi dans la plaine   40
Du sang, des débris et des morts.

Parmi des tourbillons de flamme et de fumée,
O douleur! quel spectacle à mes yeux vient s'offrir:
Le bataillon sacré, seul devant une armée,
    S'arrête pour mourir.   45
C'est en vain que, surpris d'une vertu si rare,
Les vainqueurs dans leurs mains retiennent le trépas,
Fier de le conquérir, il court, il s'en empare:
LA GARDE, avait-il dit, MEURT ET NE SE REND PAS.
On dit qu'en les voyant couchés sur la poussière,   50
D'un respect douloureux frappé par tant d'exploits,
L'ennemi, l'œil fixé sur leur face guerrière,
Les regarda sans peur pour la première fois.

Les voilà ces héros si longtemps invincibles!
Ils menacent encor les vainqueurs étonnés.   55
Glacés par le trépas, que leurs yeux sont terribles!
Que de hauts faits écrits sur leurs fronts sillonnés!
Ils ont bravé les feux du soleil d'Italie;
   De la Castille ils ont franchi les monts;
Et le Nord les a vus marcher sur les glaçons   60

Dont l'éternel rempart protège la Russie.
Ils avaient tout dompté . . . Le destin des combats
    Leur devait, après tant de gloire,
Ce qu'aux Français naguère il ne refusait pas,
Le bonheur de mourir dans un jour de victoire.   65

Ah! ne les pleurons pas! sur leurs fronts triomphants
La palme de l'honneur n'a pas été flétrie;
Pleurons sur nous, Français, pleurons sur la patrie:
L'orgueil et l'intérêt divisent ses enfants.
Quel siècle en trahisons fut jamais plus fertile?   70
L'amour du bien commun de tous les cœurs s'exile;
La timide amitié n'a plus d'épanchements;
On s'évite, on se craint; la foi n'a plus d'asile,
Et s'enfuit d'épouvante au bruit de nos serments.

O vertige fatal! déplorables querelles   75
Qui livrent nos foyers au fer de l'étranger!
Le glaive étincelant, dans nos mains infidèles,
Ensanglante le sein qu'il devait protéger.

L'ennemi cependant renverse les murailles
    De nos forts et de nos cités;   80
La foudre tonne encore, au mépris des traités,
    L'incendie et les funérailles
Épouvantent encor nos hameaux dévastés;
D'avides proconsuls dévorent nos provinces;
Et, sous l'écharpe blanche ou sous les trois couleurs,   85
Les Français, disputant pour le choix de leurs princes,
Détrônent des drapeaux et proscrivent des fleurs.

    Des soldats de la Germanie
    J'ai vu les coursiers vagabonds
Dans nos jardins pompeux errer sur les gazons,   90
Parmi ces demi-dieux qu'enfanta le génie;
J'ai vu des bataillons, des tentes et des chars,

Et l'appareil d'un camp dans le temple des arts.
Faut-il, muets témoins, dévorer tant d'outrages?
Faut-il que le Français, l'olivier dans la main,   95
Reste insensible et froid comme ces dieux d'airain
     Dont ils insultent les images?

Nous devons tous nos maux à ces divisions
     Que nourrit notre tolérance.
Il est temps d'immoler au bonheur de la France   100
Cet orgueil ombrageux de nos opinions:
Étouffons le flambeau des guerres intestines.
Soldats, le ciel prononce; il relève les lis:
Adoptez les couleurs du héros de Bouvines,
En donnant une larme aux drapeaux d'Austerlitz.   105

France, réveille-toi! qu'un courroux unanime
Enfante des guerriers autour du souverain!
Divisés, désarmés, le vainqueur nous opprime;
Présentons-lui la paix, les armes à la main.

Et vous, peuples si fiers du trépas de nos braves,   110
     Vous, les témoins de notre deuil,
     Ne croyez pas, dans votre orgueil,
Que, pour être vaincus, les Français soient esclaves.
Gardez-vous d'irriter nos vengeurs à venir;
Peut-être que le Ciel, lassé de nous punir,   115
     Seconderait notre courage,
     Et qu'un autre Germanicus
Irait demander compte aux Germains d'un autre âge
     De la défaite de Varus.

ALFRED DE VIGNY

Loches, 1797—Paris, 1863

ALFRED DE VIGNY, the favorite poet of many Frenchmen today, belonged to a generation fed on war bulletins by Napoleon. He was looking forward to a military career just at the time when the return of the Bourbons made the army idle. Vigny's father had taught him pride of race, his mother imparting a special sense of honor, and the gay lieutenant in the Royal Guard spent some of his leisure in the barracks in reading and writing. Émile Deschamps was an old school friend, and through him Vigny met Victor Hugo and the rising group of Romanticists in 1820. A literary début was made in 1822 with nine *Poèmes*, inspired by philhellenism, Chénier, Millevoye and the Bible, which the young soldier always carried. Though little noticed, this book served to link the name of Vigny with that of Hugo, whose first poems were published a few weeks later.

Vigny was now in the Pyrenees, in anticipation of a war that never came. A poem inspired by Milton and Byron, *Eloa, ou la sœur des anges,* lost through her pity for Satan, was much discussed on its appearance in 1824. At Pau, next year, Vigny began work on a historical novel, *Cinq-Mars,* and met the beautiful Lydia Bunbury whom he married there. Disappointed with the army where he was still a captain, Vigny left the service to spend the next ten years in literary work at Paris. However, his marriage was a failure, his wife a torpid invalid, soon too stout for a carriage door. His *Cinq-Mars* and *Poèmes antiques et modernes* (1826) made Count Alfred de Vigny a figure in the *Salon de l'Arsenal* but his poems sold slowly. Hugo (*Cromwell,* 1827) had turned towards the stage; Shakespeare was even performed that year in English at the Odéon. So Vigny, working with Émile Deschamps, began a translation of *Romeo and Juliet* and went on with *Shylock, le Marchand de Venise. Le More de Venise, Othello,* was produced at the *Comédie française* in 1829.

After the Revolution of 1830, Vigny remained loyal at heart, whereas Hugo took up democratic ideas. Jealousy crept in and Sainte-Beuve helped to widen this breach. Isolated, the poet writes that he begins the third period of his life: *"ce sera la plus philosophique."* Nevertheless, it is now that he meets the actress Marie Dorval, for whom he planned a drama, *la Maréchale d'Ancre* (1831). But he feels slighted and alone: *"Les parias de la société sont les poètes, les hommes d'âme et de cœur . . . Tous les pouvoirs les détestent, parce qu'ils voient en eux leurs juges."* *Stello* (1832), contained three tales confirming this declaration, telling of the deaths of Gilbert under absolute monarchy, Chatterton under limited monarchy and Chénier under a republic. *Servitude et Grandeur Militaires* (1835) plead for appreciation of the soldier, *"gladiateur sacrifié aux fantaisies politiques."* In the same year, Vigny's play *Chatterton*, with Madame Dorval in the part of Kitty Bell, was an immense triumph.

Thus the poet discharged his mission for society, but confessed that none of his published verse had yet revealed all his philosophy. He now withdrew into partial seclusion, dwelling in *"la sainte solitude"*, which Sainte-Beuve called a retreat to "his tower of ivory". The continued illness of his wife and the death of his mother helped him to break with Madame Dorval in 1837. In 1843 and '44 he allowed the *Revue des Deux-Mondes* to publish a few poems, and stood for election to the Academy, but was only successful upon his sixth attempt (1845). There, M. Molé's *discours de réception* caused Vigny much mortification. He withdrew to the country, coming to Paris only for meetings of the Academy. When he accepted the régime of the Second Empire, he broke with Hugo and Lamartine. Though he resided in Paris from 1853, he was much alone as his wife's health failed. She died in 1863, but a cancer made Vigny's last days a torment. Ratisbonne, his executor, published more poems in 1864, as *les Destinées*, and a volume of precious notes and jottings (1824-1847) as *le Journal d'un Poète*, in 1867.

Vigny's poetry is so richly human that it is romantic only

insofar as he repeats the new themes of the age or demands freedom for their expression in art. He was justly proud of his originality in giving an epic or dramatic cast to philosophical thought. His meditations, fused often into pregnant symbols, give power to his best work which seemed admirable even to the Parnassian poets. His art is uneven, however, some verses are confused and obscure. His experience of life, frustrated of glory, fortune and love, made Vigny a pessimist (*"l'espérance est la plus grande de nos folies,"* Journal, 1832), a skeptic and stoic (*"Gémir, pleurer, prier est également lâche," "La Mort du loup"*), supported by a sense of honor (*"L'honneur, c'est la poésie du devoir,"* Journal, 1835), and wrapped in pity for mankind (*"'J'aime la majesté des souffrances humaines.' Ce vers est le sens de tous mes poèmes philosophiques."* Journal, 1844). Judging himself in 1834, he wrote: *"Je crois, ma foi, que je ne suis qu'une sorte de moraliste épique. C'est bien peu de chose."*

Books recommended, E. Dupuy, *Alfred de Vigny; la vie et l'œuvre*, 1913, M. Allem, *Alfred de Vigny*, illustrated, 1912, F. Baldensperger, *A. de Vigny*, 1925, R. Canat, *Alfred de Vigny, Morceaux choisis*, illustrated, 1924. Critical editions of *Poèmes antiques et modernes* and *Les Destinées* by E. Estève (1914).

POÈMES ANTIQUES ET MODERNES

43.   MOÏSE

Poème

Le soleil prolongeait sur la cime des tentes
Ces obliques rayons, ces flammes éclatantes,
Ces larges traces d'or qu'il laisse dans les airs,
Lorsqu'en un lit de sable il se couche aux déserts.
La pourpre et l'or semblaient revêtir la campagne.   5
Du stérile Nébo gravissant la montagne,
Moïse, homme de Dieu, s'arrête, et, sans orgueil,
Sur le vaste horizon promène un long coup d'œil.

Il voit d'abord Phasga, que des figuiers entourent;
Puis, au delà des monts que ses regards parcourent,   10
S'étend tout Galaad, Éphraïm, Manassé,
Dont le pays fertile à sa droite est placé;
Vers le Midi, Juda, grand et stérile, étale
Ses sables où s'endort la mer occidentale;
Plus loin, dans un vallon que le soir a pâli,   15
Couronné d'oliviers, se montre Nephtali;
Dans des plaines de fleurs magnifiques et calmes
Jéricho s'aperçoit, c'est la ville des palmes;
Et, prolongeant ses bois, des plaines de Phogor,
Le lentisque touffu s'étend jusqu'à Ségor.   20
Il voit tout Chanaan, et la terre promise,
Où sa tombe, il le sait, ne sera point admise.
Il voit; sur les Hébreux étend sa grande main,
Puis vers le haut du mont il reprend son chemin.

Or, des champs de Moab couvrant la vaste enceinte,   25
Pressés au large pied de la montagne sainte,
Les enfants d'Israël s'agitaient au vallon
Comme les blés épais qu'agite l'aquilon.
Dès l'heure où la rosée humecte l'or des sables
Et balance sa perle au sommet des érables,   30
Prophète centenaire, environné d'honneur
Moïse était parti pour trouver le Seigneur.
On le suivait des yeux aux flammes de sa tête,
Et, lorsque du grand mont il atteignit le faîte,
Lorsque son front perça le nuage de Dieu   35
Qui couronnait d'éclairs la cime du haut lieu,
L'encens brûla partout sur les autels de pierre,
Et six cent mille Hébreux, courbés dans la poussière,
A l'ombre du parfum par le soleil doré,
Chantèrent d'une voix le cantique sacré;   40
Et les fils de Lévi, s'élevant sur la foule,
Tels qu'un bois de cyprès sur le sable qui roule,

Du peuple avec la harpe accompagnant les voix,
Dirigeaient vers le ciel l'hymne du Roi des Rois.

Et, debout devant Dieu, Moïse ayant pris place, 45
Dans le nuage obscur lui parlait face à face.

Il disait au Seigneur: «Ne finirai-je pas?
Où voulez-vous encor que je porte mes pas?
Je vivrai donc toujours puissant et solitaire?
Laissez-moi m'endormir du sommeil de la terre.— 50
Que vous ai-je donc fait pour être votre élu?
J'ai conduit votre peuple où vous avez voulu.
Voilà que son pied touche à la terre promise.
De vous à lui qu'un autre accepte l'entremise,
Au coursier d'Israël qu'il attache le frein; 55
Je lui lègue mon livre et la verge d'airain.

Pourquoi vous fallut-il tarir mes espérances,
Ne pas me laisser homme avec mes ignorances,
Puisque du mont Horeb jusques au mont Nébo
Je n'ai pas pu trouver le lieu de mon tombeau? 60
Hélas! vous m'avez fait sage parmi les sages!
Mon doigt du peuple errant a guidé les passages.
J'ai fait pleuvoir le feu sur la tête des rois;
L'avenir à genoux adorera mes lois;
Des tombes des humains j'ouvre la plus antique, 65
La mort trouve à ma voix une voix prophétique,
Je suis très grand, mes pieds sont sur les nations,
Ma main fait et défait les générations.—
Hélas! je suis, Seigneur, puissant et solitaire,
Laissez-moi m'endormir du sommeil de la terre! 70

Hélas! je sais aussi tous les secrets des cieux,
Et vous m'avez prêté la force de vos yeux.
Je commande à la nuit de déchirer ses voiles;
Ma bouche par leur nom a compté les étoiles,

Et, dès qu'au firmament mon geste l'appela,   75
Chacune s'est hâtée en disant: Me voilà.
J'impose mes deux mains sur le front des nuages
Pour tarir dans leurs flancs la source des orages;
J'engloutis les cités sous les sables mouvants;
Je renverse les monts sous les ailes des vents;   80
Mon pied infatigable est plus fort que l'espace;
Le fleuve aux grandes eaux se range quand je passe,
Et la voix de la mer se tait devant ma voix.
Lorsque mon peuple souffre, ou qu'il lui faut des lois,
J'élève mes regards, votre esprit me visite;   85
La terre alors chancelle et le soleil hésite,
Vos anges sont jaloux et m'admirent entre eux.—
Et cependant, Seigneur, je ne suis pas heureux;
Vous m'avez fait vieillir puissant et solitaire,
Laissez-moi m'endormir du sommeil de la terre.   90

Sitôt que votre souffle a rempli le berger,
Les hommes se sont dit: Il nous est étranger;
Et les yeux se baissaient devant mes yeux de flamme,
Car ils venaient, hélas! d'y voir plus que mon âme.
J'ai vu l'amour s'éteindre et l'amitié tarir;   95
Les vierges se voilaient et craignaient de mourir.
M'enveloppant alors de la colonne noire,
J'ai marché devant tous, triste et seul dans ma gloire,
Et j'ai dit dans mon cœur: Que vouloir à présent?
Pour dormir sur un sein mon front est trop pesant,   100
Ma main laisse l'effroi sur la main qu'elle touche,
L'orage est dans ma voix, l'éclair est sur ma bouche;
Aussi, loin de m'aimer, voilà qu'ils tremblent tous,
Et, quand j'ouvre les bras, on tombe à mes genoux.
O Seigneur! j'ai vécu puissant et solitaire,   105
Laissez-moi m'endormir du sommeil de la terre.»

Or, le peuple attendait, et, craignant son courroux,
Priait sans regarder le mont du Dieu jaloux;

Car s'il levait les yeux, les flancs noirs du nuage
Roulaient et redoublaient les foudres de l'orage,   110
Et le feu des éclairs, aveuglant les regards,
Enchaînait tous les fronts courbés de toutes parts.
Bientôt le haut du mont reparut sans Moïse.—
Il fut pleuré.—Marchant vers la terre promise,
Josué s'avançait pensif, et pâlissant,   115
Car il était déjà l'élu du Tout-Puissant.

                                          Écrit en 1822.

44.   SYMÉTHA

                            Élégie

        A Pichald Auteur de *Léonidas* et de *Guillaume Tell*

«Navire aux larges flancs de guirlandes ornés,
Aux Dieux d'ivoire, aux mâts de roses couronnés!
Oh! qu'Éole, du moins, soit facile à tes voiles!
Montrez vos feux amis, fraternelles étoiles!
Jusqu'au port de Lesbos guidez le nautonier,   5
Et de mes vœux pour elle exaucez le dernier:
Je vais mourir, hélas! Symétha s'est fiée
Aux flots profonds; l'Attique est par elle oubliée.
Insensée! elle fuit nos bords mélodieux,
Et les bois odorants, berceaux des demi-Dieux,   10
Et les chœurs cadencés dans les molles prairies,
Et, sous les marbres frais, les saintes Théories.
Nous ne la verrons plus, au pied du Parthénon,
Invoquer Athénée, en répétant son nom;
Et, d'une main timide, à nos rites fidèle,   15
Ses longs cheveux dorés couronnés d'asphodèle,
Consacrer ou le voile, ou le vase d'argent,
Ou la pourpre attachée au fuseau diligent.
O vierge de Lesbos! que ton île abhorrée
S'engloutisse dans l'onde à jamais ignorée,   20
Avant que ton navire ait pu toucher ses bords!

Qu'y vas-tu faire? hélas! quel palais, quels trésors
Te vaudront notre amour? Vierge, qu'y vas-tu faire?
N'es-tu pas, Lesbienne, à Lesbos étrangère?
Athène a vu longtemps s'accroître ta beauté,   25
Et, depuis que trois fois t'éclaira son été,
Ton front s'est élevé jusqu'au front de ta mère;
Ici, loin des chagrins de ton enfance amère,
Les Muses t'ont souri. Les doux chants de ta voix
Sont nés Athéniens; c'est ici, sous nos bois,   30
Que l'amour t'enseigna le joug que tu m'imposes;
Pour toi mon seuil joyeux s'est revêtu de roses.

«Tu pars; et cependant m'as-tu toujours haï,
Symétha? Non, ton cœur quelquefois s'est trahi;
Car, lorsqu'un mot flatteur abordait ton oreille,   35
La pudeur souriait sur ta lèvre vermeille;
Je l'ai vu, ton sourire aussi beau que le jour;
Et l'heure du sourire est l'heure de l'amour.
Mais le flot sur le flot en mugissant s'élève,
Et voile à ma douleur le vaisseau qui t'enlève;   40
C'en est fait, et mes pieds sont déjà chez les morts;
Va, que Vénus du moins t'épargne le remords:
Lie un nouvel hymen! va, pour moi, je succombe;
Un jour, d'un pied ingrat tu fouleras ma tombe,
Si le destin vengeur te ramène en ces lieux   45
Ornés du monument de tes cruels adieux.»

—Dans le port du Pirée, un jour fut entendue
Cette plainte innocente, et cependant perdue;
Car la vierge enfantine, auprès des matelots,
Admirait et la rame, et l'écume des flots;   50
Puis, sur la haute poupe accourue et couchée,
Saluait, dans la mer, son image penchée,
Et lui jetait des fleurs et des rameaux flottants,
Et riait de leur chute et les suivait longtemps;

Ou, tout à coup rêveuse, écoutait le Zéphire,   55
Qui, d'une aile invisible, avait ému sa lyre.

Écrit en 1815

45.   LE BAIN

D'une Dame Romaine

Une Esclave d'Égypte, au teint luisant et noir,
Lui présente, à genoux, l'acier pur du miroir;
Pour nouer ses cheveux, une Vierge de Grèce
Dans le compas d'Isis unit leur double tresse;
Sa tunique est livrée aux Femmes de Milet,   5
Et ses pieds sont lavés dans un vase de lait.
Dans l'ovale d'un marbre aux veines purpurines
L'eau rose la reçoit; puis les Filles latines,
Sur ses bras indolents versant de doux parfums,
Voilent d'un jour trop vif les rayons importuns,   10
Et sous les plis épais de la pourpre onctueuse
La lumière descend molle et voluptueuse:
Quelques-unes, brisant des couronnes de fleurs,
D'une hâtive main dispersent leurs couleurs,
Et, les jetant en pluie aux eaux de la fontaine,   15
De débris embaumés couvrent leur souveraine,
Qui, de ses doigts distraits touchant la lyre d'or,
Pense au jeune Consul, et, rêveuse, s'endort.

Le 20 mai 1817.

46.   LE COR

Poème

I

J'aime le son du Cor, le soir, au fond des bois,
Soit qu'il chante les pleurs de la biche aux abois,

Ou l'adieu du chasseur que l'écho faible accueille
Et que le vent du nord porte de feuille en feuille.

Que de fois, seul, dans l'ombre à minuit demeuré, 5
J'ai souri de l'entendre, et plus souvent pleuré!
Car je croyais ouïr de ces bruits prophétiques
Qui précédaient la mort des Paladins antiques.

O montagnes d'azur! ô pays adoré!
Rocs de la Frazona, cirque du Marboré, 10
Cascades qui tombez des neiges entraînées,
Sources, gaves, ruisseaux, torrents des Pyrénées;

Monts gelés et fleuris, trône des deux saisons,
Dont le front est de glace et le pied de gazons!
C'est là qu'il faut s'asseoir, c'est là qu'il faut entendre 15
Les airs lointains d'un Cor mélancolique et tendre.

Souvent un voyageur, lorsque l'air est sans bruit,
De cette voix d'airain fait retentir la nuit;
A ses chants cadencés autour de lui se mêle
L'harmonieux grelot du jeune agneau qui bêle. 20

Une biche attentive, au lieu de se cacher,
Se suspend immobile au sommet du rocher,
Et la cascade unit, dans une chute immense,
Son éternelle plainte aux chants de la romance.

Ames des Chevaliers, revenez-vous encor? 25
Est-ce vous qui parlez avec la voix du Cor?
Roncevaux! Roncevaux! dans ta sombre vallée
L'ombre du grand Roland n'est donc pas consolée!

II

Tous les preux étaient morts, mais aucun n'avait fui.
Il reste seul debout, Olivier près de lui; 30

L'Afrique sur les monts l'entoure et tremble encore.
«Roland, tu vas mourir, rends-toi, criait le More;

«Tous tes pairs sont couchés dans les eaux des torrents.»—
Il rugit comme un tigre, et dit: «Si je me rends,
«Africain, ce sera lorsque les Pyrénées   35
«Sur l'onde avec leurs corps rouleront entraînées.»

—«Rends-toi donc, répond-il, ou meurs, car les voilà.»
Et du plus haut des monts un grand rocher roula.
Il bondit, il roula jusqu'au fond de l'abîme,
Et de ses pins, dans l'onde, il vint briser la cime.   40

—«Merci! cria Roland; tu m'as fait un chemin.»
Et jusqu'au pied des monts le roulant d'une main,
Sur le roc affermi comme un géant s'élance,
Et, prête à fuir, l'armée à ce seul pas balance.

III

Tranquilles cependant, Charlemagne et ses preux
Descendaient la montagne et se parlaient entre eux.
A l'horizon déjà, par leurs eaux signalées,
De Luz et d'Argelès se montraient les vallées.

L'armée applaudissait. Le luth du troubadour
S'accordait pour chanter les saules de l'Adour;   50
Le vin français coulait dans la coupe étrangère;
Le soldat, en riant, parlait à la bergère.

Roland gardait les monts; tous passaient sans effroi.
Assis nonchalamment sur un noir palefroi
Qui marchait revêtu de housses violettes,   55
Turpin disait, tenant les saintes amulettes:

«Sire, on voit dans le ciel des nuages de feu;
«Suspendez votre marche; il ne faut tenter Dieu.

«Par monsieur saint Denis, certes ce sont des âmes
«Qui passent dans les airs sur ces vapeurs de flammes.   60

«Deux éclairs ont relui, puis deux autres encor.»
Ici l'on entendit le son lointain du Cor.—
L'Empereur étonné, se jetant en arrière,
Suspend du destrier la marche aventurière.

«Entendez-vous? dit-il.—Oui, ce sont des pasteurs   65
«Rappelant les troupeaux épars sur les hauteurs,
«Répondit l'archevêque, ou la voix étouffée
«Du nain vert Obéron, qui parle avec sa Fée.»

Et l'Empereur poursuit; mais son front soucieux
Est plus sombre et plus noir que l'orage des cieux.   70
Il craint la trahison, et, tandis qu'il y songe,
Le Cor éclate et meurt, renaît et se prolonge.

«Malheur! c'est mon neveu! malheur! car, si Roland
«Appelle à son secours, ce doit être en mourant.
«Arrière, chevaliers, repassons la montagne!   75
«Tremble encor sous nos pieds, sol trompeur de l'Espagne!»

IV

Sur le plus haut des monts s'arrêtent les chevaux;
L'écume les blanchit; sous leurs pieds, Roncevaux
Des feux mourants du jour à peine se colore.
A l'horizon lointain fuit l'étendard du More.   80

«—Turpin, n'as-tu rien vu dans le fond du torrent?
«—J'y vois deux chevaliers: l'un mort, l'autre expirant.
«Tous deux sont écrasés sous une roche noire;
«Le plus fort, dans sa main, élève un Cor d'ivoire,
«Son âme en s'exhalant nous appela deux fois.»   85

Dieu! que le son du Cor est triste au fond des bois!

Écrit à Pau, en 1825.

LES DESTINÉES, POÈMES PHILOSOPHIQUES

47. LES DESTINÉES

C'était écrit!

Depuis le premier jour de la création,
Les pieds lourds et puissants de chaque **Destinée**
Pesaient sur chaque tête et sur toute action.

Chaque front se courbait et traçait sa journée,
Comme le front d'un bœuf creuse un sillon profond   5
Sans dépasser la pierre où sa ligne est bornée.

Ces froides déités liaient le joug de plomb
Sur le crâne et les yeux des Hommes leurs esclaves,
Tous errants, sans étoile, en un désert sans fond;

Levant avec effort leurs pieds chargés d'entraves;   10
Suivant le doigt d'airain dans le cercle fatal,
Le doigt des Volontés inflexibles et graves.

Tristes divinités du monde oriental,
Femmes au voile blanc, immuables statues,
Elles nous écrasaient de leur poids colossal.   15

Comme un vol de vautours sur le sol abattues,
Dans un ordre éternel, toujours en nombre égal
Aux têtes des mortels sur la terre épandues,

Elles avaient posé leur ongle sans pitié
Sur les cheveux dressés des races éperdues,   20
Traînant la femme en pleurs et l'homme humilié.

Un soir, il arriva que l'antique planète
Secoua sa poussière.—Il se fit un grand cri:
«Le Sauveur est venu, voici le jeune athlète,

«Il a le front sanglant et le côté meurtri,   25
Mais la Fatalité meurt aux pieds du Prophète;
La Croix monte et s'étend sur nous comme un abri!»

Avant l'heure où, jadis, ces choses arrivèrent,
Tout Homme était courbé, le front pâle et flétri;
Quand ce cri fut jeté, tous ils se relevèrent.   30

Détachant les nœuds lourds du joug de plomb du Sort,
Toutes les Nations à la fois s'écrièrent:
«O Seigneur! est-il vrai? le Destin est-il mort?»

Et l'on vit remonter vers le ciel, par volées,
Les filles du Destin, ouvrant avec effort   35
Leurs ongles qui pressaient nos races désolées;

Sous leur robe aux longs plis voilant leurs pieds d'airain,
Leur main inexorable et leur face inflexible;
Montant avec lenteur en innombrable essaim,

D'un vol inaperçu, sans ailes, insensible,   40
Comme apparaît au soir, vers l'horizon lointain,
D'un nuage orageux l'ascension paisible.

—Un soupir de bonheur sortit du cœur humain;
La Terre frissonna dans son orbite immense,
Comme un cheval frémit délivré de son frein.   45

Tous les astres émus restèrent en silence,
Attendant avec l'Homme, en la même stupeur,
Le suprême décret de la Toute-Puissance,

Quand ces filles du Ciel, retournant au Seigneur,
Comme ayant retrouvé leurs régions natales,   50
Autour de Jéhovah se rangèrent en chœur,

D'un mouvement pareil levant leurs mains fatales,
Puis chantant d'une voix leur hymne de douleur,
Et baissant à la fois leurs fronts calmes et pâles:

«Nous venons demander la Loi de l'avenir.   55
Nous sommes, ô Seigneur, les froides Destinées
Dont l'antique pouvoir ne devait point faillir.

«Nous roulions sous nos doigts les jours et les années;
Devons-nous vivre encore ou devons-nous finir,
Des Puissances du ciel, nous, les fortes aînées?   60

«Vous détruisez d'un coup le grand piège du Sort
Où tombaient tour à tour les races consternées.
Faut-il combler la fosse et briser le ressort?

«Ne mènerons-nous plus ce troupeau faible et morne,
Ces hommes d'un moment, ces condamnés à mort,   65
Jusqu'au bout du chemin dont nous posions la borne?

«Le moule de la vie était creusé par nous.
Toutes les passions y répandaient leur lave,
Et les événements venaient s'y fondre tous.

«Sur les tables d'airain où notre loi se grave,   70
Vous effacez le nom de la FATALITÉ,
Vous déliez les pieds de l'Homme notre esclave.

«Qui va porter le poids dont s'est épouvanté
Tout ce qui fut créé? ce poids sur la pensée,
Dont le nom est en bas: RESPONSABILITÉ?»   75

Il se fit un silence, et la Terre affaissée
S'arrêta comme fait la barque sans rameurs
Sur les flots orageux dans la nuit balancée.

Une voix descendit, venant de ces hauteurs
Où s'engendrent sans fin les mondes dans l'espace;   80
Cette voix de la terre emplit les profondeurs:

«Retournez en mon nom, Reines, je suis la Grâce.
L'Homme sera toujours un nageur incertain
Dans les ondes du temps qui se mesure et passe.

«Vous toucherez son front, ô filles du Destin!   85
Son bras ouvrira l'eau, qu'elle soit haute ou basse,
Voulant trouver sa place et deviner sa fin.

«Il sera plus heureux, se croyant maître et libre,
En luttant contre vous dans un combat mauvais
Où moi seule d'en haut je tiendrai l'équilibre.   90

«De moi naîtra son souffle et sa force à jamais.
Son mérite est le mien, sa loi perpétuelle:
Faire ce que je veux pour venir OÙ JE SAIS.»

Et le chœur descendit vers sa proie éternelle
Afin d'y ressaisir sa domination   95
Sur la race timide, incomplète et rebelle.

On entendit venir la sombre Légion
Et retomber les pieds des femmes inflexibles,
Comme sur nos caveaux tombe un cercueil de plomb.

Chacune prit chaque homme en ses mains invisibles;   100
—Mais, plus forte à présent, dans ce sombre duel,
Notre âme en deuil combat ces Esprits impassibles.

Nous soulevons parfois leur doigt faux et cruel.
La Volonté transporte à des hauteurs sublimes
Notre front éclairé par un rayon du ciel.   105

Cependant sur nos caps, sur nos rocs, sur nos cimes,
Leur doigt rude et fatal se pose devant nous,
Et, d'un coup, nous renverse au fond des noirs abîmes.

Oh! dans quel désespoir nous sommes encor tous!
Vous avez élargie le COLLIER qui nous lie,   110
Mais qui donc tient la chaîne?—Ah! Dieu juste, est-ce vous?

Arbitre libre et fier des actes de sa vie,
Si notre cœur s'entr'ouvre au parfum des vertus,
S'il s'embrase à l'amour, s'il s'élève au génie,

Que l'ombre des Destins, Seigneur, n'oppose plus   115
A nos belles ardeurs une immuable entrave,
A nos efforts sans fin des coups inattendus!

O sujet d'épouvante à troubler le plus brave!
Question sans réponse où vos Saints se sont tus!
O mystère! ô tourment de l'âme forte et grave!   120

Notre mot éternel est-il: C'ÉTAIT ÉCRIT?
SUR LE LIVRE DE DIEU, dit l'Orient esclave;
Et l'Occident répond: SUR LE LIVRE DU CHRIST.

Écrit au Maine-Giraud (Charente), 27 août 1849

48. LA MAISON DU BERGER

Lettre à Éva

I

Si ton cœur, gémissant du poids de notre vie,
Se traîne et se débat comme un aigle blessé,

Portant comme le mien, sur son aile asservie,
Tout un monde fatal, écrasant et glacé;
S'il ne bat qu'en saignant par sa plaie immortelle,   5
S'il ne voit plus l'amour, son étoile fidèle,
Éclairer pour lui seul l'horizon effacé;

Si ton âme enchaînée, ainsi que l'est mon âme,
Lasse de son boulet et de son pain amer,
Sur sa galère en deuil laisse tomber la rame,   10
Penche sa tête pâle et pleure sur la mer,
Et cherchant dans les flots une route inconnue,
Y voit, en frissonnant, sur son épaule nue,
La lettre sociale écrite avec le fer;

Si ton corps, frémissant des passions secrètes,   15
S'indigne des regards, timide et palpitant;
S'il cherche à sa beauté de profondes retraites
Pour la mieux dérober au profane insultant;
Si ta lèvre se sèche au poison des mensonges,
Si ton beau front rougit de passer dans les songes   20
D'un impur inconnu qui te voit et t'entend,

Pars courageusement, laisse toutes les villes;
Ne ternis plus tes pieds aux poudres du chemin,
Du haut de nos pensers vois les cités serviles
Comme les rocs fatals de l'esclavage humain.   25
Les grands bois et les champs sont de vastes asiles,
Libres comme la mer autour des sombres îles.
Marche à travers les champs une fleur à la main.

La Nature t'attend dans un silence austère;
L'herbe élève à tes pieds son nuage des soirs,   30
Et le soupir d'adieu du soleil à la terre
Balance les beaux lis comme des encensoirs.
La forêt a voilé ses colonnes profondes,

La montagne se cache, et sur les pâles ondes
Le saule a suspendu ses chastes reposoirs. 35

Le crépuscule ami s'endort dans la vallée,
Sur l'herbe d'émeraude et sur l'or du gazon,
Sous les timides joncs de la source isolée
Et sous le bois rêveur qui tremble à l'horizon,
Se balance en fuyant dans les grappes sauvages, 40
Jette son manteau gris sur le bord des rivages,
Et des fleurs de la nuit entr'ouvre la prison.

Il est sur ma montagne une épaisse bruyère
Où les pas du chasseur ont peine à se plonger,
Qui plus haut que nos fronts lève sa tête altière, 45
Et garde dans la nuit le pâtre et l'étranger.
Viens y cacher l'amour et ta divine faute;
Si l'herbe est agitée ou n'est pas assez haute,
J'y roulerai pour toi la Maison du Berger.

50
Elle va doucement avec ses quatre roues,
Son toit n'est pas plus haut que ton front et tes yeux;
La couleur du corail et celle de tes joues
Teignent le char nocturne et ses muets essieux.
Le seuil est parfumé, l'alcôve est large et sombre,
Et, là, parmi les fleurs, nous trouverons dans l'ombre, 55
Pour nos cheveux unis, un lit silencieux.

Je verrai, si tu veux, les pays de la neige,
Ceux où l'astre amoureux dévore et resplendit,
Ceux que heurtent les vents, ceux que la neige assiège,
Ceux où le pôle obscur sous sa glace est maudit. 60
Nous suivrons du hasard la course vagabonde.
Que m'importe le jour, que m'importe le monde?
Je dirai qu'ils sont beaux quand tes yeux l'auront dit.

Que Dieu guide à son but la vapeur foudroyante
Sur le fer des chemins qui traversent les monts,   65
Qu'un Ange soit debout sur sa forge bruyante,
Quand elle va sous terre ou fait trembler les ponts
Et, de ses dents de feu dévorant ses chaudières,
Transperce les cités et saute les rivières,
Plus vite que le cerf dans l'ardeur de ses bonds!   70

Oui, si l'Ange aux yeux bleus ne veille sur sa route,
Et le glaive à la main ne plane et la défend,
S'il n'a compté les coups du levier, s'il n'écoute
Chaque tour de la roue en son cours triomphant,
S'il n'a l'œil sur les eaux et la main sur la braise,   75
Pour jeter en éclats la magique fournaise,
Il suffira toujours du caillou d'un enfant.

Sur ce taureau de fer qui fume, souffle et beugle,
L'homme a monté trop tôt. Nul ne connaît encor
Quels orages en lui porte ce rude aveugle,   80
Et le gai voyageur lui livre son trésor;
Son vieux père et ses fils, il les jette en otage
Dans le ventre brûlant du taureau de Carthage,
Qui les rejette en cendre aux pieds du Dieu de l'or.

Mais il faut triompher du temps et de l'espace,   85
Arriver ou mourir. Les marchands sont jaloux.
L'or pleut sous les charbons de la vapeur qui passe,
Le moment et le but sont l'univers pour nous.
Tous se sont dit: «Allons!» mais aucun n'est le maître
Du dragon mugissant qu'un savant a fait naître;   90
Nous nous sommes joués à plus fort que nous tous.

Eh bien! que tout circule et que les grandes causes
Sur les ailes de feu lancent les actions,
Pourvu qu'ouverts toujours aux généreuses choses,
Les chemins du vendeur servent les passions.   95

Béni soit le Commerce au hardi caducée,
Si l'Amour que tourmente une sombre pensée
Peut franchir en un jour deux grandes nations!

Mais, à moins qu'un ami menacé dans sa vie
Ne jette, en appelant, le cri du désespoir,   100
Ou qu'avec son clairon la France nous convie
Aux fêtes du combat, aux luttes du savoir;
A moins qu'au lit de mort une mère éplorée
Ne veuille encor poser sur sa race adorée
Ces yeux tristes et doux qu'on ne doit plus revoir,   105

Évitons ces chemins. —Leur voyage est sans grâces,
Puisqu'il est aussi prompt, sur ses lignes de fer,
Que la flèche élancée à travers les espaces
Qui va de l'arc au but en faisant siffler l'air.
Ainsi jetée au loin, l'humaine créature   110
Ne respire et ne voit, dans toute la nature,
Qu'un brouillard étouffant que traverse un éclair.

On n'entendra jamais piaffer sur une route
Le pied vif du cheval sur les pavés en feu:
Adieu, voyages lents, bruits lointains qu'on écoute,   115
Le rire du passant, les retards de l'essieu,
Les détours imprévus des pentes variées,
Un ami rencontré, les heures oubliées,
L'espoir d'arriver tard dans un sauvage lieu.

La distance et le temps sont vaincus. La science   120
Trace autour de la terre un chemin triste et droit.
Le Monde est rétréci par notre expérience
Et l'équateur n'est plus qu'un anneau trop étroit.
Plus de hasard. Chacun glissera sur sa ligne,
Immobile au seul rang que le départ assigne,   125
Plongé dans un calcul silencieux et froid.

Jamais la Rêverie amoureuse et paisible
N'y verra sans horreur son pied blanc attaché;
Car il faut que ses yeux sur chaque objet visible
Versent un long regard, comme un fleuve épanché;   130
Qu'elle interroge tout avec inquiétude,
Et, des secrets divins se faisant une étude,
Marche, s'arrête et marche avec le col penché.

II

Poésie! ô trésor! perle de la pensée!
Les tumultes du cœur, comme ceux de la mer,   135
Ne sauraient empêcher ta robe nuancée
D'amasser les couleurs qui doivent te former.
Mais, sitôt qu'il te voit briller sur un front mâle,
Troublé de ta lueur mystérieuse et pâle,
Le vulgaire effrayé commence à blasphémer.   140

Le pur enthousiasme est craint des faibles âmes
Qui ne sauraient porter son ardeur ni son poids.
Pourquoi le fuir? —La vie est double dans les flammes.
D'autres flambeaux divins nous brûlent quelquefois:
C'est le Soleil du ciel, c'est l'Amour, c'est la Vie;   145
Mais qui de les éteindre a jamais eu l'envie?
Tout en les maudissant, on les chérit tous trois.

La Muse a mérité les insolents sourires
Et les soupçons moqueurs qu'éveille son aspect.
Dès que son œil chercha le regard des Satyres,   150
Sa parole trembla, son serment fut suspect,
Il lui fut interdit d'enseigner la sagesse.
Au passant du chemin elle criait: largesse!
Le passant lui donna sans crainte et sans respect.

Ah! fille sans pudeur, fille du saint Orphée,   155
Que n'as-tu conservé ta belle gravité!
Tu n'irais pas ainsi, d'une voix étouffée,

Chanter aux carrefours impurs de la cité,
Tu n'aurais pas collé sur le coin de ta bouche
Le coquet madrigal, piquant comme une mouche,   160
Et, près de ton œil bleu, l'équivoque effronté.

Tu tombas dès l'enfance, et, dans la folle Grèce,
Un vieillard, t'enivrant de son baiser jaloux,
Releva le premier ta robe de prêtresse,   165
Et, parmi les garçons, t'assit sur ses genoux.
De ce baiser mordant ton front porte la trace;
Tu chantas en buvant dans les banquets d'Horace,
Et Voltaire à la cour te traîna devant nous.

Vestale aux feux éteints! les hommes les plus graves
Ne posent qu'à demi ta couronne à leur front;   170
Ils se croient arrêtés, marchant dans tes entraves,
Et n'être que poète est pour eux un affront.
Ils jettent leurs pensers aux vents de la tribune,
Et ces vents, aveuglés comme l'est la Fortune,
Les rouleront comme elle et les emporteront.   175

Ils sont fiers et hautains dans leur fausse attitude,
Mais le sol tremble aux pieds de ces tribuns romains.
Leurs discours passagers flattent avec étude
La foule qui les presse et qui leur bat des mains;
Toujours renouvelé sous ses étroits portiques,   180
Ce parterre ne jette aux acteurs politiques
Que des fleurs sans parfums, souvent sans lendemains.

Ils ont pour horizon leur salle de spectacle;
La chambre où ces élus donnent leurs faux combats
Jette en vain, dans son temple, un incertain oracle; 185
Le peuple entend de loin le bruit de leurs débats,
Mais il regarde encor le jeu des assemblées
De l'œil dont ses enfants et ses femmes troublées
Voient le terrible essai des vapeurs aux cent bras.

L'ombrageux paysan gronde à voir qu'on dételle,   190
Et que pour le scrutin on quitte le labour.
Cependant le dédain de la chose immortelle
Tient jusqu'au fond du cœur quelque avocat d'un jour.
Lui qui doute de l'âme, il croit à ses paroles.
Poésie, il se rit de tes graves symboles,   195
O toi des vrais penseurs impérissable amour!

Comment se garderaient les profondes pensées,
Sans rassembler leurs feux dans ton diamant pur
Qui conserve si bien leurs splendeurs condensées?
Ce fin miroir solide, étincelant et dur,   200
Reste de nations mortes, durable pierre
Qu'on trouve sous ses pieds lorsque dans la poussière
On cherche les cités sans en voir un seul mur.

Diamant sans rival, que tes feux illuminent
Les pas lents et tardifs de l'humaine Raison!   205
Il faut, pour voir de loin les peuples qui cheminent,
Que le berger t'enchâsse au toit de sa maison.
Le jour n'est pas levé.—Nous en sommes encore
Au premier rayon blanc qui précède l'aurore
Et dessine la terre aux bords de l'horizon.   210

Les peuples tout enfants à peine se découvrent
Par-dessus les buissons nés pendant leur sommeil,
Et leur main, à travers les ronces qu'ils entr'ouvrent,
Met aux coups mutuels le premier appareil.
La barbarie encor tient nos pieds dans sa gaîne.   215
Le marbre des vieux temps jusqu'aux reins nous enchaîne,
Et tout homme énergique au dieu Terme est pareil.

Mais notre esprit rapide en mouvements abonde;
Ouvrons tout l'arsenal de ses puissants ressorts.
L'invisible est réel. Les âmes ont leur monde   220
Où sont accumulés d'impalpables trésors.

Le Seigneur contient tout dans ses deux bras immenses,
Son Verbe est le séjour de nos intelligences,
Comme ici-bas l'espace est celui de nos corps.

III

Éva, qui donc es-tu? Sais-tu bien ta nature?   225
Sais-tu quel est ici ton but et ton devoir?
Sais-tu que, pour punir l'homme, sa créature,
D'avoir porté la main sur l'arbre du savoir,
Dieu permit qu'avant tout, de l'amour de soi-même
En tout temps, à tout âge, il fît son bien suprême,   230
Tourmenté de s'aimer, tourmenté de se voir?

Mais si Dieu près de lui t'a voulu mettre, ô femme!
Compagne délicate! Éva! sais-tu pourquoi?
C'est pour qu'il se regarde au miroir d'une autre âme,
Qu'il entende ce chant qui ne vient que de toi: 235
—L'enthousiasme pur dans une voix suave.
C'est afin que tu sois son juge et son esclave
Et règnes sur sa vie en vivant sous sa loi.

Ta parole joyeuse a des mots despotiques;
Tes yeux sont si puissants, ton aspect est si fort,   240
Que les rois d'Orient ont dit dans leurs cantiques
Ton regard redoutable à l'égal de la mort;
Chacun cherche à fléchir tes jugements rapides . . .
—Mais ton cœur, qui dément tes formes intrépides,
Cède sans coup férir aux rudesses du sort.   245

Ta pensée a des bonds comme ceux des gazelles,
Mais ne saurait marcher sans guide et sans appui.
Le sol meurtrit ses pieds, l'air fatigue ses ailes,
Son œil se ferme au jour dès que le jour a lui;
Parfois, sur les hauts lieux d'un seul élan posée,   250
Troublée au bruit des vents, ta mobile pensée
Ne peut seule y veiller sans crainte et sans ennui.

Mais aussi tu n'as rien de nos lâches prudences,
Ton cœur vibre et résonne au cri de l'opprimé,
Comme dans une église aux austères silences   255
L'orgue entend un soupir et soupire alarmé.
Tes paroles de feu meuvent les multitudes,
Tes pleurs lavent l'injure et les ingratitudes,
Tu pousses par le bras l'homme . . . il se lève armé.

C'est à toi qu'il convient d'ouïr les grandes plaintes   260
Que l'humanité triste exhale sourdement.
Quand le cœur est gonflé d'indignations saintes,
L'air des cités l'étouffe à chaque battement.
Mais de loin les soupirs des tourmentes civiles,
S'unissant au-dessus du charbon noir des villes,   265
Ne forment qu'un grand mot qu'on entend clairement.

Viens donc! le ciel pour moi n'est plus qu'une auréole
Qui t'entoure d'azur, t'éclaire et te défend;
La montagne est ton temple et le bois sa coupole;
L'oiseau n'est sur la fleur balancé par le vent,   270
Et la fleur ne parfume et l'oiseau ne soupire
Que pour mieux enchanter l'air que ton sein respire;
La terre est le tapis de tes beaux pieds d'enfant.

Éva, j'aimerai tout dans les choses créées,
Je les contemplerai dans ton regard rêveur   275
Qui partout répandra ses flammes colorées,
Son repos gracieux, sa magique saveur:
Sur mon cœur déchiré viens poser ta main pure,
Ne me laisse jamais seul avec la Nature;
Car je la connais trop pour n'en pas avoir peur.   280

Elle me dit: «Je suis l'impassible théâtre
Que ne peut remuer le pied de ses acteurs;
Mes marches d'émeraude et mes parvis d'albâtre,
Mes colonnes de marbre ont les dieux pour sculpteurs.

Je n'entends ni vos cris ni vos soupirs; à peine 285
Je sens passer sur moi la comédie humaine
Qui cherche en vain au ciel ses muets spectateurs.

«Je roule avec dédain, sans voir et sans entendre,
A côté des fourmis les populations;
Je ne distingue pas leur terrier de leur cendre, 290
J'ignore en les portant les noms des nations.
On me dit une mère, et je suis une tombe.
Mon hiver prend vos morts comme son hécatombe,
Mon printemps ne sent pas vos adorations.

«Avant vous, j'étais belle et toujours parfumée, 295
J'abandonnais aux vents mes cheveux tout entiers:
Je suivais dans les cieux ma route accoutumée,
Sur l'axe harmonieux des divins balanciers,
Après vous, traversant l'espace où tout s'élance,
J'irai seule et sereine, en un chaste silence 300
Je fendrai l'air du front et de mes seins altiers.»

C'est là ce que me dit sa voix triste et superbe,
Et dans mon cœur alors je le hais et je vois
Notre sang dans son onde et nos morts sous son herbe
Nourrissant de leurs sucs la racine des bois. 305
Et je dis à mes yeux qui lui trouvaient des charmes:
Ailleurs tous vos regards, ailleurs toutes vos larmes,
Aimez ce que jamais on ne verra deux fois.

Oh! qui verra deux fois ta grâce et ta tendresse,
Ange doux et plaintif qui parle en soupirant? 310
Qui naîtra comme toi portant une caresse
Dans chaque éclair tombé de ton regard mourant,
Dans les balancements de ta tête penchée,
Dans ta taille dolente et mollement couchée,
Et dans ton pur sourire amoureux et souffrant? 315

Vivez, froide Nature, et revivez sans cesse
Sous nos pieds, sur nos fronts, puisque c'est votre loi;
Vivez, et dédaignez, si vous êtes déesse,
L'homme, humble passager, qui dut vous être un roi;
Plus que tout votre règne et que ses splendeurs vaines,   320
J'aime la majesté des souffrances humaines,
Vous ne recevrez pas un cri d'amour de moi.

Mais toi, ne veux-tu pas, voyageuse indolente,
Rêver sur mon épaule, en y posant ton front?
Viens du paisible seuil de la maison roulante   325
Voir ceux qui sont passés et ceux qui passeront.
Tous les tableaux humains qu'un Esprit pur m'apporte
S'animeront pour toi quand devant notre porte,
Les grands pays muets longuement s'étendront.

Nous marcherons ainsi, ne laissant que notre ombre   330
Sur cette terre ingrate où les morts ont passé;
Nous nous parlerons d'eux à l'heure où tout est sombre,
Où tu te plais à suivre un chemin effacé,
A rêver, appuyée aux branches incertaines,
Pleurant, comme Diane au bord de ses fontaines,   335
Ton amour taciturne et toujours menacé.

49.   LA COLÈRE DE SAMSON

Le désert est muet, la tente est solitaire.
Quel pasteur courageux la dressa sur la terre
Du sable et des lions?—La nuit n'a pas calmé
La fournaise du jour dont l'air est enflammé.
Un vent léger s'élève à l'horizon et ride   5
Les flots de la poussière ainsi qu'un lac limpide.
Le lin blanc de la tente est bercé mollement;
L'œuf d'autruche, allumé, veille paisiblement,
Des voyageurs voilés intérieure étoile,
Et jette longuement deux ombres sur la toile.   10

L'une est grande et superbe, et l'autre est à ses pieds:
C'est Dalila l'esclave, et ses bras sont liés
Aux genoux réunis du maître jeune et grave
Dont la force divine obéit à l'esclave.
Comme un doux léopard, elle est souple et répand   15
Ses cheveux dénoués aux pieds de son amant.
Ses grands yeux, entr'ouverts comme s'ouvre l'amande,
Sont brûlants du plaisir que son regard demande,
Et jettent, par éclats, leurs mobiles lueurs.

Ses bras fins tout mouillés de tièdes sueurs,   20
Ses pieds voluptueux qui sont croisés sous elle,
Ses flancs, plus élancés que ceux de la gazelle,
Pressés de bracelets, d'anneaux, de boucles d'or,
Sont bruns, et, comme il sied aux filles de Hatsor,
Ses deux seins, tout chargés d'amulettes anciennes,   25
Sont chastement pressés d'étoffes syriennes.

Les genoux de Samson fortement sont unis
Comme les deux genoux du colosse Anubis.
Elle s'endort sans force et riante et bercée
Par la puissante main sous sa tête placée.   30
Lui, murmure le chant funèbre et douloureux
Prononcé dans la gorge avec des mots hébreux.
Elle ne comprend pas la parole étrangère,
Mais le chant verse un somme en sa tête légère.

«Une lutte éternelle en tout temps, en tout lieu,   35
Se livre sur la terre, en présence de Dieu,
Entre la bonté d'Homme et la ruse de Femme,
Car la femme est un être impur de corps et d'âme.

«L'Homme a toujours besoin de caresse et d'amour;
Sa mère l'en abreuve alors qu'il vient au jour,   40
Et ce bras le premier l'engourdit, le balance
Et lui donne un désir d'amour et d'indolence.

Troublé dans l'action, troublé dans le dessein,
Il rêvera partout à la chaleur du sein,
Aux chansons de la nuit, aux baisers de l'aurore,   45
A la lèvre de feu que sa lèvre dévore,
Aux cheveux dénoués qui roulent sur son front,
Et les regrets du lit, en marchant, le suivront.
Il ira dans la ville, et, là, les vierges folles
Le prendront dans leurs lacs aux premières paroles.   50
Plus fort il sera né, mieux il sera vaincu,
Car plus le fleuve est grand et plus il est ému.
Quand le combat que Dieu fit pour la créature
Et contre son semblable et contre la nature
Force l'Homme à chercher un sein où reposer,   55
Quand ses yeux sont en pleurs, il lui faut un baiser.
Mais il n'a pas encor fini toute sa tâche:
Vient un autre combat plus secret, traître et lâche;
Sous son bras, sous son cœur se livre celui-là;
Et, plus ou moins, la Femme est toujours DALILA.   60

«Elle rit et triomphe; en sa froideur savante,
Au milieu de ses sœurs elle attend et se vante
De ne rien éprouver des atteintes du feu.
A sa plus belle amie elle en a fait l'aveu:
Elle se fait aimer sans aimer elle-même;   65
Un Maître lui fait peur. C'est le plaisir qu'elle aime;
L'Homme est rude et le prend sans savoir le donner.
Un sacrifice illustre et fait pour étonner
Rehausse mieux que l'or, aux yeux de ses pareilles,
La beauté qui produit tant d'étranges merveilles   70
Et d'un sang précieux sait arroser ses pas.
—Donc, ce que j'ai voulu, Seigneur, n'existe pas!—
Celle à qui va l'amour et de qui vient la vie,
Celle-là, par orgueil, se fait notre ennemie.
La Femme est, à présent, pire que dans ces temps   75
Où, voyant les Humains, Dieu dit: «Je me repens!»
Bientôt, se retirant dans un hideux royaume,

La Femme aura Gomorrhe et l'Homme aura Sodôme;
Et, se jetant, de loin, un regard irrité,
Les deux sexes mourront chacun de son côté. 80

«Éternel! Dieu des forts! vous savez que mon âme
N'avait pour aliment que l'amour d'une femme,
Puisant dans l'amour seul plus de sainte vigueur
Que mes cheveux divins n'en donnaient à mon cœur.
—Jugez-nous.—La voilà sur mes pieds endormie. 85
Trois fois elle a vendu mes secrets et ma vie,
Et trois fois a versé des pleurs fallacieux
Qui n'ont pu me cacher la rage de ses yeux;
Honteuse qu'elle était plus encor qu'étonnée
De se voir découverte ensemble et pardonnée, 90
Car la bonté de l'Homme est forte, et sa douceur
Écrase, en l'absolvant, l'être faible et menteur.

«Mais enfin je suis las. J'ai l'âme si pesante,
Que mon corps gigantesque et ma tête puissante
Qui soutiennent le poids des colonnes d'airain 95
Ne la peuvent porter avec tout son chagrin.
Toujours voir serpenter la vipère dorée
Qui se traîne en sa fange et s'y croit ignorée;
Toujours ce compagnon dont le cœur n'est pas sûr,
La Femme, enfant malade et douze fois impur! 100
Toujours mettre sa force à garder sa colère
Dans son cœur offensé, comme en un sanctuaire
D'où le feu s'échappant irait tout dévorer,
Interdire à ses yeux de voir ou de pleurer,
C'est trop! Dieu, s'il le veut, peut balayer ma cendre. 105
J'ai donné mon secret, Dalila va le vendre.
Qu'ils seront beaux, les pieds de celui qui viendra
Pour m'annoncer la mort!—Ce qui sera, sera!»

Il dit, et s'endormit près d'elle jusqu'à l'heure
Où les guerriers, tremblant d'être dans sa demeure, 110

Payant au poids de l'or chacun de ses cheveux,
Attachèrent ses mains et brûlèrent ses yeux,
Le traînèrent sanglant et chargé d'une chaîne
Que douze grands taureaux ne tiraient qu'avec peine,
Le placèrent debout, silencieusement, 115
Devant Dagon, leur Dieu, qui gémit sourdement
Et deux fois, en tournant, recula sur sa base
Et fit pâlir deux fois ses prêtres en extase,
Allumèrent l'encens, dressèrent un festin
Dont le bruit s'entendait du mont le plus lointain, 120
Et près de la génisse aux pieds du Dieu tuée
Placèrent Dalila, pâle prostituée,
Couronnée, adorée et reine du repas,
Mais tremblante et disant: IL NE ME VERRA PAS!

Terre et ciel! avez-vous tressailli d'allégresse 125
Lorsque vous avez vu la menteuse maîtresse
Suivre d'un œil hagard les yeux tachés de sang
Qui cherchaient le soleil d'un regard impuissant?
Et quand enfin Samson, secouant les colonnes
Qui faisaient le soutien des immenses Pylônes, 130
Écrasa d'un seul coup, sous les débris mortels,
Ses trois mille ennemis, leurs dieux et leurs autels?

Terre et ciel! punissez par de telles justices
La trahison ourdie en des amours factices,
Et la délation du secret de nos cœurs 135
Arraché dans nos bras par des baisers menteurs!

Écrit a Shavington (Angleterre), 7 avril 1839

50. LA MORT DU LOUP

I

Les nuages couraient sur la lune enflammée
Comme sur l'incendie on voit fuir la fumée,
Et les bois étaient noirs jusques à l'horizon.

Nous marchions, sans parler, dans l'humide gazon,
Dans la bruyère épaisse et dans les hautes brandes,   5
Lorsque, sous des sapins pareils à ceux des Landes,
Nous avons aperçu les grands ongles marqués
Par les loups voyageurs que nous avions traqués.
Nous avons écouté, retenant notre haleine
Et le pas suspendu.—Ni le bois ni la plaine   10
Ne poussaient un soupir dans les airs; seulement
La girouette en deuil criait au firmament.
Car le vent, élevé bien au-dessus des terres,
N'effleurait de ses pieds que les tours solitaires,
Et les chênes d'en bas, contre les rocs penchés,   15
Sur leurs coudes semblaient endormis et couchés.
Rien ne bruissait donc, lorsque, baissant la tête,
Le plus vieux des chasseurs qui s'étaient mis en quête
A regardé le sable en s'y couchant; bientôt,
Lui que jamais ici l'on ne vit en défaut,   20
A déclaré tout bas que ces marques récentes
Annonçaient la démarche et les griffes puissantes
De deux grands loup-cerviers et de deux louveteaux.
Nous avons tous alors préparé nos couteaux,
Et, cachant nos fusils et leurs lueurs trop blanches,   25
Nous allions, pas à pas, en écartant les branches.
Trois s'arrêtent, et moi, cherchant ce qu'ils voyaient,
J'aperçois tout à coup deux yeux qui flamboyaient,
Et je vois au delà quatre formes légères
Qui dansaient sous la lune au milieu des bruyères,   30
Comme font, chaque jour, à grand bruit sous nos yeux,
Quand le maître revient, les lévriers joyeux.
Leur forme était semblable et semblable la danse;
Mais les enfants du Loup se jouaient en silence,
Sachant bien qu'à deux pas, ne dormant qu'à demi,   35
Se couche dans ses murs l'homme, leur ennemi.
Le père était debout, et plus loin, contre un arbre,
Sa Louve reposait, comme celle de marbre
Qu'adoraient les Romains, et dont les flancs velus

Couvaient les demi-dieux Rémus et Romulus.　　40
Le Loup vient et s'assied, les deux jambes dressées,
Par leurs ongles crochus dans le sable enfoncées.
Il s'est jugé perdu, puisqu'il était surpris,
Sa retraite coupée et tous ses chemins pris;
Alors il a saisi, dans sa gueule brûlante,　　45
Du chien le plus hardi la gorge pantelante,
Et n'a pas desserré ses mâchoires de fer,
Malgré nos coups de feu qui traversaient sa chair,
Et nos couteaux aigus qui, comme des tenailles,
Se croisaient en plongeant dans ses larges entrailles,　　50
Jusqu'au dernier moment où le chien étranglé,
Mort longtemps avant lui, sous ses pieds a roulé.
Le Loup le quitte alors et puis il nous regarde.
Les couteaux lui restaient au flanc jusqu'à la garde,
Le clouaient au gazon tout baigné dans son sang;　　55
Nos fusils l'entouraient en sinistre croissant.
Il nous regarde encore, ensuite il se recouche,
Tout en léchant le sang répandu sur sa bouche,
Et, sans daigner savoir comment il a péri,
Refermant ses grands yeux, meurt sans jeter un cri.　　60

II

J'ai reposé mon front sur mon fusil sans poudre,
Me prenant à penser, et n'ai pu me résoudre
A poursuivre sa Louve et ses fils, qui, tous trois,
Avaient voulu l'attendre, et, comme je le crois,
Sans ses deux louveteaux, la belle et sombre veuve　　65
Ne l'eût pas laissé seul subir la grande épreuve;
Mais son devoir était de les sauver, afin
De pouvoir leur apprendre à bien souffrir la faim,
A ne jamais entrer dans le pacte des villes
Que l'homme a fait avec les animaux serviles　　70
Qui chassent devant lui, pour avoir le coucher,
Les premiers possesseurs du bois et du rocher.

III

Hélas! ai-je pensé, malgré ce grand nom d'Hommes,
Que j'ai honte de nous, débiles que nous sommes!
Comment on doit quitter la vie et tous ses maux,   75
C'est vous qui le savez, sublimes animaux!
A voir ce que l'on fut sur terre et ce qu'on laisse,
Seul le silence est grand; tout le reste est faiblesse.
—Ah! je t'ai bien compris, sauvage voyageur,
Et ton dernier regard m'est allé jusqu'au cœur!   80
Il disait: «Si tu peux, fais que ton âme arrive,
A force de rester studieuse et pensive,
Jusqu'à ce haut degré de stoïque fierté
Où, naissant dans les bois, j'ai tout d'abord monté.
Gémir, pleurer, prier, est également lâche.   85
Fais énergiquement ta longue et lourde tâche
Dans la voie où le Sort a voulu t'appeler,
Puis, après, comme moi, souffre et meurs sans parler.»

                    Écrit au château du M——, 1843

51.   LE MONT DES OLIVIERS

                             I

Alors il était nuit et Jésus marchait seul,
Vêtu de blanc ainsi qu'un mort de son linceul;
Les disciples dormaient au pied de la colline.
Parmi les oliviers, qu'un vent sinistre incline,
Jésus marche à grands pas en frissonnant comme eux,   5
Triste jusqu'à la mort, l'œil sombre et ténébreux,
Le front baissé, croisant les deux bras sur sa robe
Comme un voleur de nuit cachant ce qu'il dérobe;
Connaissant les rochers mieux qu'un sentier uni,
Il s'arrête en un lieu nommé Gethsémani.   10
Il se courbe, à genoux, le front contre la terre,
Puis regarde le ciel en appelant: «Mon Père!»

—Mais le ciel reste noir, et Dieu ne répond pas.
Il se lève étonné, marche encore à grands pas,
Froissant les oliviers qui tremblent. Froide et lente,   15
Découle de sa tête une sueur sanglante.
Il recule, il descend, il crie avec effroi:
«Ne pouviez-vous prier et veiller avec moi?»
Mais un sommeil de mort accable les apôtres,
Pierre à la voix du maître est sourd comme les autres.   20
Le Fils de l'Homme alors remonte lentement.
Comme un pasteur d'Égypte il cherche au firmament
Si l'Ange ne luit pas au fond de quelque étoile.
Mais un nuage en deuil s'étend comme le voile
D'une veuve, et ses plis entourent le désert.   25
Jésus, se rappelant ce qu'il avait souffert
Depuis trente-trois ans, devint homme, et la crainte
Serra son cœur mortel d'une invincible étreinte.
Il eut froid. Vainement il appela trois fois:
«Mon Père!»—Le vent seul répondit à sa voix.   30
Il tomba sur le sable assis, et, dans sa peine,
Eut sur le monde et l'homme une pensée humaine.
—Et la terre trembla, sentant la pesanteur
Du Sauveur qui tombait aux pieds du Créateur.

II

Jésus disait: «O Père, encor laisse-moi vivre!   35
Avant le dernier mot ne ferme pas mon livre!
Ne sens-tu pas le monde et tout le genre humain
Qui souffre avec ma chair et frémit dans ta main?
C'est que la Terre a peur de rester seule et veuve,
Quand meurt celui qui dit une parole neuve,   40
Et que tu n'as laissé dans son sein desséché
Tomber qu'un mot du ciel par ma bouche épanché.
Mais ce mot est si pur et sa douceur est telle,
Qu'il a comme enivré la famille mortelle
D'une goutte de vie et de divinité,   45
Lorsqu'en ouvrant les bras j'ai dit: FRATERNITÉ!

«—Père, oh! si j'ai rempli mon douloureux message,
Si j'ai caché le Dieu sous la face du sage,
Du sacrifice humain si j'ai changé le prix,
Pour l'offrande des corps recevant les esprits,   50
Substituant partout aux choses le symbole,
La parole au combat, comme aux trésors l'obole,
Aux flots rouges du sang les flots vermeils du vin,
Aux membres de la chair le pain blanc sans levain;
Si j'ai coupé les temps en deux parts, l'une esclave   55
Et l'autre libre;—au nom du passé que je lave
Par le sang de mon corps qui souffre et va finir,
Versons-en la moitié pour laver l'avenir!
Père libérateur! jette aujourd'hui, d'avance,   60
La moitié de ce sang d'amour et d'innocence
Sur la tête de ceux qui viendront en disant:
«—Il est permis pour tous de tuer l'innocent.»
Nous savons qu'il naîtra, dans le lointain des âges,
Des dominateurs durs escortés de faux sages
Qui troubleront l'esprit de chaque nation   65
En donnant un faux sens à ma rédemption.
—Hélas! je parle encor que déjà ma parole
Est tournée en poison dans chaque parabole;
Éloigne ce calice impur et plus amer
Que le fiel, ou l'absinthe, ou les eaux de la mer.   70
Les verges qui viendront, la couronne d'épine,
Les clous des mains, la lance au fond de ma poitrine,
Enfin toute la croix qui se dresse et m'attend,
N'ont rien, mon Père, oh! rien qui m'épouvante autant!

«Quand les Dieux veulent bien s'abattre sur les mondes,   75
Ils n'y doivent laisser que des traces profondes,
Et si j'ai mis le pied sur ce globe incomplet,
Dont le gémissement sans repos m'appelait,
C'était pour y laisser deux anges à ma place   80
De qui la race humaine aurait baisé la trace,
La Certitude heureuse et l'Espoir confiant,

Qui, dans le Paradis, marchent en souriant.
Mais je vais la quitter, cette indigente terre,
N'ayant que soulevé ce manteau de misère
Qui l'entoure à grands plis, drap lugubre et fatal,   85
Que d'un bout tient le Doute et de l'autre le Mal.

«Mal et Doute! En un mot je puis les mettre en poudre.
Vous les aviez prévus, laissez-moi vous absoudre
De les avoir permis.—C'est l'accusation
Qui pèse de partout sur la création!—   90
Sur son tombeau désert faisons monter Lazare.
Du grand secret des morts qu'il ne soit plus avare,
Et de ce qu'il a vu donnons-lui souvenir;
Qu'il parle.—Ce qui dure et ce qui doit finir,
Ce qu'a mis le Seigneur au cœur de la Nature,   95
Ce qu'elle prend et donne à toute créature,
Quels sont avec le ciel ses muets entretiens,
Son amour ineffable et ses chastes liens,
Comment tout s'y détruit et tout s'y renouvelle,
Pourquoi ce qui s'y cache et ce qui s'y révèle;   100
Si les astres des cieux tour à tour éprouvés
Sont comme celui-ci coupables et sauvés;
Si la Terre est pour eux ou s'ils sont pour la Terre;
Ce qu'a de vrai la fable et de clair le mystère,
D'ignorant le savoir et de faux la raison;   105
Pourquoi l'âme est liée en sa faible prison,
Et pourquoi nul sentier entre deux larges voies,
Entre l'ennui du calme et des paisibles joies
Et la rage sans fin des vagues passions,
Entre la léthargie et les convulsions;   110
Et pourquoi pend la Mort comme une sombre épée
Attristant la Nature à tout moment frappée;
Si le Juste et le Bien, si l'Injuste et le Mal
Sont de vils accidents en un cercle fatal,
Ou si de l'univers ils sont les deux grands pôles,   115
Soutenant terre et cieux sur leurs vastes épaules;

Et pourquoi les Esprits du mal sont triomphants
Des maux immérités, de la mort des enfants;
Et si les Nations sont des femmes guidées
Par les étoiles d'or des divines idées,   120
Ou de folles enfants sans lampes dans la nuit,
Se heurtant et pleurant et que rien ne conduit;
Et si, lorsque des temps l'horloge périssable
Aura jusqu'au dernier versé ses grains de sable,
Un regard de vos yeux, un cri de votre voix,   125
Un soupir de mon cœur, un signe de ma croix,
Pourra faire ouvrir l'ongle aux Peines Éternelles,
Lâcher leur proie humaine et reployer leurs ailes:
Tout sera révélé dès que l'homme saura
De quels lieux il arrive et dans quels il ira.»   130

III

Ainsi le divin Fils parlait au divin Père.
Il se prosterne encore, il attend, il espère,
Mais il renonce et dit: «Que votre volonté
Soit faite et non la mienne et pour l'éternité!»
Une terreur profonde, une angoisse infinie   135
Redoublent sa torture et sa lente agonie.
Il regarde longtemps, longtemps cherche sans voir.
Comme un marbre de deuil tout le ciel était noir;
La Terre sans clartés, sans astre et sans aurore,
Et sans clartés de l'âme ainsi qu'elle est encore,   140
Frémissait.—Dans le bois il entendit des pas,
Et puis il vit rôder la torche de Judas.

LE SILENCE

S'il est vrai qu'au Jardin sacré des Écritures,
Le Fils de l'Homme ait dit ce qu'on voit rapporté;
Muet, aveugle et sourd au cri des créatures,   145
Si le Ciel nous laissa comme un monde avorté,
Le juste opposera le dédain à l'absence,

Et ne répondra plus que par un froid silence
Au silence éternel de la Divinité.

2 avril 1862

52.   LA BOUTEILLE A LA MER

Conseil à Un Jeune Homme Inconnu

I

Courage, ô faible enfant, de qui ma solitude
Reçoit ces chants plaintifs, sans nom, que vous jetez
Sous mes yeux ombragés du camail de l'étude.
Oubliez les enfants par la mort arrêtés;
Oubliez Chatterton, Gilbert et Malfilâtre;   5
De l'œuvre d'avenir saintement idolâtre,
Enfin, oubliez l'homme en vous-même.—Écoutez:

II

Quand un grave marin voit que le vent l'emporte
Et que les mâts brisés pendent tous sur le pont,
Que dans son grand duel la mer est la plus forte   10
Et que par des calculs l'esprit en vain répond;
Que le courant l'écrase et le roule en sa course,
Qu'il est sans gouvernail et partant sans ressource,
Il se croise les bras dans un calme profond.

III

Il voit les masses d'eau, les toise et les mesure,   15
Les méprise en sachant qu'il en est écrasé,
Soumet son âme au poids de la matière impure
Et se sent mort ainsi que son vaisseau rasé.
—A de certains moments, l'âme est sans résistance;
Mais le penseur s'isole et n'attend d'assistance   20
Que de la forte foi dont il est embrasé.

IV

Dans les heures du soir, le jeune Capitaine
A fait ce qu'il a pu pour le salut des siens.
Nul vaisseau n'apparaît sur la vague lointaine,
La nuit tombe, et le brick court aux rocs indiens.   25
—Il se résigne, il prie; il se recueille, il pense
A celui qui soutient les pôles et balance
L'équateur hérissé des longs méridiens.

V

Son sacrifice est fait; mais il faut que la terre
Recueille du travail le pieux monument.   30
C'est le journal savant, le calcul solitaire,
Plus rare que la perle et que le diamant;
C'est la carte des flots faite dans la tempête,
La carte de l'écueil qui va briser sa tête:
Aux voyageurs futurs sublime testament.   35

VI

Il écrit: «Aujourd'hui, le courant nous entraîne,
Désemparés perdus, sur la Terre-de-Feu.
Le courant porte à l'est. Notre mort est certaine:
Il faut cingler au nord pour bien passer ce lieu.
—Ci-joint est mon journal, portant quelques études   40
Des constellations des hautes latitudes.
Qu'il aborde, si c'est la volonté de Dieu!»

VII

Puis, immobile et froid, comme le cap des brumes
Qui sert de sentinelle au détroit Magellan,
Sombre comme ces rocs au front chargé d'écumes,   45
Ces pics noirs dont chacun porte un deuil castillan,
Il ouvre une bouteille et la choisit très forte,

Tandis que son vaisseau que le courant emporte
Tourne en un cercle étroit comme un vol de milan.

VIII

Il tient dans une main cette vieille compagne,   50
Ferme, de l'autre main, son flanc noir et terni.
Le cachet porte encor le blason de Champagne:
De la mousse de Reims son col vert est jauni.
D'un regard, le marin en soi-même rappelle
Quel jour il assembla l'équipage autour d'elle,   55
Pour porter un grand toste au pavillon béni.

IX

On avait mis en panne, et c'était grande fête;
Chaque homme sur son mât tenait le verre en main;
Chacun à son signal se découvrit la tête,
Et répondit d'en haut par un hourrah soudain.   60
Le soleil souriant dorait les voiles blanches;
L'air ému répétait ces voix mâles et franches,
Ce noble appel de l'homme à son pays lointain.

X

Après le cri de tous, chacun rêve en silence.
Dans la mousse d'Aï luit l'éclair d'un bonheur;   65
Tout au fond de son verre il aperçoit la France.
La France est pour chacun ce qu'y laissa son cœur:
L'un y voit son vieux père assis au coin de l'âtre,
Comptant ses jours d'absence; à la table du pâtre,
Il voit sa chaise vide à côté de sa sœur.   70

XI

Un autre y voit Paris, où sa fille penchée
Marque avec les compas tous les souffles de l'air,
Ternit de pleurs la glace où l'aiguille est cachée,
Et cherche à ramener l'aimant avec le fer.

Un autre y voit Marseille. Une femme se lève, 75
Court au port et lui tend un mouchoir de la grève,
Et ne sent pas ses pieds enfoncés dans la mer.

XII

O superstition des amours ineffables,
Murmures de nos cœurs qui nous semblez des voix,
Calculs de la science, ô décevantes fables! 80
Pourquoi nous apparaître en un jour tant de fois?
Pourquoi vers l'horizon nous tendre ainsi des pièges?
Espérances roulant comme roulent les neiges;
Globes toujours pétris et fondus sous nos doigts!

XIII

Où sont-ils à présent? où sont ces trois cents braves? 85
Renversés par le vent dans les courants maudits,
Aux harpons indiens ils portent pour épaves
Leurs habits déchirés sur leurs corps refroidis.
Les savants officiers, la hache à la ceinture,
Ont péri les premiers en coupant la mâture: 90
Ainsi, de ces trois cents il n'en reste que dix!

XIV

Le Capitaine encor jette un regard au pôle
Dont il vient d'explorer les détroits inconnus.
L'eau monte à ses genoux et frappe son épaule;
Il peut lever au ciel l'un de ses deux bras nus. 95
Son navire est coulé, sa vie est révolue:
Il lance la Bouteille à la mer, et salue
Les jours de l'avenir qui pour lui sont venus.

XV

Il sourit en songeant que ce fragile verre
Portera sa pensée et son nom jusqu'au port, 100
Que d'une ile inconnue il agrandit la terre,

Qu'il marque un nouvel astre et le confie au sort,
Que Dieu peut bien permettre à des eaux insensées
De perdre des vaisseaux, mais non pas des pensées,
Et qu'avec un flacon il a vaincu la mort.   105

XVI

Tout est dit. A présent, que Dieu lui soit en aide!
Sur le brick englouti l'onde a pris son niveau.
Au large flot de l'est le flot de l'ouest succède,
Et la Bouteille y roule en son vaste berceau.
Seule dans l'Océan la frêle passagère   110
N'a pas pour se guider une brise légère;
—Mais elle vient de l'arche et porte le rameau.

XVII

Les courants l'emportaient, les glaçons la retiennent
Et la couvrent des plis d'un épais manteau blanc.
Les noirs chevaux de mer la heurtent, puis reviennent   115
La flairer avec crainte, et passent en soufflant.
Elle attend que l'été, changeant ses destinées,
Vienne ouvrir le rempart des glaces obstinées,
Et vers la ligne ardente elle monte en roulant.

XVIII

Un jour, tout était calme, et la mer Pacifique,   120
Par ses vagues d'azur, d'or et de diamant,
Renvoyait ses splendeurs au soleil du tropique.
Un navire y passait majestueusement;
Il a vu la Bouteille aux gens de mer sacrée:
Il couvre de signaux sa flamme diaprée,   125
Lance un canot en mer et s'arrête un moment.

XIX

Mais on entend au loin le canon des corsaires;
Le négrier va fuir, s'il peut prendre le vent.

Alerte! et coulez bas ces sombres adversaires!
Noyez or et bourreaux du couchant au levant!   130
La frégate reprend ses canots et les jette
En son sein, comme fait la sarigue inquiète,
Et par voile et vapeur vole et roule en avant.

XX

Seule dans l'Océan, seule toujours!—Perdue
Comme un point invisible en un mouvant désert,   135
L'aventurière passe errant dans l'étendue,
Et voit tel cap secret qui n'est pas découvert.
Tremblante voyageuse à flotter condamnée,
Elle sent sur son col que depuis une année
L'algue et les goémons lui font un manteau vert.   140

XXI

Un soir enfin, les vents qui soufflent des Florides
L'entraînent vers la France et ses bords pluvieux.
Un pêcheur accroupi sous des rochers arides
Tire dans ses filets le flacon précieux.
Il court, cherche un savant et lui montre sa prise,   145
Et, sans l'oser ouvrir, demande qu'on lui dise
Quel est cet élixir noir et mystérieux.

XXII

Quel est cet élixir! Pêcheur, c'est la science,
C'est l'élixir divin que boivent les esprits,
Trésor de la pensée et de l'expérience;   150
Et si tes lourds filets, ô pêcheur, avaient pris
L'or qui toujours serpente aux veines du Mexique,
Les diamants de l'Inde et les perles d'Afrique,
Ton labeur de ce jour aurait eu moins de prix.

XXIII

Regarde.—Quelle joie ardente et sérieuse!   155
Une gloire de plus luit sur la nation.

Le canon tout-puissant et la cloche pieuse
Font sur les toits tremblants bondir l'émotion.
Aux héros du savoir plus qu'à ceux des batailles
On va faire aujourd'hui de grandes funérailles.   160
Lis ce mot sur les murs: «Commémoration!»

XXIV

Souvenir éternel! gloire à la découverte
Dans l'homme ou la nature, égaux en profondeur,
Dans le Juste et le Bien, source à peine entr'ouverte,
Dans l'Art inépuisable, abîme de splendeur!   165
Qu'importe oubli, morsure, injustice insensée,
Glaces et tourbillons de notre traversée?
Sur la pierre des morts croît l'arbre de grandeur.

XXV

Cet arbre est le plus beau de la terre promise,
C'est votre phare à tous, Penseurs laborieux!   170
Voguez sans jamais craindre ou les flots ou la brise
Pour tout trésor scellé du cachet précieux.
L'or pur doit surnager, et sa gloire est certaine.
Dites en souriant, comme ce Capitaine:
«Qu'il aborde, si c'est la volonté des Dieux!»   175

XXVI

Le vrai Dieu, le Dieu fort, est le Dieu des idées.
Sur nos fronts où le germe est jeté par le sort,
Répandons le savoir en fécondes ondées;
Puis, recueillant le fruit tel que de l'âme il sort,
Tout empreint du parfum des saintes solitudes,   180
Jetons l'œuvre à la mer, la mer des multitudes:
—Dieu la prendra du doigt pour la conduire au port.

Au Maine-Giraud, octobre 1858.

ANTONI DESCHAMPS

Paris, 1800—1869

ÉMILE DESCHAMPS helped to enrich romanticism with Spanish and German themes, while his younger brother loved the Italian musicians and Mozart. He made two journeys to Italy, and soon contributed a translation of twenty cantos of Dante for the romantics, in whose salons Antoni, *poète dantesque*, was first seen about 1828. The name of the sovereign poet was pronounced hereafter with enthusiasm in France, a signal honor for his translator. In 1831, Antoni Deschamps, convinced that he had lost his mind, the only form which his mild folly ever took, entered the sanatorium of Dr. Blanche at Montmartre where he spent his life with absolute freedom to come and go as he pleased. His mental anguish gives a tragic accent to a few of the poems written in these years, lines suggesting the naked majesty of Dante's style.

Although verse by Antoni Deschamps was inserted in the first *Parnasse contemporain*, 1866, his poems have not been reprinted: *La Divine Comédie de Dante traduite en vers français*, 1829; *Dernières paroles*, 1835; *Résignation*, 1839. Consult J. Marsan, *La Bataille romantique*, I. 1912.

DERNIÈRES PAROLES

53.   DERNIÈRE PAROLE

Depuis longtemps je vis entre deux ennemis:
L'un s'appelle la Mort, et l'autre la Folie;
L'un m'a pris ma raison, l'autre prendra ma vie . . .
Et moi, sans murmurer, je suis calme et soumis!

Cependant, quand je songe à tous mes chers amis,   5
Quand je vois, à trente ans, ma pauvre âme flétrie,

Comme un torrent d'été ma jeunesse tarie,
J'entr'ouvre mon linceul, et sur moi je gémis.

—Il respire pourtant, disent entre eux les hommes,
Et, debout comme nous, sur la terre où nous sommes,   10
Nous survivra peut-être encor plus qu'un hiver!

—Oui, comme le polype aux poissons de la mer,
Ou comme la statue, en sa pierre immortelle,
Survit à ceux de chair qui passent devant elle!

Victor Hugo

Besançon, 1802—Paris, 1885

Victor Hugo is the only French poet who could be named after Dante, Shakespeare or Goethe. Like Ronsard, Corneille, and Voltaire, he represents a literary epoch; he was the recognized leader of French romanticism which lived on until his death. No poet ever had a more varied, more stormy life. His blazing imagination, sustained by a titanic vitality, immense self-confidence and perseverance, revitalized French drama and the lyric, revived the epic, and anticipated the later poetical tendencies of the XIXth century. He commands all the resources of French prosody and a huge vocabulary. Hugo's supreme achievement is the genuine epic poetry of his later years, for his vision turned symbols into myths. His weaknesses are vanity—*"ego, Hugo"* was his device—, verbosity and bad taste in the abuse of antithesis and metaphor, the mistaking of rhetoric for poetry, over-confidence in his intellectual powers and a middle-class character, hidden somewhat by a genuine pity for the oppressed in all the ages and a longing to solve the problems of human destiny which beset him.

The poet's untrammelled childhood even took him to Italy and Spain. At fourteen he discovered supreme poetry by reading Vergil and wrote in a copy book *"Je veux être Chateaubriand ou rien."* Next year one of his poems was given honorable mention by the Academy, and at eighteen Victor and his brother Abel founded a literary magazine, encouraged by prizes from the *Académie des Jeux-Floraux* of Toulouse (1819). In 1820, an ode *"Sur la mort du duc de Berry"* brought tears to the eyes of Louis XVIII, and made Alexandre Soumet call Victor *"un enfant sublime"*. The boy was already in love with his playmate Adèle Foucher, and the pension granted upon the publication of *Odes et poésies diverses* in honor of the throne and altar, allowed them to marry (1822). His brother Eugène, who had cherished a secret love for the bride, went mad at the wedding feast.

Victor's first novels and plays were more essentially original than the lyrics published before 1850. But his *Ballades* (1826) and *Orientales* (1829) were so different from the literature of *la Muse française* that the younger romantics left the Arsenal. Thus the *Cénacle "de Joseph Delorme"*, so-called because Sainte-Beuve was its Boileau, began its meetings with Hugo. The first effort of this *Cénacle* was to galvanize the drama. Hugo's preface to *Cromwell* (1827) marked his leadership of romanticism, which triumphed on the stage of the Comédie Française, February 25, 1830 with *Hernani*. By his *Notre-Dame de Paris* (1831) he definitely rehabilitated the Gothic. However, the days of the *Cénacle* were ended. Nodier, Vigny, Lamartine, Deschamps, Musset and Sainte-Beuve were jealous, or estranged by the revolution of 1830.

During the romantic period (reign of Louis Philippe and Second Republic), Hugo published several plays, of which the best is *Ruy Blas* (1838), and the poems of *Feuilles d'automne*, 1831, *les Chants du crépuscule*, 1835, *les Voix intérieures*, 1837, and *les Rayons et les ombres*. Here, the love-poems have a double inspiration, first maliciously pointed out by Sainte-Beuve, himself in love with Madame Hugo. Victor began in 1833 an amour of fifty years duration with Juliette Drouet, who held him captive by intelligent flattery. The political and humanitarian poems reveal Hugo's capacity to voice the inarticulate longings of France, such as the thirst for glory which led to the revival of the Napoleonic legend.

After 1837, Hugo was often to be seen at the Court, where he came to aspire to the Academy, the peerage and politics (see *"Fonction du poète"*, No. 70). Academician upon his fourth attempt, 1841, he passed through two great trials in 1843 before being created a Viscount (1845). *Les Burgraves*, a drama of Germanic and epic inspiration failed dismally, March 7, 1843. This disaster marked the close of the romantic period on the French stage and was followed by the triumph of the actress Rachel and the brief *"école du bon sens"* with Ponsard for its Corneille and for its Molière, Augier. The other blow was the accidental drowning of his daughter Léopoldine and her young husband at Villequier on the Seine. Hugo kept silent but wrote much. While Lamartine turned against King Louis-Philippe, Hugo made speeches in the upper house and began to write *les Misères*, which in time was to be *les Misérables*. Thus far, the poet had been able to support each succeeding régime, for each one had been more liberal than its predecessor. But when Louis-Napoléon, the Prince-President whose name he had popularized, made himself Emperor, Hugo failed to undo the *coup d'état* of December 2, 1851 and fled into exile with his tribe.

"Napoléon le petit" rendered Hugo an immense service by this banishment (1851-1870). Freed from social thraldom, the poet entered upon a new phase of romanticism, now nearly dead in France. At Brussels, at Jersey and Guernsey, Hugo began to speak as the voice of the world's conscience. He composed in a blaze of anger the diatribes of *les Châtiments* (1853) and began the *Petites Épopées* (later *Légende des siècles*). Seances of table-turning continued for several years strengthened his sense of the supernatural. From these days to the time of his death Hugo regarded himself as one of the Magii, blessing and cursing, understanding *"Ce que dit la bouche d'ombre."* He was even photographed in the act of listening to God.

In 1855 Hugo sent off from Guernsey the manuscript of *les Contemplations*, *"les mémoires d'une âme"*, grouping work in reserve since 1840. Never again did he so nearly approach the heights of lyrical beauty as in these two volumes. Their sale enabled the poet to buy Hauteville-House where he spent some fifteen years of his life. Slowly, Hauteville-House was furnished and decorated in oak, carved to Hugo's designs, often chiselled by his own hands. On the roof, a glass enclosed "look-out" was built to dominate the island and the sea. At six, winter or summer, Hugo climbs up here for his icy bath, stands in his scarlet dressing gown before his desk and writes a hundred lines of verse or twenty pages of prose and a love letter to Juliette Drouet, living in a nearby cottage, before his eleven o'clock luncheon. Now he piles into his plate all that has been prepared to satisfy his appetite, ending up with half a dozen oranges, eaten skin and all. After lunch, he reads the love letter which Juliette has to write every day. He now takes her his manuscript, for she is his amanuensis, and departs for an ecstatic walk in communion with nature. Dinner with his sons and friends at Juliette's is at six, and so early to bed, with paper and pencil ready by his side. But this isolation and selfishness cost his daughter Adèle her reason, while her mother died in 1868, worn out by devotion to her husband's fame.

Hugo's most original work, the immense *Légende des Siècles*, was published in several series (1859, 1877, 1883) and finally rearranged by the poet. Other poets of the century had aspired to write the epic of mankind from the creation to modern times (Lamartine, *la Chute d'un ange* and *Jocelyn*, Vigny, *Poèmes antiques et modernes*, Leconte de Lisle, *Poèmes antiques*, *Poèmes barbares*). Hugo alone achieved such a poem of the human conscience, beginning with Eden and Cain to end in the skies with a prophecy of aviation. This work is the refutation of the saying, *"les Français n'ont pas la tête épique"*.[1] These poems portray selected epochs of history, which darken in the later volumes to contrast with what Hugo believed was the progress of modern times. The poet's later inspiration was philosophical if not apocalyptic and this part of his poetry is now little read.

It was the publication of *les Misérables*, 1862, which made Hugo a figure in the universe of letters, the rich, respected Titan in exile. His messages are sent forth to the nations; he plants in his garden the tree of the United States of Europe. He dictated his memoirs to his wife, *Victor Hugo raconté par un témoin de sa vie*, 1863, then published *Chansons des rues et des bois*, 1865,

---

[1] Its purpose was characterized in the preface of 1859 as: *"Exprimer l'humanité dans une espèce d'œuvre cyclique; la peindre successivement et simultanément sous tous ses aspects, histoire, fable, philosophie, religion, science, lesquels se résument en un seul et immense mouvement d'ascension vers la lumière . . ."* Its theme is: *"L'épanouissement du genre humain de siècle en siècle, l'homme montant des ténèbres à l'idéal, la transfiguration paradisiaque de l'enfer terrestre, l'éclosion lente et suprême de la liberté, droit pour cette vie, responsabilité pour l'autre; une espèce d'hymne religieux à mille strophes . . ."*

the novels *Travailleurs de la mer*, 1866 and *l'Homme qui rit*, 1869. Hugo re-entered France only when the news of the defeat at Sedan reached the Belgian frontier.

His son Charles died in 1871, and Hugo, protector of his grandson and daughter, began to learn *l'Art d'être grand-père* (poems published in 1877). The poems of *l'Année terrible* (1872) were followed by his most artistic novel, *Quatre-vingt-treize*, 1874. Hugo gradually became the patriarch of republican-ism, riding bareheaded on the top of the busses, enjoying his own glory. *"Garde national épique"* (Corbière), Hugo now published the anti-clerical poems *le Pape*, 1878, *la Pitié suprême*, 1879, *Religions et religion* and *l'Ane*, 1880, *Quatre vents de l'esprit*, 1881, of which the larger part was composed in exile. Hugo thought he was defending the Republic from the church, but always believed in religion and prayer, preaching love for one another despite the weaknesses of his last years. Eighteen volumes of Hugo's manuscripts have already been published posthumously, of which *la Fin de Satan*, 1886, and *Dieu* (planned in 1855 to form a trilogy with *la Légende*), *Toute la lyre*, 3 vols., and *Dernière Gerbe*, 1902, are poetry.

The quantity of Hugo's published work is so great, his philos-ophy so pretentious, his morals so romantic, that his reputation has suffered since his death. However, his influence on the rhythms and technique of French poetry is enormous. In a word, he created a new tongue for the modern poet. Nevertheless, as far as French romanticism followed Hugo—*"L'homme 'Ceci tuera cela'"*—alone, its innovations sank into verbalism,—*"Car le mot, c'est le verbe, et le Verbe est Dieu!"*, and rhetoric. There are French "Hugolaters" who still conceive poetry to be a kind of oratory in rime, and also a younger generation which reads Hugo in the classroom and nowhere else. But his powers of suggestion and evocation, harmonizing in his best work, are undeniable. Our selections represent chiefly Hugo's earlier work which the romantic generation knew by heart, although poems

follow which indicate sufficiently the character of his later
writings.

Edition *Ne varietur* (Hetzel); definitive edition *"de l'Imprimerie nationale,"* with mss. variants (Albin Michel, publisher)
29 vols. thus far. Critical editions: *Les Contemplations*, edited
by Vianey, 1922, *La Légende des siècles*, by Berret (1920-28).
Important recent books to be consulted: Paul Berret, *Victor Hugo*
and F. Flutre, *Victor Hugo*, 1927; P. de Lacretelle, *Vie politique
de Victor Hugo*, 1928; André Bellessort, *Victor Hugo*, and Denis
Saurat, *La religion de Victor Hugo*, 1929; Maurice Levaillant,
L'Œuvre de Victor Hugo, 1931; R. Éscholier, *Victor Hugo raconté
par ceux qui l'ont vu*, 1932.

ODES ET BALLADES

LIVRE CINQUIÈME ODE XII

54.   **ENCORE A TOI**

> Et nunc et semper!
> Ahora y siempre.
> Devise des Pomfret.

A toi! toujours à toi! Que chanterait ma lyre?
A toi l'hymne d'amour! à toi l'hymne d'hymen!
Quel autre nom pourrait éveiller mon délire?
Ai-je appris d'autres chants? sais-je un autre chemin?

C'est toi, dont le regard éclaire ma nuit sombre;   5
Toi, dont l'image luit sur mon sommeil joyeux;
C'est toi qui tiens ma main quand je marche dans l'ombre,
Et les rayons du ciel me viennent de tes yeux!

Mon destin est gardé par ta douce prière;
Elle veille sur moi quand mon ange s'endort;   10
Lorsque mon cœur entend ta voix modeste et fière,
Au combat de la vie il provoque le sort.

N'est-il pas dans le ciel de voix qui te réclame?
N'es-tu pas une fleur étrangère à nos champs?
Sœur des vierges du ciel, ton âme est pour mon âme 15
Le reflet de leurs feux et l'écho de leurs chants!

Quand ton œil noir et doux me parle et me contemple,
Quand ta robe m'effleure avec un léger bruit,
Je crois avoir touché quelque voile du temple,
Je dis comme Tobie: Un ange est dans ma nuit! 20

Lorsque de mes douleurs tu chassas le nuage,
Je compris qu'à ton sort mon sort devait s'unir,
Pareil au saint pasteur, lassé d'un long voyage,
Qui vit vers la fontaine une vierge venir!

Je t'aime comme un être au-dessus de ma vie, 25
Comme une antique aïeule aux prévoyants discours,
Comme une sœur craintive, à mes maux asservie,
Comme un dernier enfant, qu'on a dans ses vieux jours.

Hélas! je t'aime tant qu'à ton nom seul je pleure!
Je pleure, car la vie si pleine de maux! 30
Dans ce morne désert tu n'as point de demeure,
Et l'arbre où l'on s'assied lève ailleurs ses rameaux.

Mon Dieu! mettez la paix et la joie auprès d'elle.
Ne troublez pas ses jours, ils sont à vous, Seigneur!
Vous devez la bénir, car son âme fidèle 35
Demande à la vertu le secret du bonheur.

1823.

A M.J.F.

55. ⟨ LA FIANCÉE DU TIMBALIER

Douce est la mort qui vient en bien aimant!
DESPORTES. *Sonnet.*

«Monseigneur le duc de Bretagne
A, pour les combats meurtriers,
Convoqué de Nante à Mortagne,
Dans la plaine et sur la montagne,
L'arrière-ban de ses guerriers.   5

«Ce sont des barons dont les armes
Ornent des forts ceints d'un fossé;
Des preux vieillis dans les alarmes,
Des écuyers, des hommes d'armes;
L'un d'entre eux est mon fiancé.   10

«Il est parti pour l'Aquitaine
Comme timbalier, et pourtant
On le prend pour un capitaine,
Rien qu'à voir sa mine hautaine,
Et son pourpoint, d'or éclatant!   15

«Depuis ce jour, l'effroi m'agite.
J'ai dit, joignant son sort au mien:
—Ma patronne, sainte Brigitte,
Pour que jamais il ne le quitte,
Surveillez son ange gardien!—   20

«J'ai dit à notre abbé:—Messire,
Priez bien pour tous nos soldats!—
Et, comme on sait qu'il le désire,
J'ai brûlé trois cierges de cire
Sur la châsse de saint Gildas.   25

«A Notre-Dame de Lorette
J'ai promis, dans mon noir chagrin,
D'attacher sur ma gorgerette,
Fermée à la vue indiscrète,
Les coquilles du pèlerin.   30

«Il n'a pu, par d'amoureux gages,
Absent, consoler mes foyers;
Pour porter les tendres messages,
La vassale n'a point de pages,
Le vassal n'a point d'écuyers.   35

«Il doit aujourd'hui de la guerre
Revenir avec monseigneur;
Ce n'est plus un amant vulgaire;
Je lève un front baissé naguère,
Et mon orgueil est du bonheur!   40

«Le duc triomphant nous rapporte
Son drapeau dans les camps froissé;
Venez tous sous la vieille porte
Voir passer la brillante escorte,
Et le prince, et mon fiancé!   45

«Venez voir pour ce jour de fête
Son cheval caparaçonné,
Qui sous son poids hennit, s'arrête,
Et marche en secouant la tête,
De plumes rouges couronné!   50

«Mes sœurs, à vous parer si lentes,
Venez voir près de mon vainqueur
Ces timbales étincelantes
Qui sous sa main toujours tremblantes,
Sonnent, et font bondir le cœur!   55

«Venez surtout le voir lui-même
Sous le manteau que j'ai brodé.
Qu'il sera beau! c'est lui que j'aime!
Il porte comme un diadème
Son casque, de crins inondé! 60

«L'Égyptienne sacrilège,
M'attirant derrière un pilier,
M'a dit hier (Dieu nous protège!)
Qu'à la fanfare du cortège
Il manquerait un timbalier. 65

«Mais j'ai tant prié, que j'espère!
Quoique, me montrant de la main,
Un sépulcre, son noir repaire,
La vieille aux regards de vipère
M'ait dit:—Je t'attends là demain! 70

«Volons! plus de noires pensées!
Ce sont les tambours que j'entends.
Voici les dames entassées,
Les tentes de pourpre dressées,
Les fleurs et les drapeaux flottants. 75

«Sur deux rangs le cortège ondoie:
D'abord, les piquiers aux pas lourds;
Puis, sous l'étendard qu'on déploie,
Les barons, en robe de soie,
Avec leurs toques de velours. 80

«Voici les chasubles des prêtres;
Les hérauts sur un blanc coursier.
Tous, en souvenir des ancêtres,
Portent l'écusson de leurs maîtres,
Peint sur leur corselet d'acier. 85

«Admirez l'armure persane
Des templiers, craints de l'enfer;
Et sous la longue pertuisane,
Les archers venus de Lausanne,
Vêtus de buffle, armés de fer.   90

« Le duc n'est pas loin: ses bannières
Flottent parmi les chevaliers;
Quelques enseignes prisonnières,
Honteuses, passent les dernières . . .
Mes sœurs! voici les timbaliers! . . .»   95

Elle dit, et sa vue errante
Plonge, hélas! dans les rangs pressés;
Puis, dans la foule indifférente,
Elle tomba, froide et mourante . . .
Les timbaliers étaient passés.   100

                              18 octobre 1825.

                    BALLADE XIV

                  A M. CHARLES N.

56.   LA RONDE DU SABBAT

                            Hic chorus ingens
                            . . . Colit orgia.
                                      AVIENUS.

Voyez devant les murs de ce noir monastère
La lune se voiler, comme pour un mystère!
L'esprit de minuit passe, et, répandant l'effroi,
Douze fois se balance au battant du beffroi.
Le bruit ébranle l'air, roule, et longtemps encore   5
Gronde, comme enfermé sous la cloche sonore.
Le silence retombe avec l'ombre . . . Écoutez!
Qui pousse ces clameurs, qui jette ces clartés?
Dieu! les voûtes, les tours, les portes découpées,

D'un long réseau de feu semblent enveloppées,   10
Et l'on entend l'eau sainte, où trempe un buis bénit,
Bouillonner à grands flots dans l'urne de granit!
A nos patrons du ciel recommandons nos âmes!
Parmi les rayons bleus, parmi les rouges flammes,
Avec des cris, des chants, des soupirs, des abois,   15
Voilà que de partout, des eaux, des monts, des bois,
Les larves, les dragons, les vampires, les gnomes,
Des monstres dont l'enfer rêve seul les fantômes,
La sorcière, échappée aux sépulcres déserts,
Volant sur le bouleau qui siffle dans les airs,   20
Les nécromants, parés de tiares mystiques
Où brillent flamboyants les mots cabalistiques,
Et les graves démons, et les lutins rusés,
Tous, par les toits rompus, par les portails brisés,
Par les vitraux détruits que mille éclairs sillonnent,   25
Entrent dans le vieux cloître où leurs flots tourbillonnent.
Debout au milieu d'eux, leur prince Lucifer
Cache un front de taureau sous la mître de fer;
La chasuble a voilé son aile diaphane,
Et sur l'autel croulant il pose un pied profane.   30
O terreur! Les voilà qui chantent dans ce lieu
Où veille incessamment l'œil éternel de Dieu.
Les mains cherchent les mains . . . Soudain la ronde immense,
Comme un ouragan sombre, en tournoyant commence.
A l'œil qui n'en pourrait embrasser le contour,   35
Chaque hideux convive apparaît à son tour;
On croirait voir l'enfer tourner dans les ténèbres
Son zodiaque affreux, plein de signes funèbres.
Tous volent, dans le cercle emportés à la fois.
Satan règle du pied les éclats de leur voix;   40
Et leurs pas, ébranlant les arches colossales,
Troublent les morts couchés sous le pavé des salles.

———

«Mêlons-nous sans choix!
Tandis que la foule

Autour de lui roule, [45]
Satan, joyeux, foule
L'autel et la croix.
L'heure est solennelle.
La flamme éternelle
Semble, sur son aile, [50]
La pourpre des rois!»

Et leurs pas, ébranlant les arches colossales,
Troublent les morts couchés sous le pavé des salles.

«Oui, nous triomphons!
Venez, sœurs et frères, [55]
De cent points contraires;
Des lieux funéraires;
Des antres profonds.
L'enfer vous escorte;
Venez en cohorte [60]
Sur des chars qu'emporte
Le vol des griffons!»

Et leurs pas, ébranlant les arches colossales,
Troublent les morts couchés sous le pavé des salles.

«Venez sans remords, [65]
Nains aux pieds de chèvre,
Goules, dont la lèvre
Jamais ne se sèvre
Du sang noir des morts!
Femmes infernales, [70]
Accourez rivales!
Pressez vos cavales
Qui n'ont point de mors!

Et leurs pas, ébranlant les arches colossales,
Troublent les morts couchés sous le pavé des salles. [75]

«Juifs, par Dieu frappés,
Zingaris, bohêmes,
Chargés d'anathèmes,
Follets, spectres blêmes
La nuit échappés,   80
Glissez sur la brise,
Montez sur la frise
Du mur qui se brise,
Volez, ou rampez!»

Et leurs pas, ébranlant les arches colossales,   85
Troublent les morts couchés sous le pavé des salles.

«Venez, boucs méchants,
Psylles aux corps grêles,
Aspioles frêles,
Comme un flot des grêles,   90
Fondre dans ces champs!
Plus de discordance!
Venez en cadence
Élargir la danse,
Répéter les chants!»   95

Et leurs pas, ébranlant les arches colossales,
Troublent les morts couchés sous le pavé des salles.

«Qu'en ce beau moment
Les clercs en magie
Brûlent dans l'orgie   100
Leur barbe rougie
D'un sang tout fumant;
Que chacun envoie
Au feu quelque proie,
Et sous ses dents broie   105
Un pâle ossement!»

Et leurs pas, ébranlant les arches colossales,
Troublent les morts couchés sous le pavé des salles.

> «Riant au saint lieu,
> D'une voix hardie,
> Satan parodie
> Quelque psalmodie
> Selon saint Matthieu;
> Et dans la chapelle
> Où son roi l'appelle,
> Un démon épèle
> Le livre de Dieu!»

110

115

Et leurs pas, ébranlant les arches colossales,
Troublent les morts couchés sous le pavé des salles.

> «Sorti des tombeaux,
> Que dans chaque stalle
> Un faux moine étale
> La robe fatale
> Qui brûle ses os,
> Et qu'un noir lévite
> Attache bien vite
> La flamme maudite
> Aux sacrés flambeaux!»

120

125

Et leurs pas, ébranlant les arches colossales,
Troublent les morts couchés sous le pavé des salles.

130

> «Satan vous verra!
> De vos mains grossières,
> Parmi des poussières,
> Écrivez, sorcières:
> ABRACADABRA!
> Volez, oiseaux fauves,
> Dont les ailes chauves

135

Aux ciels des alcôves
Suspendent Smarra!»

Et leurs pas, ébranlant les arches colossales,　　　　140
Troublent les morts couchés sous le pavé des salles.

«Voici le signal!—
L'enfer nous réclame;
Puisse un jour toute âme
N'avoir d'autre flamme　　　　145
Que son noir fanal!
Puisse notre ronde,
Dans l'ombre profonde,
Enfermer le monde
D'un cercle infernal!»　　　　150

L'aube pâle a blanchi les arches colossales.
Il fuit, l'essaim confus des démons dispersés!
Et les morts, rendormis sous le pavé des salles,
Sur leurs chevets poudreux posent leurs fronts glacés.

Octobre 1825.

LES ORIENTALES

XIX

57.　　　　SARA LA BAIGNEUSE

Le soleil et les vents, dans ces bocages sombres
Des feuilles sur son front faisaient flotter les ombres.
ALFRED DE VIGNY.

Sara, belle d'indolence,
Se balance
Dans un hamac, au-dessus
Du bassin d'une fontaine
Toute pleine　　　　5
D'eau puisée à l'Ilyssus;

Et la frêle escarpolette
        Se reflète
Dans le transparent miroir,
Avec la baigneuse blanche   10
        Qui se penche,
Qui se penche pour se voir.

Chaque fois que la nacelle,
        Qui chancelle,
Passe à fleur d'eau dans son vol,   15
On voit sur l'eau qui s'agite
        Sortir vite
Son beau pied et son beau col.

Elle bat d'un pied timide
        L'onde humide   20
Où tremble un mouvant tableau,
Fait rougir son pied d'albâtre,
        Et, folâtre,
Rit de la fraîcheur de l'eau.

Reste ici caché: demeure!   25
        Dans une heure,
D'un œil ardent tu verras
Sortir du bain l'ingénue,
        Toute nue,
Croisant ses mains sur ses bras.   30

Car c'est un astre qui brille
        Qu'une fille
Qui sort d'un bain au flot clair,
Cherche s'il ne vient personne,
        Et frissonne,   35
Toute mouillée au grand air.

Elle est là, sous la feuillée,
      Éveillée
Au moindre bruit de malheur;
Et rouge, pour une mouche   40
      Qui la touche,
Comme une grenade en fleur.

On voit tout ce que dérobe
      Voile ou robe;
Dans ses yeux d'azur en feu,   45
Son regard que rien ne voile
      Est l'étoile
Qui brille au fond d'un ciel bleu.

L'eau sur son corps qu'elle essuie
      Roule en pluie,   50
Comme sur un peuplier;
Comme si, gouttes à gouttes,
      Tombaient toutes
Les perles de son collier.

Mais Sara la nonchalante   55
      Est bien lente
A finir ses doux ébats;
Toujours elle se balance
      En silence,
Et va murmurant tout bas: 60

«Oh! si j'étais capitane,
      Ou sultane,
Je prendrai des bains ambrés,
Dans un bain de marbre jaune,
      Près d'un trône,   65
Entre deux griffons dorés!

«J'aurai le hamac de soie
  Qui se ploie
Sous le corps prêt à pâmer;
J'aurai la molle ottomane   70
  Dont émane
Un parfum qui fait aimer.

«Je pourrais folâtrer nue,
  Sous la nue,
Dans le ruisseau du jardin,   75
Sans craindre de voir dans l'ombre
  Du bois sombre
Deux yeux s'allumer soudain.

«Il faudrait risquer sa tête
  Inquiète,   80
Et tout braver pour me voir,
Le sabre nu de l'heiduque,
  Et l'eunuque
Aux dents blanches, au front noir!

«Puis, je pourrais, sans qu'on presse   85
  Ma paresse,
Laisser avec mes habits
Traîner sur les larges dalles
  Mes sandales
De drap brodé de rubis.»   90

Ainsi se parle en princesse,
  Et sans cesse
Se balance avec amour,
La jeune fille rieuse,
  Oublieuse   95
Des promptes ailes du jour.

L'eau, du pied de la baigneuse
  Peu soigneuse,
Rejaillit sur le gazon,
Sur sa chemise plissée,   100
  Balancée
Aux branches d'un vert buisson.

Et cependant des campagnes
  Ses compagnes
Prennent toutes le chemin.   105
Voici leur troupe frivole
  Qui s'envole
En se tenant par la main.

Chacune, en chantant comme elle,
  Passe, et mêle   110
Ce reproche à sa chanson:
—Oh! la paresseuse fille
  Qui s'habille
Si tard un jour de moisson!

Juillet 1828.

XXVII

58. LES DJINNS

E come i gru van cantando lor lai
Facendo in aer di sè lunga riga,
Cosi vid'io venir, traendo guai,
Ombre portate dalla detta briga.

DANTE.

Et comme les grues qui font dans l'air de longues files vont chantant leur plainte, ainsi je vis venir traînant des gémissements les ombres emportées par cette tempête.

Murs, ville,
Et port,
Asile
De mort,

Mer grise
Où brise
La brise,
Tout dort.

Dans la plaine
Naît un bruit.
C'est l'haleine
De la nuit.
Elle brame
Comme une âme
Qu'une flamme
Toujours suit!

La voix plus haute
Semble un grelot.
D'un nain qui saute
C'est le galop.
Il fuit, s'élance,
Puis en cadence
Sur un pied danse
Au bout d'un flot.

La rumeur approche.
L'écho la redit.
C'est comme la cloche
D'un couvent maudit;
Comme un bruit de foule,
Qui tonne et qui roule,
Et tantôt s'écroule,
Et tantôt grandit.

Dieu! la voix sépulcrale
Des Djinns! . . . Quel bruit ils font!
Fuyons sous la spirale
De l'escalier profond.

Déjà s'éteint ma lampe,
Et l'ombre de la rampe,
Qui le long du mur rampe,
Monte jusqu'au plafond.   40

C'est l'essaim des Djinns qui passe,
Et tourbillonne en sifflant!
Les ifs, que leur vol fracasse,
Craquent comme un pin brûlant.
Leur troupeau, lourd et rapide,   45
Volant dans l'espace vide,
Semble un nuage livide
Qui porte un éclair au flanc.

Ils sont tout près!—Tenons fermée
Cette salle, où nous les narguons.   50
Quel bruit dehors! Hideuse armée
De vampires et de dragons!
La poutre du toit descellée
Ploie ainsi qu'une herbe mouillée,
Et la vieille porte rouillée   55
Tremble, à déraciner ses gonds!

Cris de l'enfer! voix qui hurle et qui pleure!
L'horrible essaim, poussé par l'aquilon,
Sans doute, ô ciel! s'abat sur ma demeure.
Le mur fléchit sous le noir bataillon.   60
La maison crie et chancelle penchée,
Et l'on dirait que, du sol arrachée,
Ainsi qu'il chasse une feuille séchée,
Le vent la roule avec leur tourbillon!

Prophète! si ta main me sauve   65
De ces impurs démons des soirs,
J'irai prosterner mon front chauve
Devant tes sacrés encensoirs!

Fais que sur ces portes fidèles
Meure leur souffle d'étincelles, 70
Et qu'en vain l'ongle de leurs ailes
Grince et crie à ces vitraux noirs!

Ils sont passés!—Leur cohorte
S'envole, et fuit, et leurs pieds
Cessent de battre ma porte 75
De leurs coups multipliés.
L'air est plein d'un bruit de chaînes,
Et dans les forêts prochaines
Frissonnent tous les grands chênes,
Sous leur vol de feu pliés! 80

De leurs ailes lointaines
Le battement décroît,
Si confus dans les plaines,
Si faible, que l'on croit
Ouïr la sauterelle 85
Crier d'une voix grêle,
Ou pétiller la grêle
Sur le plomb d'un vieux toit.

D'étranges syllabes
Nous viennent encor; 90
Ainsi, des Arabes
Quand sonne le cor,
Un chant sur la grève
Par instants s'élève,
Et l'enfant qui rêve 95
Fait des rêves d'or.

Les Djinns funèbres,
Fils du trépas,
Dans les ténèbres
Pressent leurs pas; 100

Leur essaim gronde:
Ainsi, profonde,
Murmure une onde
Qu'on ne voit pas.

Ce bruit vague   105
Qui s'endort,
C'est la vague
Sur le bord;
C'est la plainte,
Presque éteinte,   110
D'une sainte
Pour un mort.

On doute
La nuit . . .
J'écoute: 115
Tout fuit,
Tout passe;
L'espace
Efface
Le bruit.   120

28 août 1828.

XXXVI

59.   RÊVERIE

Lo giorno se n'andava, e l'aer bruno
Toglieva gli animai che sono'n terra
Dalle fatiche loro.

DANTE.

Oh! laissez-moi! c'est l'heure où l'horizon qui fume
Cache un front inégal sous un cercle de brume,
L'heure où l'astre géant rougit et disparaît.
Le grand bois jaunissant dore seul la colline.

On dirait qu'en ces jours où l'automne décline,   5
Le soleil et la pluie ont rouillé la forêt.

Oh! qui fera surgir soudain, qui fera naître,
Là-bas,—tandis que seul je rêve à la fenêtre
Et que l'ombre s'amasse au fond du corridor,—
Quelque ville mauresque, éclatante, inouïe,   10
Qui, comme la fusée en gerbe épanouie,
Déchire ce brouillard avec ses flèches d'or?

Qu'elle vienne inspirer, ranimer, ô génies,
Mes chansons, comme un ciel d'automne rembrunies,
Et jeter dans mes yeux son magique reflet,   15
Et longtemps, s'éteignant en rumeurs étouffées,
Avec les mille tours de ses palais de fées,
Brumeuse, denteler l'horizon violet!

                                    5 septembre 1828.

LES FEUILLES D'AUTOMNE

I

60.   CE SIÈCLE AVAIT DEUX ANS

                    Data fata secutus.
                        Devise des Saint-John.

Ce siècle avait deux ans! Rome remplaçait Sparte,
Déjà Napoléon perçait sous Bonaparte,
Et du premier consul, déjà, par maint endroit,
Le front de l'empereur brisait le masque étroit.
Alors dans Besançon, vieille ville espagnole,   5
Jeté comme la graine au gré de l'air qui vole,
Naquit d'un sang breton et lorrain à la fois
Un enfant sans couleur, sans regard et sans voix;
Si débile qu'il fut, ainsi qu'une chimère,
Abandonné de tous, excepté de sa mère,   10

Et que son cou ployé comme un frêle roseau
Fit faire en même temps sa bière et son berceau.
Cet enfant que la vie effaçait de son livre,
Et qui n'avait pas même un lendemain à vivre,
C'est moi.—

          Je vous dirai peut-être quelque jour   15
Quel lait pur, que de soins, que de vœux, que d'amour,
Prodigués pour ma vie en naissant condamnée,
M'ont fait deux fois l'enfant de ma mère obstinée,
Ange qui sur trois fils attachés à ses pas
Épandait son amour et ne mesurait pas!   20

O l'amour d'une mère! amour que nul n'oublie!
Pain merveilleux qu'un dieu partage et multiplie!
Table toujours servie au paternel foyer!
Chacun en a sa part, et tous l'ont tout entier!

Je pourrai dire un jour, lorsque la nuit douteuse   25
Fera parler les soirs ma vieillesse conteuse,
Comment ce haut destin de gloire et de terreur
Qui remuait le monde aux pas de l'empereur,
Dans son souffle orageux m'emportant sans défense,
A tous les vents de l'air fit flotter mon enfance.   30
Car, lorsque l'aquilon bat ses flots palpitants,
L'océan convulsif tourmente en même temps
Le navire à trois ponts qui tonne avec l'orage,
Et la feuille échappée aux arbres du rivage!

Maintenant, jeune encore et souvent éprouvé,   35
J'ai plus d'un souvenir profondément gravé,
Et l'on peut distinguer bien des choses passées
Dans ces plis de mon front que creusent mes pensées.
Certes, plus d'un vieillard sans flamme et sans cheveux,
Tombé de lassitude au bout de tous ses vœux,   40
Pâlirait s'il voyait, comme un gouffre dans l'onde,

Mon âme où ma pensée habite comme un monde,
Tout ce que j'ai souffert, tout ce que j'ai tenté,
Tout ce qui m'a menti comme un fruit avorté,
Mon plus beau temps passé sans espoir qu'il renaisse, 45
Les amours, les travaux, les deuils de ma jeunesse,
Et, quoiqu'encore à l'âge où l'avenir sourit,
Le livre de mon cœur à toute page écrit!

Si parfois de mon sein s'envolent mes pensées,
Mes chansons par le monde en lambeaux dispersées; 50
S'il me plaît de cacher l'amour et la douleur
Dans le coin d'un roman ironique et railleur;
Si j'ébranle la scène avec ma fantaisie,
Si j'entre-choque aux yeux d'une foule choisie
D'autres hommes comme eux, vivant tous à la fois 55
De mon souffle et parlant au peuple avec ma voix;
Si ma tête, fournaise où mon esprit s'allume,
Jette le vers d'airain qui bouillonne et qui fume
Dans le rhythme profond, moule mystérieux
D'où sort la strophe ouvrant ses ailes dans les cieux; 60
C'est que l'amour, la tombe, et la gloire, et la vie,
L'onde qui fuit, par l'onde incessamment suivie,
Tout souffle, tout rayon, ou propice ou fatal,
Fait reluire et vibrer mon âme de cristal,
Mon âme aux mille voix, que le Dieu que j'adore 65
Mit au centre de tout comme un écho sonore!

D'ailleurs j'ai purement passé les jours mauvais,
Et je sais d'où je viens, si j'ignore où je vais.
L'orage des partis avec son vent de flamme
Sans en altérer l'onde a remué mon âme. 70
Rien d'immonde en mon cœur, pas de limon impur
Qui n'attendît qu'un vent pour en troubler l'azur!

Après avoir chanté, j'écoute et je contemple,
A l'empereur tombé dressant dans l'ombre un temple,

Aimant la liberté pour ses fruits, pour ses fleurs,   75
Le trône pour son droit, le roi pour ses malheurs;
Fidèle enfin au sang qu'ont versé dans ma veine
Mon père vieux soldat, ma mère vendéenne!

23 juin 1830.

XIX

61.   LORSQUE L'ENFANT PARAIT

Le toit s'égaye et rit.

A. CHÉNIER.

Lorsque l'enfant paraît, le cercle de famille
Applaudit à grands cris. Son doux regard qui brille
     Fait briller tous les yeux,
Et les plus tristes fronts, les plus souillés peut-être,
Se dérident soudain à voir l'enfant paraître,   5
     Innocent et joyeux.

Soit que juin ait verdi mon seuil, ou que novembre
Fasse autour d'un grand feu vacillant dans la chambre
     Les chaises se toucher,
Quand l'enfant vient, la joie arrive et nous éclaire.   10
On rit, on se récrie, on l'appelle, et sa mère
     Tremble à le voir marcher.

Quelquefois nous parlons, en remuant la flamme,
De patrie et de Dieu, des poètes, de l'âme
     Qui s'élève en priant;   15
L'enfant paraît, adieu le ciel et la patrie
Et les poètes saints! la grave causerie
     S'arrête en souriant.

La nuit, quand l'homme dort, quand l'esprit rêve, à l'heure
Où l'on entend gémir, comme une voix qui pleure,   20
     L'onde entre les roseaux,

Si l'aube tout à coup là-bas luit comme un phare,
Sa clarté dans les champs éveille une fanfare
    De cloches et d'oiseaux.

Enfant, vous êtes l'aube et mon âme est la plaine 25
Qui des plus douces fleurs embaume son haleine
    Quand vous la respirez;
Mon âme est la forêt dont les sombres ramures
S'emplissent pour vous seul de suaves murmures
    Et de rayons dorés! 30

Car vos beaux yeux sont pleins de douceurs infinies,
Car vos petites mains, joyeuses et bénies,
    N'ont point mal fait encor;
Jamais vos jeunes pas n'ont touché notre fange,
Tête sacrée! enfant aux cheveux blonds! bel ange 35
    A l'auréole d'or!

Vous êtes parmi nous la colombe de l'arche.
Vos pieds tendres et purs n'ont point l'âge où l'on marche,
    Vos ailes sont d'azur.
Sans le comprendre encor, vous regardez le monde. 40
Double virginité! corps où rien n'est immonde,
    Ame où rien n'est impur!

Il est si beau, l'enfant, avec son doux sourire,
Sa douce bonne foi, sa voix qui veut tout dire,
    Ses pleurs vite apaisés, 45
Laissant errer sa vue étonnée et ravie,
Offrant de toutes parts sa jeune âme à la vie
    Et sa bouche aux baisers!

Seigneur! préservez-moi, préservez ceux que j'aime,
Frères, parents, amis, et mes ennemis même 50
    Dans le mal triomphants,
De jamais voir, Seigneur! l'été sans fleurs vermeilles,

La cage sans oiseaux, la ruche sans abeilles,
    La maison sans enfants!

18 mai 1830.

XXXV

62.   SOLEILS COUCHANTS

Merveilleux tableaux que la vue découvre à la pensée.
Ch. Nodier.

II

Le jour s'enfuit des cieux: sous leur transparent voile
De moments en moments se hasarde une étoile;
La nuit, pas à pas, monte au trône obscur des soirs;
Un coin du ciel est brun, l'autre lutte avec l'ombre;
Et déjà, succédant au couchant rouge et sombre,   5
Le crépuscule gris meurt sur les coteaux noirs.

Et là-bas, allumant ses vitres étoilées,
Avec sa cathédrale aux flèches dentelées,
Les tours de son palais, les tours de sa prison,
Avec ses hauts clochers, sa bastille obscurcie,   10
Posée au bord du ciel comme une longue scie,
La ville aux mille toits découpe l'horizon.

Oh! qui m'emportera sur quelque tour sublime
D'où la cité sous moi s'ouvre comme un abîme!
Que j'entende, écoutant la ville où nous rampons,   15
Mourir sa vaste voix, qui semble un cri de veuve,
Et qui, le jour, gémit plus haut que le grand fleuve,
Le grand fleuve irrité, luttant contre les ponts!

Que je voie, à mes yeux en fuyant apparues,
Les étoiles des chars se croiser dans les rues,   20
Et serpenter le peuple en l'étroit carrefour,
Et tarir la fumée au bout des cheminées,

Et, glissant sur le front des maisons blasonnées,
Cent clartés naître, luire et passer tour à tour!

Que la vieille cité, devant moi, sur sa couche   25
S'étende, qu'un soupir s'échappe de sa bouche,
Comme si de fatigue on l'entendait gémir!
Que, veillant seul, debout sur son front que je foule,
Avec mille bruits sourds d'océan et de foule,
Je regarde à mes pieds la géante dormir!   30

23 juillet 1828.

LES CHANTS DU CRÉPUSCULE

II

63.   A LA COLONNE

Plusieurs pétitionnaires demandent que la Chambre intervienne pour faire transporter les cendres de Napoléon sous la colonne de la place Vendôme. Après une courte délibération, la Chambre passe à l'ordre du jour.

CHAMBRE DES DÉPUTÉS.—Séance du 7 octobre 1830.

I

Oh! quand il bâtissait, de sa main colossale,
Pour son trône, appuyé sur l'Europe vassale,
      Ce pilier souverain,
Ce bronze, devant qui tout n'est que poudre et sable,
Sublime monument, deux fois impérissable,   5
      Fait de gloire et d'airain;

Quand il le bâtissait, pour qu'un jour dans la ville
Ou la guerre étrangère ou la guerre civile
      Y brisassent leur char,
Et pour qu'il fît pâlir sur nos places publiques   10
Les frêles héritiers de vos noms magnifiques,
      Alexandre et César!

C'était un beau spectacle!—Il parcourait la terre
Avec ses vétérans, nation militaire
        Dont il savait les noms;   15
Les rois fuyaient; les rois n'étaient point de sa taille;
Et, vainqueur, il allait par les champs de bataille
        Glanant tous leurs canons.

Et puis, il revenait avec la grande armée,
Encombrant de butin sa France bien aimée,   20
        Son Louvre de granit,
Et les Parisiens poussaient des cris de joie,
Comme font les aiglons, alors qu'avec sa proie
        L'aigle rentre à son nid!

Et lui, poussant du pied tout ce métal sonore,   25
Il courait à la cuve où bouillonnait encore
        Le monument promis.
Le moule en était fait d'une de ses pensées.
Dans la fournaise ardente il jetait à brassées
        Les canons ennemis!   30

Puis il s'en revenait gagner quelque bataille.
Il dépouillait encore à travers la mitraille
        Maints affûts dispersés;
Et, rapportant ce bronze à la Rome française,
Il disait aux fondeurs penchés sur la fournaise: 35
       —En avez-vous assez?

C'était son œuvre à lui!—Les feux du polygone,
Et la bombe, et le sabre, et l'or de la dragonne,
        Furent ses premiers jeux.
Général, pour hochets il prit les Pyramides;   40
Empereur, il voulut, dans ses vœux moins timides,
        Quelque chose de mieux.

Il fit cette colonne!—Avec sa main romaine
Il tordit et mêla dans l'œuvre surhumaine
    Tout un siècle fameux,   45
Les Alpes se courbant sous sa marche tonnante,
Le Nil, le Rhin, le Tibre, Austerlitz rayonnante,
    Eylau froid et brumeux.

Car c'est lui qui, pareil à l'antique Encelade,
Du trône universel essaya l'escalade,   50
    Qui vingt ans entassa,
Remuant terre et cieux avec une parole,
Wagram sur Marengo, Champaubert sur Arcole,
    Pélion sur Ossa!

Oh! quand par un beau jour, sur la place Vendôme,   55
Homme dont tout un peuple adorait le fantôme,
    Tu vins grave et serein,
Et que tu découvris ton œuvre magnifique,
Tranquille, et contenant d'un geste pacifique
    Tes quatre aigles d'airain;   60

A cette heure où les tiens t'entouraient par cent mille;
Où, comme se pressaient autour de Paul-Émile
    Tous les petits Romains,
Nous, enfants de six ans, rangés sur ton passage,
Cherchant dans ton cortège un père au fier visage,   65
    Nous te battions des mains;

Oh! qui t'eût dit alors, à ce faîte sublime,
Tandis que tu rêvais sur le trophée opime
    Un avenir si beau,
Qu'un jour à cet affront il te faudrait descendre   70
Que trois cents avocats oseraient à ta cendre
    Chicaner ce tombeau!

II

Attendez donc, jeunesse folle,
Nous n'avons pas le temps encor!
Que vient-on nous parler d'Arcole,   75
Et de Wagram et du Thabor?
Pour avoir commandé peut-être
Quelque armée, et s'être fait maître
De quelque ville dans son temps,
Croyez-vous que l'Europe tombe   80
S'il n'ameute autour de sa tombe
Les Démosthènes haletants?

D'ailleurs le ciel n'est pas tranquille;
Les soucis ne leur manquent pas;
L'inégal pavé de la ville   85
Fait encor trébucher leurs pas.
Et pourquoi ces honneurs suprêmes?
Ont-ils des monuments eux-mêmes?
Quel temple leur a-t-on dressé?
Étrange peuple que nous sommes!   90
Laissez passer tous ces grands hommes!
Napoléon est bien pressé!

Toute crainte est-elle étouffée?
Nous songerons à l'immortel
Quand ils auront tous leur trophée,   95
Quand ils auront tous leur autel!
Attendons, attendons, mes frères.
Attendez, restes funéraires.
Dépouille de Napoléon,
Que leur courage se rassure   100
Et qu'ils aient donné leur mesure
Au fossoyeur du Panthéon!

III

Ainsi,—cent villes assiégées;
Memphis, Milan, Cadix, Berlin;

Soixante batailles rangées; 105
L'univers d'un seul homme plein;
N'avoir rien laissé dans le monde,
Dans la tombe la plus profonde,
Qu'il n'ait dompté, qu'il n'ait atteint;
Avoir, dans sa course guerrière, 110
Ravi le Kremlin au czar Pierre,
L'Escurial à Charles-Quint;

Ainsi,—ce souvenir qui pèse
Sur nos ennemis effarés;
Ainsi, dans une cage anglaise 115
Tant de pleurs amers dévorés;
Cette incomparable fortune,
Cette gloire aux rois importune,
Ce nom si grand, si vite acquis,
Sceptre unique, exil solitaire, 120
Ne valent pas six pieds de terre
Sous les canons qu'il a conquis!

IV

Encor si c'était crainte austère!
Si c'était l'âpre liberté
Qui d'une cendre militaire 125
N'ose ensemencer la cité!
Si c'était la vierge stoïque
Qui proscrit un nom héroïque
Fait pour régner et conquérir,
Qui se rappelle Sparte et Rome, 130
Et craint que l'ombre d'un grand homme
N'empêche son fruit de mûrir!—

Mais non; la liberté sait aujourd'hui sa force.
Un trône est sous sa main comme un gui sur l'écorce
Quand les races de rois manquent au droit juré; 135

Nous avons parmi nous vu passer, ô merveille!
   La plus nouvelle et la plus vieille!
Ce siècle, avant trente ans, avait tout dévoré.

     La France, guerrière et paisible,
     A deux filles du même sang:—   140
     L'une fait l'armée invincible,
     L'autre fait le peuple puissant.
     La Gloire, qui n'est pas l'aînée,
     N'est plus armée et couronnée;
     Ni pavois, ni sceptre oppresseur;   145
     La Gloire n'est plus décevante,
     Et n'a plus rien dont s'épouvante
     La Liberté, sa grande sœur!

V

Non. S'ils ont repoussé la relique immortelle,
C'est qu'ils en sont jaloux! qu'ils tremblent devant elle!   150
     Qu'ils en sont tout pâlis!
C'est qu'ils ont peur d'avoir l'empereur sur leur tête,
Et de voir s'éclipser leurs lampions de fête
     Au soleil d'Austerlitz!

Pourtant, c'eût été beau!—Lorsque, sous la colonne,   155
On eût senti présents dans notre Babylone
     Ces ossements vainqueurs,
Qui pourrait dire, au jour d'une guerre civile,
Ce qu'une si grande ombre, hôtesse de la ville,
     Eût mis dans tous les cœurs!   160

Si jamais l'étranger, ô cité souveraine,
Eût ramené brouter les chevaux de l'Ukraine
     Sur ton sol bien-aimé,
Enfantant des soldats dans ton enceinte émue,
Sans doute qu'à travers ton pavé qui remue   165
     Ces os eussent germé!

Et toi, colonne! un jour, descendu sous ta base,
Le pèlerin pensif, contemplant en extase
    Ce débris surhumain,
Serait venu peser, à genoux sur la pierre,   170
Ce qu'un Napoléon peut laisser de poussière
    Dans le creux de la main!

O merveille! ô néant!—tenir cette dépouille!
Compter et mesurer ces os que de sa rouille
    Rongea le flot marin,   175
Ce genou qui jamais n'a ployé sous la crainte,
Ce pouce de géant dont tu portes l'empreinte
    Partout sur ton airain!

Contempler le bras fort, la poitrine féconde,
Le talon qui, douze ans, éperonna le monde,   180
    Et, d'un œil filial,
L'orbite du regard qui fascinait la foule,
Ce front prodigieux, ce crâne fait au moule
    Du globe impérial!

Et croire entendre, en haut, dans tes noires entrailles, 185
Sortir du cliquetis des confuses batailles,
    Des bouches du canon,
Des chevaux hennissants, des villes crénelées,
Des clairons, des tambours, du souffle des mêlées,
    Ce bruit: Napoléon!   190

Rhéteurs embarrassés dans votre toge neuve,
Vous n'avez pas voulu consoler cette veuve
    Vénérable aux partis!
Tout en vous partageant l'empire d'Alexandre,
Vous avez peur d'une ombre et peur d'un peu de cendre: 195
    Oh! vous êtes petits!

VI

Hélas! hélas! garde ta tombe!
Garde ton rocher écumant,
Où t'abattant comme la bombe
Tu vins tomber, tiède et fumant!   200
Garde ton âpre Sainte-Hélène
Où de ta fortune hautaine
L'œil ébloui voit le revers;
Garde l'ombre où tu te recueilles,
Ton saule sacré dont les feuilles   205
S'éparpillent dans l'univers!

Là, du moins, tu dors sans outrage.
Souvent tu t'y sens réveillé
Par les pleurs d'amour et de rage
D'un soldat rouge agenouillé!   210
Là, si parfois tu te relèves,
Tu peux voir, du haut de ces grèves,
Sur le globe azuré des eaux,
Courir vers ton roc solitaire,
Comme au vrai centre de la terre,   215
Toutes les voiles des vaisseaux!

VII

Dors, nous t'irons chercher! ce jour viendra peut-être!
Car nous t'avons pour dieu sans t'avoir eu pour maître!
Car notre œil s'est mouillé de ton destin fatal,
Et, sous les trois couleurs comme sous l'oriflamme,   220
Nous ne nous pendons pas à cette corde infâme
        Qui t'arrache à son piédestal!

Oh! va, nous te ferons de belles funérailles!
Nous aurons bien aussi peut-être nos batailles;
Nous en ombragerons ton cercueil respecté!   225

Nous y convierons tout, Europe, Afrique, Asie!
Et nous t'amènerons la jeune Poésie
    Chantant la jeune Liberté!

Tu seras bien chez nous!—couché sous ta colonne,
Dans ce puissant Paris qui fermente et bouillonne,   230
Sous ce ciel, tant de fois d'orages obscurci,
Sous ces pavés vivants qui grondent et s'amassent,
Où roulent les canons, où les légions passent;—
    Le peuple est une mer aussi.

S'il ne garde aux tyrans qu'abîme et que tonnerre,   235
Il a pour le tombeau, profond et centenaire
(La seule majesté dont il soit courtisan),
Un long gémissement, infini, doux et sombre,
Qui ne laissera pas regretter à ton ombre
    Le murmure de l'océan!   240

                    9 octobre 1830.

III

64.   HYMNE

Ceux qui pieusement sont morts pour la patrie
Ont droit qu'à leur cercueil la foule vienne et prie.
Entre les plus beaux noms leur nom est le plus beau.
Toute gloire près d'eux passe et tombe éphémère;
    Et, comme ferait une mère,   5
La voix d'un peuple entier les berce en leur tombeau.

    Gloire à notre France éternelle!
    Gloire à ceux qui sont morts pour elle!
    Aux martyrs! aux vaillants! aux forts!
    A ceux qu'enflamme leur exemple,   10
    Qui veulent place dans le temple,
    Et qui mourront comme ils sont morts!

C'est pour ces morts, dont l'ombre est ici bienvenue,
Que le haut Panthéon élève dans la nue,
Au-dessus de Paris, la ville aux mille tours,   15
La reine de nos Tyrs et de nos Babylones,
    Cette couronne de colonnes
Que le soleil levant redore tous les jours!

Gloire à notre France éternelle! etc.

Ainsi, quand de tels morts sont couchés dans la tombe,   20
En vain l'oubli, nuit sombre où va tout ce qui tombe,
Passe sur leur sépulcre où nous nous inclinons;
Chaque jour, pour eux seuls se levant plus fidèle,
    La gloire, aube toujours nouvelle,
Fait luire leur mémoire et redore leurs noms!   25

Gloire à notre France éternelle! etc.

                                 Juillet 1831.

XIV

65. OH! N'INSULTEZ JAMAIS UNE FEMME QUI TOMBE!

Oh! n'insultez jamais une femme qui tombe!
Qui sait sous quel fardeau la pauvre âme succombe!
Qui sait combien de jours sa faim a combattu!
Quand le vent du malheur ébranlait leur vertu,
Qui de nous n'a pas vu de ces femmes brisées   5
S'y cramponner longtemps de leurs mains épuisées!
Comme au bout d'une branche on voit étinceler
Une goutte de pluie où le ciel vient briller,
Qu'on secoue avec l'arbre et qui tremble et qui lutte,
Perle avant de tomber et fange après sa chute!   10

La faute en est à nous. A toi, riche! à ton or!
Cette fange d'ailleurs contient l'eau pure encor.
Pour que la goutte d'eau sorte de la poussière,

Et redevienne perle en sa splendeur première,
Il suffit, c'est ainsi que tout remonte au jour, 15
D'un rayon de soleil ou d'un rayon d'amour!

6 septembre 1835.

XXIII

AUTRE CHANSON

66.

L'aube naît, et ta porte est close!
Ma belle, pourquoi sommeiller?
A l'heure où s'éveille la rose
Ne vas-tu pas te réveiller?

  O ma charmante, 5
  Écoute ici
  L'amant qui chante
  Et pleure aussi!

Tout frappe à ta porte bénie.
L'aurore dit: Je suis le jour! 10
L'oiseau dit: Je suis l'harmonie!
Et mon cœur dit: Je suis l'amour!

  O ma charmante,
  Écoute ici
  L'amant qui chante 15
  Et pleure aussi!

Je t'adore ange et t'aime femme.
Dieu qui par toi m'a complété
A fait mon amour pour ton âme
Et mon regard pour ta beauté! 20

  O ma charmante,
  Écoute ici

L'amant qui chante
Et pleure aussi!

Février 18 . .

67.   DATE LILIA

Oh! si vous rencontrez quelque part sous les cieux
Une femme au front pur, au pas grave, aux doux yeux,
Que suivent quatre enfants dont le dernier chancelle,
Les surveillant bien tous, et, s'il passe auprès d'elle
Quelque aveugle indigent que l'âge appesantit,   5
Mettant une humble aumône aux mains du plus petit;
Si, quand la diatribe autour d'un nom s'élance,
Vous voyez une femme écouter en silence,
Et douter, puis vous dire:—Attendons pour juger.
Quel est celui de nous qu'on ne pourrait charger?   10
On est prompt à ternir les choses les plus belles.
La louange est sans pieds et le blâme a des ailes.—
Si, lorsqu'un souvenir, ou peut-être un remords,
Ou le hasard vous mène à la cité des morts,
Vous voyez, au détour d'une secrète allée,   15
Prier sur un tombeau dont la route est foulée,
Seul avec des enfants, un être gracieux
Qui pleure en souriant comme l'on pleure aux cieux;
Si de ce sein brisé la douleur et l'extase
S'épanchent comme l'eau des fêlures d'un vase;   20
Si rien d'humain ne reste à cet ange éploré;
Si, terni par le deuil, son œil chaste et sacré,
Bien plus levé là-haut que baissé vers la tombe,
Avec tant de regret sur la terre retombe
Qu'on dirait que son cœur n'a pas encor choisi   25
Entre sa mère au ciel et ses enfants ici;
Quand, vers Pâque ou Noël, l'église, aux nuits tombantes,
S'emplit de pas confus et de cires flambantes,

Quand la fumée en flots déborde aux encensoirs
Comme la blanche écume aux lèvres des pressoirs,   30
Quand au milieu des chants d'hommes, d'enfants, de femmes,
Une âme selon Dieu sort de toutes ces âmes,
Si, loin des feux, des voix, des bruits et des splendeurs,
Dans un repli perdu parmi les profondeurs,
Sur quatre jeunes fronts groupés près du mur sombre,   35
Vous voyez se pencher un regard voilé d'ombre
Où se mêle, plus doux encor que solennel,
Le rayon virginal au rayon maternel;

Oh! qui que vous soyez, bénissez-la. C'est elle!
La sœur, visible aux yeux, de mon âme immortelle!   40
Mon orgueil, mon espoir, mon abri, mon recours!
Toit de mes jeunes ans qu'espèrent mes vieux jours!
C'est elle! la vertu sur ma tête penchée;
La figure d'albâtre en ma maison cachée;
L'arbre qui, sur la route où je marche à pas lourds,   45
Verse des fruits souvent et de l'ombre toujours;
La femme dont ma joie est le bonheur suprême;
Qui, si nous chancelons, ses enfants ou moi-même,
Sans parole sévère et sans regard moqueur,
Les soutient de la main et me soutient du cœur;   50
Celle qui, lorsqu'au mal, pensif, je m'abandonne,
Seule peut me punir et seule me pardonne;
Qui de mes propres torts me console et m'absout;
A qui j'ai dit: toujours! et qui m'a dit: partout!
Elle! tout dans un mot! c'est dans ma froide brume   55
Une fleur de beauté que la bonté parfume!
D'une double nature hymen mystérieux!
La fleur est de la terre et le parfum des cieux!

16 septembre 1834.

LES VOIX INTÉRIEURES

IV

68.   A L'ARC DE TRIOMPHE

I

Toi dont la courbe au loin, par le couchant dorée,
S'emplit d'azur céleste, arche démesurée;
Toi qui lèves si haut ton front large et serein,
Fait pour changer sous lui la campagne en abîme,
Et pour servir de base à quelque aigle sublime   5
Qui viendra s'y poser et qui sera d'airain!

O vaste entassement ciselé par l'histoire!
Monceau de pierre assis sur un monceau de gloire!
      Édifice inouï!
Toi que l'homme par qui notre siècle commence,   10
De loin, dans les rayons de l'avenir immense,
      Voyait, tout ébloui!

Non, tu n'es pas fini quoique tu sois superbe!
Non! puisque aucun passant, dans l'ombre assis sur l'herbe,
Ne fixe un œil rêveur à ton mur triomphant,   15
Tandis que triviale, errante et vagabonde,
Entre tes quatre pieds toute la ville abonde
Comme une fourmilière aux pieds d'un éléphant!

A ta beauté royale il manque quelque chose.
Les siècles vont venir pour ton apothéose   20
      Qui te l'apporteront.
Il manque sur ta tête un sombre amas d'années
Qui pendent pêle-mêle et toutes ruinées
      Aux brèches de ton front!

Il te manque la ride et l'antiquité fière,   25

Le passé, pyramide où tout siècle a sa pierre,
Les chapiteaux brisés, l'herbe sur les vieux fûts;
Il manque sous ta voûte où notre orgueil s'élance
Ce bruit mystérieux que se mêle au silence,
Le sourd chuchotement des souvenirs confus!   30

La vieillesse couronne et la ruine achève,
Il faut à l'édifice un passé dont on rêve,
        Deuil, triomphe ou remords.
Nous voulons, en foulant son enceinte pavée,
Sentir dans la poussière à nos pieds soulevée   35
        De la cendre des morts!

Il faut que le fronton s'effeuille comme un arbre.
Il faut que le lichen, cette rouille du marbre,
De sa lèpre dorée au loin couvre le mur;
Et que la vétusté, par qui tout art s'efface,   40
Prenne chaque sculpture et la ronge à la face,
Comme un avide oiseau qui dévore un fruit mûr.

Il faut qu'un vieux dallage ondule sous les portes,
Que le lierre vivant grimpe aux acanthes mortes,
        Que l'eau dorme aux fossés,   45
Que la cariatide, en sa lente révolte,
Se refuse, enfin lasse, à porter l'archivolte,
        Et dise: C'est assez!

Ce n'est pas, ce n'est pas entre des pierres neuves
Que la bise et la nuit pleurent comme des veuves.   50
Hélas! d'un beau palais le débris est plus beau.
Pour que la lune émousse à travers la nuit sombre
L'ombre par le rayon et le rayon par l'ombre,
Il lui faut la ruine à défaut du tombeau!

Voulez-vous qu'une tour, voulez-vous qu'une église   55
Soient de ces monuments dont l'âme idéalise
        La forme et la hauteur,

Attendez que de mousse elles soient revêtues,
Et laissez travailler à toutes les statues
     Le temps, ce grand sculpteur!   60

Il faut que le vieillard, chargé de jours sans nombre,
Menant son jeune fils sous l'arche pleine d'ombre,
Nomme Napoléon comme on nomme Cyrus,
Et dise en la montrant de ses mains décharnées:
—Vois cette porte énorme! elle a trois mille années.   65
C'est par là qu'ont passé des hommes disparus!—

VIII

Oh! dans ces jours lointains où l'on n'ose descendre,
Quand trois mille ans auront passé sur notre cendre
A nous qui maintenant vivons, pensons, allons,   335
Quand nos fosses auront fait place à des sillons,
Si, vers le soir, un homme assis sur la colline
S'oublie à contempler cette Seine orpheline,
O Dieu! de quel aspect triste et silencieux
Les lieux où fut Paris étonneront ses yeux!   340
Si c'est l'heure où déjà des vapeurs sont tombées
Sur le couchant rougi de l'or des scarabées,
Si la touffe de l'arbre est noire sur le ciel,
Dans ce demi-jour pâle où plus rien n'est réel,
Ombre où la fleur s'endort, où s'éveille l'étoile,   345
De quel œil il verra, comme à travers un voile,
Comme un songe aux contours grandissants et noyés,
La plaine immense et brune apparaître à ses pieds,
S'élargir lentement dans le vague nocturne,
Et comme une eau qui s'enfle et monte aux bords de l'urne, 350
Absorbant par degrés forêt, coteau, gazon,
Quand la nuit sera noire, emplir tout l'horizon!
Oh! dans cette heure sombre où l'on croit voir les choses
Fuir, sous une autre forme étrangement écloses,
Quelle extase de voir dormir, quand rien ne luit,   355
Ces champs dont chaque pierre a contenu du bruit!
Comme il tendra l'oreille aux rumeurs indécises!

Comme il ira rêvant des figures assises
Dans le buisson penché, dans l'arbre au bord des eaux,
Dans le vieux pan de mur que lèchent les roseaux!   360
Qu'il cherchera de vie en ce tombeau suprême!
Et comme il se fera, s'éblouissant lui-même,
A travers la nuit trouble et les rameaux touffus,
Des visions de chars et de passants confus!
Mais non, tout sera mort.—Plus rien dans cette plaine   365
Qu'un peuple évanoui dont elle est encor pleine,
Que l'œil éteint de l'homme et l'œil vivant de Dieu!
Un arc, une colonne, et, là-bas, au milieu
De ce fleuve argenté dont on entend l'écume,
Une église échouée à demi dans la brume! . . .   370

Quand ma pensée ainsi, vieillissant ton attique,
Te fait de l'avenir un passé magnifique,
Alors sous ta grandeur je me courbe effrayé,
J'admire, et, fils pieux, passant que l'art anime,
Je ne regrette rien devant ton mur sublime   445
Que Phidias absent et mon père oublié!

2 février 1837.

xv

69.   LA VACHE

Devant la blanche ferme où parfois vers midi
Un vieillard vient s'asseoir sur le seuil attiédi,
Où cent poules gaîment mêlent leurs crêtes rouges,
Où, gardiens du sommeil, les dogues dans leurs bouges
Écoutent les chansons du gardien du réveil,   5
Du beau coq vernissé qui reluit au soleil,
Une vache était là, tout à l'heure arrêtée.
Superbe, énorme, rousse et de blanc tachetée,
Douce comme une biche avec ses jeunes faons,
Elle avait sous le ventre un beau groupe d'enfants,   10

D'enfants aux dents de marbre, aux cheveux en broussailles,
Frais, et plus charbonnés que de vieilles murailles,
Qui, bruyants, tous ensemble, à grands cris appelant
D'autres qui, tout petits, se hâtaient en tremblant,
Dérobant sans pitié quelque laitière absente, 15
Sous leur bouche joyeuse et peut-être blessante
Et sous leurs doigts pressant le lait par mille trous,
Tiraient le pis fécond de la mère au poil roux.
Elle, bonne et puissante et de son trésor pleine,
Sous leurs mains par moments faisant frémir à peine 20
Son beau flanc plus ombré qu'un flanc de léopard,
Distraite, regardait vaguement quelque part.

Ainsi, Nature! abri de toute créature!
O mère universelle! indulgente Nature!
Ainsi, tous à la fois, mystiques et charnels, 25
Cherchant l'ombre et le lait sous tes flancs éternels,
Nous sommes là, savants, poètes, pêle-mêle,
Pendus de toutes parts à ta forte mamelle!
Et tandis qu'affamés, avec des cris vainqueurs,
A tes sources sans fin désaltérant nos cœurs, 30
Pour en faire plus tard notre sang et notre âme,
Nous aspirons à flots ta lumière et ta flamme,
Les feuillages, les monts, les prés verts, le ciel bleu,
Toi, sans te déranger, tu rêves à ton Dieu!

15 mai 1837.

LES RAYONS ET LES OMBRES

I

70. ### FONCTION DU POÈTE

I

Pourquoi t'exiler, ô poète,
Dans la foule où nous te voyons?

Que sont pour ton âme inquiète
Les partis, chaos sans rayons?
Dans leur atmosphère souillée   5
Meurt ta poésie effeuillée;
Leur souffle égare ton encens;
Ton cœur, dans leurs luttes serviles,
Est comme ces gazons des villes
Rongés par les pieds des passants.   10

Dans les brumeuses capitales
N'entends-tu pas avec effroi,
Comme deux puissances fatales,
Se heurter le peuple et le roi?
De ces haines que tout réveille   15
A quoi bon emplir ton oreille,
O poète, ô maître, ô semeur?
Tout entier au Dieu que tu nommes,
Ne te mêle pas à ces hommes
Qui vivent dans une rumeur!   20

Va résonner, âme épurée,
Dans le pacifique concert!
Va t'épanouir, fleur sacrée,
Sous les larges cieux du désert!
O rêveur, cherche les retraites,   25
Les abris, les grottes discrètes,
Et l'oubli pour trouver l'amour,
Et le silence, afin d'entendre
La voix d'en haut, sévère et tendre,
Et l'ombre afin de voir le jour!   30

Va dans les bois! va sur les plages!
Compose tes chants inspirés
Avec la chanson des feuillages
Et l'hymne des flots azurés!
Dieu t'attend dans les solitudes;   35

Dieu n'est pas dans les multitudes;
L'homme est petit, ingrat et vain.
Dans les champs tout vibre et soupire.
La nature est la grande lyre,
Le poète est l'archet divin!   40

Sors de nos tempêtes, ô sage!
Que pour toi l'empire en travail,
Qui fait son périlleux passage
Sans boussole et sans gouvernail,
Soit comme un vaisseau qu'en décembre   45
Le pêcheur, du fond de sa chambre
Où pendent les filets séchés,
Entend la nuit passer dans l'ombre
Avec un bruit sinistre et sombre
De mâts frissonnants et penchés!   50

II

Hélas! hélas! dit le poète,
J'ai l'amour des eaux et des bois;
Ma meilleure pensée est faite
De ce que murmure leur voix.
La création est sans haine.   55
Là, point d'obstacle et point de chaîne.
Les prés, les monts, sont bienfaisants;
Les soleils m'expliquent les roses;
Dans la sérénité des choses
Mon âme rayonne en tous sens.   60

Je vous aime, ô sainte nature!
Je voudrais m'absorber en vous;
Mais dans ce siècle d'aventure
Chacun, hélas! se doit à tous!
Toute pensée est une force.   65
Dieu fit la sève pour l'écorce,
Pour l'oiseau les rameaux fleuris,

Le ruisseau pour l'herbe des plaines,
Pour les bouches les coupes pleines,
Et le penseur pour les esprits!   70

Dieu le veut, dans les temps contraires,
Chacun travaille et chacun sert.
Malheur à qui dit à ses frères:
Je retourne dans le désert!
Malheur à qui prend ses sandales   75
Quand les haines et les scandales
Tourmentent le peuple agité!
Honte au penseur qui se mutile
Et s'en va, chanteur inutile,
Par la porte de la cité!   80

Le poète en des jours impies
Vient préparer des jours meilleurs.
Il est l'homme des utopies,
Les pieds ici, les yeux ailleurs.
C'est lui qui sur toutes les têtes,   85
En tout temps, pareil aux prophètes,
Dans sa main, où tout peut tenir,
Doit, qu'on l'insulte ou qu'on le loue,
Comme une torche qu'il secoue,
Faire flamboyer l'avenir!   90

Il voit, quand les peuples végètent!
Ses rêves, toujours pleins d'amour,
Sont faits des ombres que lui jettent
Les choses qui seront un jour.
On le raille. Qu'importe! il pense.   95
Plus d'une âme inscrit en silence
Ce que la foule n'entend pas.
Il plaint ses contempteurs frivoles;
Et maint faux sage à ses paroles
Rit tout haut et songe tout bas!   100

Foule qui répands sur nos rêves
Le doute et l'ironie à flots,
Comme l'océan sur les grèves
Répand son râle et ses sanglots,
L'idée auguste qui t'égaie   105
A cette heure encore bégaie;
Mais de la vie elle a le sceau!
Ève contient la race humaine,
Un œuf l'aiglon, un gland le chêne!
Une utopie est un berceau!   110

De ce berceau, quand viendra l'heure,
Vous verrez sortir, éblouis,
Une société meilleure
Pour des cœurs mieux épanouis,
Le devoir que le droit enfante,   115
L'ordre saint, la foi triomphante,
Et les mœurs, ce groupe mouvant
Qui toujours, joyeux ou morose,
Sur ses pas sème quelque chose
Que la loi récolte en rêvant!   120

Mais, pour couver ces puissants germes,
Il faut tous les cœurs inspirés,
Tous les cœurs purs, tous les cœurs fermes,
De rayons divins pénétrés.
Sans matelots la nef chavire;   125
Et, comme aux deux flancs d'un navire,
Il faut que Dieu, de tous compris,
Pour fendre la foule insensée,
Aux deux côtés de sa pensée
Fasse ramer de grands esprits! . . .   130

———

Peuples! écoutez le poète!
Écoutez le rêveur sacré!
Dans votre nuit, sans lui complète,

Lui seul a le front éclairé. 280
Des temps futurs perçant les ombres,
Lui seul distingue en leurs flancs sombres
Le germe qui n'est pas éclos.
Homme, il est doux comme une femme.
Dieu parle à voix basse à son âme
Comme aux forêts et comme aux flots.

C'est lui qui, malgré les épines,
L'envie et la dérision,
Marche, courbé dans vos ruines,
Ramassant la tradition. 290
De la tradition féconde
Sort tout ce qui couvre le monde,
Tout ce que le ciel peut bénir.
Toute idée, humaine ou divine,
Qui prend le passé pour racine 295
A pour feuillage l'avenir.

Il rayonne! il jette sa flamme
Sur l'éternelle vérité!
Il la fait resplendir pour l'âme
D'une merveilleuse clarté. 300
Il inonde de sa lumière
Ville et désert, Louvre et chaumière,
Et les plaines et les hauteurs;
A tous d'en haut il la dévoile;
Car la poésie est l'étoile 305
Qui mène à Dieu rois et pasteurs!

25 mars—Ier avril 1839.

XVIII

71. ÉCRIT SUR LA VITRE D'UNE FENÊTRE FLAMANDE

J'aime le carillon dans tes cités antiques,
O vieux pays gardien de tes mœurs domestiques,

Noble Flandre où le nord se réchauffe engourdi
Au soleil de Castille et s'accouple au midi!
Le carillon, c'est l'heure inattendue et folle   5
Que l'œil croit voir, vêtue en danseuse espagnole,
Apparaître soudain par le trou vif et clair
Que ferait en s'ouvrant une porte de l'air.
Elle vient, secouant sur les toits léthargiques
Son tablier d'argent plein de notes magiques;   10
Réveillant sans pitié les dormeurs ennuyeux,
Sautant à petits pas comme un oiseau joyeux,
Vibrante, ainsi qu'un dard qui tremble dans la cible;
Par un frêle escalier de cristal invisible,
Effarée et dansante, elle descend des cieux;   15
Et l'esprit, ce veilleur fait d'oreilles et d'yeux,
Tandis qu'elle va, vient, monte et descend encore,
Entend de marche en marche errer son pied sonore!

                              Malines—Louvain, 19 août 1837.

XIX

72. CE QUI SE PASSAIT AUX FEUILLANTINES VERS 1813

Enfants, beaux fronts naïfs penchés autour de moi,
Bouches aux dents d'émail disant toujours: pourquoi?
Vous qui, m'interrogeant sur plus d'un grand problème,
Voulez de chaque chose, obscure pour moi-même,
Connaître le vrai sens et le mot décisif,   5
Et qui touchez à tout dans mon esprit pensif;
—Si bien que, vous partis, enfants, souvent je passe
Des heures, fort maussade, à remettre à leur place
Au fond de mon cerveau mes plans, mes visions,
Mes sujets éternels de méditations,   10
Dieu, l'homme, l'avenir, la raison, la démence,
Mes systèmes, tas sombre, échafaudage immense,
Dérangés tout à coup, sans tort de votre part,
Par une question d'enfant, faite au hasard!—

Puisqu'enfin vous voilà, sondant mes destinées, [15]
Et que vous me parlez de mes jeunes années,
De mes premiers instincts, de mon premier espoir,
Écoutez, doux amis qui voulez tout savoir!

J'eus dans ma blonde enfance, hélas! trop éphémère,
Trois maîtres: un jardin, un vieux prêtre et ma mère. [20]

Le jardin était grand, profond, mystérieux,
Fermé par de hauts murs aux regards curieux;
Semé de fleurs s'ouvrant ainsi que des paupières,
Et d'insectes vermeils qui couraient sur les pierres;
Plein de bourdonnements et de confuses voix; [25]
Au milieu, presque un champ; dans le fond, presque un bois.
Le prêtre, tout nourri de Tacite et d'Homère,
Était un doux vieillard. Ma mère—était ma mère!

Ainsi je grandissais sous ce triple rayon.

Un jour . . .—Oh! si Gautier me prêtait son crayon, [30]
Je vous dessinerais d'un trait une figure
Qui chez ma mère un soir entra, fâcheux augure!
Un docteur au front chauve, au maintien solennel;
Et je verrais éclore à vos bouches sans fiel,
Portes de votre cœur qu'aucun souci ne mine, [35]
Ce rire éblouissant qui parfois m'illumine!

Lorsque cet homme entra, je jouais au jardin,
Et rien qu'en le voyant je m'arrêtai soudain.

C'était le principal d'un collège quelconque.

Les tritons que Coypel groupe autour d'une conque, [40]
Les faunes que Watteau dans les bois fourvoya,
Les sorciers de Rembrandt, les gnomes de Goya,
Les diables variés, vrais cauchemars de moine,

Dont Callot en riant taquine saint-Antoine,
Sont laids, mais sont charmants; difformes, mais remplis   45
D'un feu qui de leur face anime tous les plis
Et parfois dans leurs yeux jette un éclair rapide.
—Notre homme était fort laid, mais il était stupide.

Pardon, j'en parle encor comme un franc écolier.
C'est mal. Ce que j'ai dit, tâchez de l'oublier;   50
Car de votre âge heureux, qu'un pédant embarrasse,
J'ai gardé la colère et j'ai perdu la grâce.

Cet homme chauve et noir, très effrayant pour moi,
Et dont ma mère aussi d'abord eut quelque effroi,
Tout en multipliant les humbles attitudes,   55
Apportait des avis et des sollicitudes.
—Que l'enfant n'était pas dirigé;—que parfois
Il emportait son livre en rêvant dans les bois;
Qu'il croissait au hasard dans cette solitude;
Qu'on devait y songer; que la sévère étude   60
Était fille de l'ombre et des cloîtres profonds;
Qu'une lampe pendue à de sombres plafonds,
Qui de cent écoliers guide la plume agile,
Éclairait mieux Horace, et Catulle, et Virgile,
Et versait à l'esprit des rayons bien meilleurs   65
Que le soleil qui joue à travers l'arbre en fleurs.
Et qu'enfin il fallait aux enfants,—loin des mères,—
Le joug, le dur travail et les larmes amères.
Là-dessus, le collège, aimable et triomphant,
Avec un doux sourire offrait au jeune enfant   70
Ivre de liberté, d'air, de joie et de roses,
Ses bancs de chêne noirs, ses longs dortoirs moroses,
Ses salles qu'on verrouille et qu'à tous leurs piliers
Sculpte avec un vieux clou l'ennui des écoliers,
Ses magisters qui font, parmi les paperasses,   75
Manger l'heure du jeu par les pensums voraces,

Et sans eau, sans gazon, sans arbres, sans fruits mûrs,
Sa grande cour pavée entre quatre grands murs.

L'homme congédié, de ses discours frappée,
Ma mère demeura triste et préoccupée. 80
Que faire? que vouloir? qui donc avait raison:
Ou le morne collège, ou l'heureuse maison?
Qui sait mieux de la vie accomplir l'œuvre austère:
L'écolier turbulent, ou l'enfant solitaire?
Problèmes! questions! elle hésitait beaucoup. 85
L'affaire était bien grave. Humble femme après tout,
Ame par le destin, non par les livres faite,
De quel front repousser ce tragique prophète,
Au ton si magistral, aux gestes si certains,
Qui lui parlait au nom des Grecs et des Latins? 90
Le prêtre était savant sans doute; mais, que sais-je?
Apprend-on par le maître ou bien par le collège?
Et puis enfin,—souvent ainsi nous triomphons!—
L'homme le plus vulgaire a de grands mots profonds:
—«Il est indispensable!—il convient!—il importe!» 95
Qui troublent quelquefois la femme la plus forte.
Pauvre mère! lequel choisir des deux chemins?
Tout le sort de son fils se pesait dans ses mains.
Tremblante, elle tenait cette lourde balance,
Et croyait bien la voir par moments en silence 100
Pencher vers le collège, hélas! en opposant
Mon bonheur à venir à mon bonheur présent.

Elle songeait ainsi sans sommeil et sans trêve.

C'était l'été: vers l'heure où la lune se lève,
Par un de ces beaux soirs qui ressemblent au jour 105
Avec moins de clarté, mais avec plus d'amour,
Dans son parc, où jouaient le rayon et la brise,
Elle errait, toujours triste et toujours indécise,

Questionnant tout bas l'eau, le ciel, la forêt,
Écoutant au hasard les voix qu'elle entendrait.   110

C'est dans ces moments-là que le jardin paisible,
La broussaille où remue un insecte invisible,
Le scarabée ami des feuilles, le lézard
Courant au clair de lune au fond du vieux puisard,
La faïence à fleur bleue où vit la plante grasse,   115
Le dôme oriental du sombre Val-de-Grâce,
Le cloître du couvent, brisé, mais doux encor,
Les marronniers, la verte allée aux boutons-d'or,
La statue où sans bruit se meut l'ombre des branches,
Les pâles liserons, les pâquerettes blanches,   120
Les cent fleurs du buisson, de l'arbre, du roseau,
Qui rendent en parfums ses chansons à l'oiseau,
Se mirent dans la mare ou se cachent dans l'herbe,
Ou qui, de l'ébénier chargeant le front superbe,
Au bord des clairs étangs se mêlant au bouleau,   125
Tremblent en grappes d'or dans les moires de l'eau,
Et le ciel scintillant derrière les ramées,
Et les toits répandant de charmantes fumées,
C'est dans ces moments-là, comme je vous le dis,
Que tout ce beau jardin, radieux paradis,   130
Tous ces vieux murs croulants, toutes ces jeunes roses,
Tous ces objets pensifs, toutes ces douces choses,
Parlèrent à ma mère avec l'onde et le vent,
Et lui dirent tout bas: «Laisse-nous cet enfant!

«Laisse-nous cet enfant, pauvre mère troublée!   135
Cette prunelle ardente, ingénue, étoilée,
Cette tête au front pur qu'aucun deuil ne voila,
Cette âme neuve encor, mère, laisse-nous-la!
Ne va pas la jeter au hasard dans la foule.
La foule est un torrent qui brise ce qu'il roule.   140
Ainsi que les oiseaux les enfants ont leurs peurs.
Laisse a notre air limpide, à nos moites vapeurs,

A nos soupirs, légers comme l'aile d'un songe,
Cette bouche où jamais n'a passé le mensonge,
Ce sourire naïf que sa candeur défend! 145
O mère au cœur profond, laisse-nous cet enfant!
Nous ne lui donnerons que de bonnes pensées;
Nous changerons en jour ses lueurs commencées;
Dieu deviendra visible à ses yeux enchantés;
Car nous sommes les fleurs, les rameaux, les clartés, 150
Nous sommes la nature et la source éternelle
Où toute soif s'épanche, où se lave toute aile;
Et les bois et les champs, du sage seul compris,
Font l'éducation de tous les grands esprits!
Laisse croître l'enfant parmi nos bruits sublimes. 155
Nous le pénétrerons de ces parfums intimes,
Nés du souffle céleste épars dans tout beau lieu,
Qui font sortir de l'homme et monter jusqu'à Dieu,
Comme le chant d'un luth, comme l'encens d'un vase,
L'espérance, l'amour, la prière, et l'extase! 160
Nous pencherons ses yeux vers l'ombre d'ici-bas,
Vers le secret de tout entr'ouvert sous ses pas.
D'enfant nous le ferons homme, et d'homme poète.
Pour former de ses sens la corolle inquiète,
C'est nous qu'il faut choisir; et nous lui montrerons 165
Comment, de l'aube au soir, du chêne aux moucherons,
Emplissant tout, reflets, couleurs, brumes, haleines,
La vie aux mille aspects rit dans les vertes plaines.
Nous te le rendrons simple et des cieux ébloui;
Et nous ferons germer de toutes parts en lui 170
Pour l'homme, triste effet perdu sous tant de causes,
Cette pitié qui naît du spectacle des choses!
Laisse-nous cet enfant! nous lui ferons un cœur
Qui comprendra la femme; un esprit non moqueur,
Où naîtront aisément le songe et la chimère, 175
Qui prendra Dieu pour livre et les champs pour grammaire;
Une âme, pur foyer de secrètes faveurs,
Qui luira doucement sur tous les fronts rêveurs,

Et, comme le soleil, dans les fleurs fécondées,
Jettera des rayons sur toutes les idées!»   180

Ainsi parlaient, à l'heure où la ville se tait,
L'astre, la plante et l'arbre,—et ma mère écoutait.

Enfants! ont-ils tenu leur promesse sacrée?
Je ne sais. Mais je sais que ma mère adorée
Les crut, et, m'épargnant d'ennuyeuses prisons,   185
Confia ma jeune âme à leurs douces leçons.

Dès lors, en attendant la nuit, heure où l'étude
Rappelait ma pensée à sa grave attitude,
Tout le jour, libre, heureux, seul sous le firmament,
Je pus errer à l'aise en ce jardin charmant,   190
Contemplant les fruits d'or, l'eau rapide ou stagnante,
L'étoile épanouie et la fleur rayonnante,
Et les prés et les bois, que mon esprit le soir
Revoyait dans Virgile ainsi qu'en un miroir.

Enfants! aimez les champs, les vallons, les fontaines,   195
Les chemins que le soir emplit de voix lointaines,
Et l'onde et le sillon, flanc jamais assoupi,
Où germe la pensée à côté de l'épi.
Prenez-vous par la main et marchez dans les herbes;
Regardez ceux qui vont liant les blondes gerbes;   200
Épelez dans le ciel plein de lettres de feu,
Et, quand un oiseau chante, écoutez parler Dieu.
La vie avec le choc des passions contraires
Vous attend; soyez bons, soyez vrais, soyez frères;
Unis contre le monde où l'esprit se corrompt,   205
Lisez au même livre en vous touchant du front,
Et n'oubliez jamais que l'âme humble et choisie
Faite pour la lumière et pour la poésie,
Que les cœurs où Dieu met des échos sérieux

Pour tous les bruits qu'anime un sens mystérieux, ²¹⁰
Dans un cri, dans un son, dans un vague murmure,
Entendent les conseils de toute la nature!

31 mai 1839.

XXXIV

73.   TRISTESSE D'OLYMPIO

Les champs n'étaient point noirs, les cieux n'étaient pas mornes.
Non, le jour rayonnait dans un azur sans bornes
    Sur la terre étendu,
L'air était plein d'encens et les prés de verdures
Quand il revit ces lieux où par tant de blessures   5
    Son cœur s'est répandu!

L'automne souriait; les coteaux vers la plaine
Penchaient leurs bois charmants qui jaunissaient à peine;
    Le ciel était doré;
Et les oiseaux, tournés vers celui que tout nomme,   10
Disant peut-être à Dieu quelque chose de l'homme,
    Chantaient leur chant sacré!

Il voulut tout revoir, l'étang près de la source,
La masure où l'aumône avait vidé leur bourse,
    Le vieux frêne plié,   15
Les retraites d'amour au fond des bois perdues,
L'arbre où dans les baisers leurs âmes confondues
    Avaient tout oublié!

Il chercha le jardin, la maison isolée,
La grille d'où l'œil plonge en une oblique allée,   20
    Les vergers en talus.
Pâle, il marchait.—Au bruit de son pas grave et sombre,
Il voyait à chaque arbre, hélas! se dresser l'ombre
    Des jours qui ne sont plus!

Il entendait frémir dans la forêt qu'il aime   25
Ce doux vent qui, faisant tout vibrer en nous-même,
    Y réveille l'amour,
Et, remuant le chêne ou balançant la rose,
Semble l'âme de tout qui va sur chaque chose
    Se poser tour à tour!   30

Les feuilles qui gisaient dans le bois solitaire,
S'efforçant sous ses pas de s'élever de terre,
    Couraient dans le jardin;
Ainsi, parfois, quand l'âme est triste, nos pensées
S'envolent un moment sur leurs ailes blessées,   35
    Puis retombent soudain.

Il contempla longtemps les formes magnifiques
Que la nature prend dans les champs pacifiques;
    Il rêva jusqu'au soir;
Tout le jour il erra le long de la ravine,   40
Admirant tour à tour le ciel, face divine,
    Le lac, divin miroir!

Hélas! se rappelant ses douces aventures,
Regardant, sans entrer, par-dessus les clôtures,
    Ainsi qu'un paria,   45
Il erra tout le jour. Vers l'heure où la nuit tombe,
Il se sentit le cœur triste comme une tombe,
    Alors il s'écria:

«O douleur! j'ai voulu, moi dont l'âme est troublée,
Savoir si l'urne encor conservait la liqueur,   50
Et voir ce qu'avait fait cette heureuse vallée
De tout ce que j'avais laissé là de mon cœur!

«Que peu de temps suffit pour changer toutes choses!
Nature au front serein, comme vous oubliez!

Et comme vous brisez dans vos métamorphoses   55
Les fils mystérieux où nos cœurs sont liés!

«Nos chambres de feuillage en halliers sont changées!
L'arbre où fut notre chiffre est mort ou renversé;
Nos roses dans l'enclos ont été ravagées
Par les petits enfants qui sautent le fossé.   60

«Un mur clôt la fontaine où, par l'heure échauffée,
Folâtre, elle buvait en descendant des bois;
Elle prenait de l'eau dans la main, douce fée,
Et laissait retomber des perles de ses doigts!

«On a pavé la route âpre et mal aplanie,   65
Où, dans le sable pur se dessinant si bien,
Et de sa petitesse étalant l'ironie,
Son pied charmant semblait rire à côté du mien!

«La borne du chemin, qui vit des jours sans nombre,
Où jadis pour m'attendre elle aimait à s'asseoir,   70
S'est usée en heurtant, lorsque la route est sombre,
Les grands chars gémissants qui reviennent le soir.

«La forêt ici manque et là s'est agrandie.
De tout ce qui fut nous presque rien n'est vivant;
Et, comme un tas de cendre éteinte et refroidie,   75
L'amas des souvenirs se disperse à tout vent!

«N'existons-nous donc plus? Avons-nous eu notre heure?
Rien ne la rendra-t-il à nos cris superflus?
L'air joue avec la branche au moment où je pleure;
Ma maison me regarde et ne me connaît plus.   80

«D'autres vont maintenant passer où nous passâmes.
Nous y sommes venus, d'autres vont y venir;

Et le songe qu'avaient ébauché nos deux âmes,
Ils le continueront sans pouvoir le finir!

«Car personne ici-bas ne termine et n'achève;   85
Les pires des humains sont comme les meilleurs;
Nous nous réveillons tous au même endroit du rêve.
Tout commence en ce monde et tout finit ailleurs.

«Oui, d'autres à leur tour viendront, couples sans tache,
Puiser dans cet asile heureux, calme, enchanté,   90
Tout ce que la nature à l'amour qui se cache
Mêle de rêverie et de solennité!

«D'autres auront nos champs, nos sentiers, nos retraites;
Ton bois, ma bien-aimée, est à des inconnus.
D'autres femmes viendront, baigneuses indiscrètes,   95
Troubler le flot sacré qu'ont touché tes pieds nus!

«Quoi donc! c'est vainement qu'ici nous nous aimâmes!
Rien ne nous restera de ces coteaux fleuris
Où nous fondions notre être en y mêlant nos flammes!
L'impassible nature a déjà tout repris.   100

«Oh! dites-moi, ravins, frais ruisseaux, treilles mûres,
Rameaux chargés de nids, grottes, forêts, buissons,
Est-ce que vous ferez pour d'autres vos murmures?
Est-ce que vous direz à d'autres vos chansons?

«Nous vous comprenions tant! doux, attentifs, austères,   105
Tous nos échos s'ouvraient si bien à votre voix!
Et nous prêtions si bien, sans troubler vos mystères,
L'oreille aux mots profonds que vous dites parfois!

«Répondez, vallon pur, répondez, solitude,
O nature abritée en ce désert si beau,   110

Lorsque nous dormirons tous deux dans l'attitude
Que donne aux morts pensifs la forme du tombeau,

«Est-ce que vous serez à ce point insensible
De nous savoir couchés, morts avec nos amours,
Et de continuer votre fête paisible,   115
Et de toujours sourire et de chanter toujours?

«Est-ce que, nous sentant errer dans vos retraites,
Fantômes reconnus par vos monts et vos bois,
Vous ne nous direz pas de ces choses secrètes
Qu'on dit en revoyant des amis d'autrefois?   120

«Est-ce que vous pourrez, sans tristesse et sans plainte,
Voir nos ombres flotter où marchèrent nos pas,
Et la voir m'entraîner, dans une morne étreinte,
Vers quelque source en pleurs qui sanglote tout bas?

«Et s'il est quelque part, dans l'ombre où rien ne veille,   125
Deux amants sous vos fleurs abritant leurs transports,
Ne leur irez-vous pas murmurer à l'oreille:
—Vous qui vivez, donnez une pensée aux morts!

«Dieu nous prête un moment les prés et les fontaines,
Les grands bois frissonnants, les rocs profonds et sourds,   130
Et les cieux azurés et les lacs et les plaines,
Pour y mettre nos cœurs, nos rêves, nos amours;

«Puis il nous les retire. Il souffle notre flamme;
Il plonge dans la nuit l'antre où nous rayonnons;
Et dit à la vallée, où s'imprima notre âme,   135
D'effacer notre trace et d'oublier nos noms.

«Eh bien! oubliez-nous, maison, jardin, ombrages!
Herbe, use notre seuil! ronce, cache nos pas!

Chantez, oiseaux! ruisseaux, coulez! croissez, feuillages!
Ceux que vous oubliez ne vous oublieront pas. 140

«Car vous êtes pour nous l'ombre de ľamour même!
Vous êtes l'oasis qu'on rencontre en chemin!
Vous êtes, ô vallon, la retraite suprême
Où nous avons pleuré nous tenant par la main!

«Toutes les passions s'éloignent avec l'âge, 145
L'une emportant son masque et l'autre son couteau,
Comme un essaim chantant d'histrions en voyage
Dont le groupe décroît derrière le coteau.

«Mais toi, rien ne t'efface, amour! toi qui nous charmes,
Toi qui, torche ou flambeau, luis dans notre brouillard! 150
Tu nous tiens par la joie, et surtout par les larmes.
Jeune homme on te maudit, on t'adore vieillard.

«Dans ces jours où la tête au poids des ans s'incline,
Où l'homme, sans projets, sans but, sans visions,
Sent qu'il n'est déjà plus qu'une tombe en ruine 155
Où gisent ses vertus et ses illusions;

«Quand notre âme en rêvant descend dans nos entrailles,
Comptant dans notre cœur, qu'enfin la glace atteint,
Comme on compte les morts sur un champ de batailles,
Chaque douleur tombée et chaque songe éteint, 160

«Comme quelqu'un qui cherche en tenant une lampe,
Loin des objets réels, loin du monde rieur,
Elle arrive à pas lents par une obscure rampe
Jusqu'au fond désolé du gouffre intérieur;

«Et là, dans cette nuit qu'aucun rayon n'étoile, 165
L'âme, en un repli sombre où tout semble finir,

Sent quelque chose encor palpiter sous un voile . . .—
C'est toi qui dors dans l'ombre, ô sacré souvenir!»

21 octobre 1837.

XLII

74. OCEANO NOX

Saint-Valery-sur-Somme

Oh! combien de marins, combien de capitaines
Qui sont partis joyeux pour des courses lointaines,
Dans ce morne horizon se sont évanouis!
Combien ont disparu, dure et triste fortune!
Dans une mer sans fond, par une nuit sans lune,   5
Sous l'aveugle océan à jamais enfouis!

Combien de patrons morts avec leurs équipages!
L'ouragan de leur vie a pris toutes les pages
Et d'un souffle il a tout dispersé sur les flots!
Nul ne saura leur fin dans l'abîme plongée.   10
Chaque vague en passant d'un butin s'est chargée;
L'une a saisi l'esquif, l'autre les matelots!

Nul ne sait votre sort, pauvres têtes perdues!
Vous roulez à travers les sombres étendues,
Heurtant de vos fronts morts des écueils inconnus.   15
Oh! que de vieux parents, qui n'avaient plus qu'un rêve,
Sont morts en attendant tous les jours sur la grève
    Ceux qui ne sont pas revenus!

On s'entretient de vous parfois dans les veillées.
Maint joyeux cercle, assis sur des ancres rouillées,   20
Mêle encor quelque temps vos noms d'ombre couverts
Aux rires, aux refrains, aux récits d'aventures,
Aux baisers qu'on dérobe à vos belles futures,
Tandis que vous dormez dans les goëmons verts!

On demande:—Où sont-ils? sont-ils rois dans quelque île? 25
Nous ont-ils délaissés pour un bord plus fertile?—
Puis votre souvenir même est enseveli.
Le corps se perd dans l'eau, le nom dans la mémoire.
Le temps, qui sur toute ombre en verse une plus noire,
Sur le sombre océan jette le sombre oubli. 30

Bientôt des yeux de tous votre ombre est disparue.
L'un n'a-t-il pas sa barque et l'autre sa charrue?
Seules, durant ces nuits où l'orage est vainqueur,
Vos veuves aux fronts blancs, lasses de vous attendre,
Parlent encor de vous en remuant la cendre 35
     De leur foyer et de leur cœur!

Et quand la tombe enfin a fermé leur paupière,
Rien ne sait plus vos noms, pas même une humble pierre
Dans l'étroit cimetière où l'écho nous répond,
Pas même un saule vert qui s'effeuille à l'automne, 40
Pas même la chanson naïve et monotone
Que chante un mendiant à l'angle d'un vieux pont!

Où sont-ils, les marins sombrés dans les nuits noires?
O flots, que vous savez de lugubres histoires!
Flots profonds redoutés des mères à genoux! 45
Vous vous les racontez en montant les marées,
Et c'est ce qui vous fait ces voix désespérées
Que vous avez le soir quand vous venez vers nous!

                                  Juillet 1836.

LES CHATIMENTS

LIVRE IV—LA RELIGION EST GLORIFIÉE

I

75. SACER ESTO

Non, liberté! non, peuple, il ne faut pas qu'il meure!
Oh! certes, ce serait trop simple, en vérité,
Qu'après avoir brisé les lois, et sonné l'heure
Où la sainte pudeur au ciel a remonté;

Qu'après avoir gagné sa sanglante gageure, 5
Et vaincu par l'embûche, et le glaive, et le feu;
Qu'après son guet-apens, ses meurtres, son parjure,
Son faux serment, soufflet sur la face de Dieu;

Qu'après avoir traîné la France, au cœur frappée,
Et par les pieds liée, à son immonde char, 10
Cet infâme en fût quitte avec un coup d'épée
Au cou comme Pompée, au flanc comme César!

Non! il est l'assassin qui rôde dans les plaines,
Il a tué, sabré, mitraillé sans remords,
Il fit la maison vide, il fit les tombes pleines, 15
Il marche, il va, suivi par l'œil fixe des morts;

A cause de cet homme, empereur éphémère,
Le fils n'a plus de père et l'enfant plus d'espoir,
La veuve à genoux pleure et sanglote, et la mère
N'est plus qu'un spectre assis sous un long voile noir; 20

Pour filer ses habits royaux, sur les navettes
On met du fil trempé dans le sang qui coula;

Le boulevard Montmartre a fourni ses cuvettes,
Et l'on teint son manteau dans cette pourpre-là;

Ils vous jette à Cayenne, à l'Afrique, aux sentines,   25
Martyrs, héros d'hier et forçats d'aujourd'hui!
Le couteau ruisselant des rouges guillotines
Laisse tomber le sang goutte à goutte sur lui;

Lorsque la trahison, sa complice livide,
Vient et frappe à sa porte, il fait signe d'ouvrir;   30
Il est le fratricide! il est le parricide!—
Peuples, c'est pour cela qu'il ne doit pas mourir!

Gardons l'homme vivant. Oh! châtiment superbe!
Oh! s'il pouvait un jour passer par le chemin,
Nu, courbé, frissonnant, comme au vent tremble l'herbe,   35
Sous l'exécration de tout le genre humain!

Étreint par son passé tout rempli de ses crimes
Comme par un carcan tout hérissé de clous,
Cherchant les lieux profonds, les forêts, les abîmes,
Pâle, horrible, effaré, reconnu par les loups;   40

Dans quelque bagne vil n'entendant que sa chaîne,
Seul, toujours seul, parlant en vain aux rochers sourds,
Voyant autour de lui le silence et la haine,
Des hommes nulle part et des spectres toujours;

Vieillissant, rejeté par la mort comme indigne,   45
Tremblant sous la nuit noire, affreux sous le ciel bleu . . .—
Peuples, écartez-vous! cet homme porte un signe;
Laissez passer Caïn! il appartient à Dieu.

                                    14 novembre. Jersey.

LIVRE V—L'AUTORITÉ EST SACRÉE

XIII

76. # L'EXPIATION

I

Il neigeait. On était vaincu par sa conquête.
Pour la première fois l'aigle baissait la tête.
Sombres jours! l'empereur revenait lentement,
Laissant derrière lui brûler Moscou fumant.
Il neigeait. L'âpre hiver fondait en avalanche.   5
Après la plaine blanche une autre plaine blanche.
On ne connaissait plus les chefs ni le drapeau.
Hier la grande armée, et maintenant troupeau.
On ne distinguait plus les ailes ni le centre.
Il neigeait. Les blessés s'abritaient dans le ventre   10
Des chevaux morts; au seuil des bivouacs désolés
On voyait des clairons à leur poste gelés,
Restés debout, en selle et muets, blancs de givre,
Collant leur bouche en pierre aux trompettes de cuivre.
Boulets, mitraille, obus, mêlés aux flocons blancs,   15
Pleuvaient; les grenadiers, surpris d'être tremblants,
Marchaient pensifs, la glace à leur moustache grise.
Il neigeait, il neigeait toujours! La froide bise
Sifflait; sur le verglas, dans des lieux inconnus,
On n'avait pas de pain et l'on allait pieds nus.   20
Ce n'étaient plus des cœurs vivants, des gens de guerre:
C'était un rêve errant dans la brume, un mystère,
Une procession d'ombres sous le ciel noir.
La solitude vaste, épouvantable à voir,
Partout apparaissait, muette vengeresse.   25
Le ciel faisait sans bruit avec la neige épaisse
Pour cette immense armée un immense linceul.
Et, chacun se sentant mourir, on était seul.
—Sortira-t-on jamais de ce funeste empire?

Deux ennemis! le czar, le nord. Le nord est pire.   30
On jetait les canons pour brûler les affûts.
Qui se couchait, mourait. Groupe morne et confus,
Ils fuyaient; le désert dévorait le cortège.
On pouvait, à des plis qui soulevaient la neige,
Voir que des régiments s'étaient endormis là.   35
O chutes d'Annibal! lendemains d'Attila!
Fuyards, blessés, mourants, caissons, brancards, civières,
On s'écrasait aux ponts pour passer les rivières,
On s'endormait dix mille, on se réveillait cent.
Ney, que suivait naguère une armée, à présent   40
S'évadait, disputant sa montre à trois cosaques.
Toutes les nuits, qui vive! alerte, assauts! attaques!
Ces fantômes prenaient leur fusil, et sur eux
Ils voyaient se ruer, effrayants, ténébreux,
Avec des cris pareils aux voix des vautours chauves,   45
D'horribles escadrons, tourbillons d'hommes fauves.
Toute une armée ainsi dans la nuit se perdait.
L'empereur était là, debout, qui regardait.
Il était comme un arbre en proie à la cognée.
Sur ce géant, grandeur jusqu'alors épargnée,   50
Le malheur, bûcheron sinistre, était monté;
Et lui, chêne vivant, par la hache insulté,
Tressaillant sous le spectre aux lugubres revanches,
Il regardait tomber autour de lui ses branches.
Chefs, soldats, tous mouraient. Chacun avait son tour.   55
Tandis qu'environnant sa tente avec amour,
Voyant son ombre aller et venir sur la toile,
Ceux qui restaient, croyant toujours à son étoile,
Accusaient le destin de lèse-majesté,
Lui se sentit soudain dans l'âme épouvanté.   60
Stupéfait du désastre et ne sachant que croire,
L'empereur se tourna vers Dieu; l'homme de gloire
Trembla; Napoléon comprit qu'il expiait
Quelque chose peut-être, et, livide, inquiet,
Devant ses légions sur la neige semées: 65

«Est-ce le châtiment, dit-il, Dieu des armées?»
Alors il s'entendit appeler par son nom
Et quelqu'un qui parlait dans l'ombre lui dit: Non.

II

Waterloo! Waterloo! Waterloo! morne plaine!
Comme une onde qui bout dans une urne trop pleine,   70
Dans ton cirque de bois, de coteaux, de vallons,
La pâle mort mêlait les sombres bataillons.
D'un côté c'est l'Europe et de l'autre la France.
Choc sanglant! des héros Dieu trompait l'espérance;
Tu désertais, victoire, et le sort était las.   75
O Waterloo! je pleure et je m'arrête, hélas!
Car ces derniers soldats de la dernière guerre
Furent grands; ils avaient vaincu toute la terre,
Chassé vingt rois, passé les Alpes et le Rhin,
Et leur âme chantait dans les clairons d'airain!   80

Le soir tombait; la lutte était ardente et noire.
Il avait l'offensive et presque la victoire;
Il tenait Wellington acculé sur un bois.
Sa lunette à la main, il observait parfois
Le centre du combat, point obscur où tressaille   85
La mêlée, effroyable et vivante broussaille,
Et parfois l'horizon, sombre comme la mer.
Soudain, joyeux, il dit: Grouchy!—C'était Blücher.
L'espoir changea de camp, le combat changea d'âme,
La mêlée en hurlant grandit comme une flamme.   90
La batterie anglaise écrasa nos carrés.
La plaine, où frissonnaient nos drapeaux déchirés,
Ne fut plus, dans les cris des mourants qu'on égorge,
Qu'un gouffre flamboyant, rouge comme une forge;
Gouffre où les régiments comme des pans de mur   95
Tombaient, où se couchaient comme des épis mûrs
Les hauts tambours-majors aux panaches énormes,
Où l'on entrevoyait des blessures difformes!

Carnage affreux! moment fatal! L'homme inquiet
Sentit que la bataille entre ses mains pliait.   100
Derrière un mamelon la garde était massée.
La garde, espoir suprême et suprême pensée!
«Allons! faites donner la garde!» cria-t-il.
Et, lanciers, grenadiers aux guêtres de coutil,
Dragons que Rome eût pris pour des légionnaires,   105
Cuirassiers, canonniers qui traînaient des tonnerres,
Portant le noir colback ou le casque poli,
Tous, ceux de Friedland et ceux de Rivoli,
Comprenant qu'ils allaient mourir dans cette fête,
Saluèrent leur dieu, debout dans la tempête.   110
Leur bouche, d'un seul cri, dit: vive l'empereur!
Puis, à pas lents, musique en tête, sans fureur,
Tranquille, souriant à la mitraille anglaise,
La garde impériale entra dans la fournaise.
Hélas! Napoléon, sur sa garde penché,   115
Regardait, et, sitôt qu'ils avaient débouché
Sous les sombres canons crachant des jets de soufre,
Voyait, l'un après l'autre, en cet horrible gouffre,
Fondre ces régiments de granit et d'acier
Comme fond une cire au souffle d'un brasier.   120
Ils allaient, l'arme au bras, front haut, graves, stoïques.
Pas un ne recula. Dormez, morts héroïques!
Le reste de l'armée hésitait sur leurs corps
Et regardait mourir la garde.—C'est alors
Qu'élevant tout à coup sa voix désespérée,   125
La Déroute, géante à la face effarée
Qui, pâle, épouvantant les plus fiers bataillons,
Changeant subitement les drapeaux en haillons,
A de certains moments, spectre fait de fumées,
Se lève grandissante au milieu des armées,   130
La Déroute apparut au soldat qui s'émeut,
Et, se tordant les bras, cria: Sauve qui peut!
Sauve qui peut!—affront! horreur!—toutes les bouches
Criaient; à travers champs, fous, éperdus, farouches,

Comme si quelque souffle avait passé sur eux, [135]
Parmi les lourds caissons et les fourgons poudreux,
Roulant dans les fossés, se cachant dans les seigles,
Jetant shakos, manteaux, fusils, jetant les aigles,
Sous les sabres prussiens, ces vétérans, ô deuil!
Tremblaient, hurlaient, pleuraient, couraient!—En un clin d'œil,
Comme s'envole au vent une paille enflammée,
S'évanouit ce bruit qui fut la grande armée,
Et cette plaine, hélas, où l'on rêve aujourd'hui,
Vit fuir ceux devant qui l'univers avait fui!
Quarante ans sont passés, et ce coin de la terre, [145]
Waterloo, ce plateau funèbre et solitaire,
Ce champ sinistre où Dieu mêla tant de néants,
Tremble encor d'avoir vu la fuite des géants!

Napoléon les vit s'écouler comme un fleuve;
Hommes, chevaux, tambours, drapeaux;—et dans l'épreuve [150]
Sentant confusément revenir son remords,
Levant les mains au ciel, il dit: «Mes soldats morts,
Moi vaincu! mon empire est brisé comme verre.
Est-ce le châtiment cette fois, Dieu sévère?»
Alors parmi les cris, les rumeurs, le canon, [155]
Il entendit la voix qui lui répondait: Non!

III

Il croula. Dieu changea la chaîne de l'Europe.

Il est, au fond des mers que la brume enveloppe,
Un roc hideux, débris des antiques volcans.
Le Destin prit des clous, un marteau, des carcans, [160]
Saisit, pâle et vivant, ce voleur du tonnerre,
Et, joyeux, s'en alla sur le pic centenaire
Le clouer, excitant par son rire moqueur
Le vautour Angleterre à lui ronger le cœur.

Évanouissement d'une splendeur immense! [165]
Du soleil qui se lève à la nuit qui commence,

Toujours l'isolement, l'abandon, la prison,
Un soldat rouge au seuil, la mer à l'horizon,
Des rochers nus, des bois affreux, l'ennui, l'espace,
Des voiles s'enfuyant comme l'espoir qui passe,   170
Toujours le bruit des flots, toujours le bruit des vents!
Adieu, tente de pourpre aux panaches mouvants,
Adieu, le cheval blanc que César éperonne!
Plus de tambours battant aux champs, plus de couronne,
Plus de rois prosternés dans l'ombre avec terreur,   175
Plus de manteau traînant sur eux, plus d'empereur!
Napoléon était retombé Bonaparte.
Comme un Romain blessé par la flèche du Parthe,
Saignant, morne, il songeait à Moscou qui brûla.
Un caporal anglais lui disait: halte-là!   180
Son fils aux mains des rois! sa femme aux bras d'un autre!
Plus vil que le pourceau qui dans l'égout se vautre,
Son sénat qui l'avait adoré l'insultait.
Au bord des mers, à l'heure où la bise se tait,
Sur les escarpements croulant en noirs décombres,   185
Il marchait, seul, rêveur, captif des vagues sombres.
Sur les monts, sur les flots, sur les cieux, triste et fier,
L'œil encore ébloui des batailles d'hier,
Il laissait sa pensée errer à l'aventure.
Grandeur, gloire, ô néant! calme de la nature!   190
Les aigles qui passaient ne le connaissaient pas.
Les rois, ses guichetiers, avaient pris un compas
Et l'avaient enfermé dans un cercle inflexible.
Il expirait. La mort de plus en plus visible
Se levait dans sa nuit et croissait à ses yeux   195
Comme le froid matin d'un jour mystérieux.
Son âme palpitait, déjà presque échappée.
Un jour enfin il mit sur son lit son épée,
Et se coucha près d'elle, et dit: c'est aujourd'hui!
On jeta le manteau de Marengo sur lui.   200
Ses batailles du Nil, du Danube, du Tibre,
Se penchaient sur son front; il dit: «Me voici libre!

Je suis vainqueur! je vois mes aigles accourir!»
Et, comme il retournait sa tête pour mourir,
Il aperçut, un pied dans la maison déserte,
Hudson Lowe guettant par la porte entr'ouverte.
Alors, géant broyé sous le talon des rois,
Il cria: «La mesure est comble cette fois!
Seigneur! c'est maintenant fini! Dieu que j'implore,
Vous m'avez châtié!» La voix dit:—Pas encore!

205

210

IV

O noirs événements, vous fuyez dans la nuit!
L'empereur mort tomba sur l'empire détruit.
Napoléon alla s'endormir sous le saule.
Et les peuples alors, de l'un à l'autre pôle,
Oubliant le tyran, s'éprirent du héros.
Les poètes, marquant au front les rois bourreaux,
Consolèrent, pensifs, cette gloire abattue.
A la colonne veuve on rendit sa statue.
Quand on levait les yeux, on le voyait debout
Au-dessus de Paris, serein, dominant tout,
Seul, le jour dans l'azur et la nuit dans les astres.
Panthéons, on grava son nom sur vos pilastres!
On ne regarda plus qu'un seul côté du temps,
On ne se souvint plus que des jours éclatants;
Cet homme étrange avait comme enivré l'histoire;
La justice à l'œil froid disparut sous sa gloire;
On ne vit plus qu'Essling, Ulm, Arcole, Austerlitz;
Comme dans les tombeaux des Romains abolis,
On se mit à fouiller dans ces grandes années;
Et vous applaudissiez, nations inclinées,
Chaque fois qu'on tirait de ce sol souverain
Ou le consul de marbre ou l'empereur d'airain!

215

220

225

230

V

Le nom grandit quand l'homme tombe;
Jamais rien de tel n'avait lui.

Calme, il écoutait dans sa tombe
La terre qui parlait de lui.

La terre disait: «La victoire
A suivi cet homme en tous lieux.
Jamais tu n'as vu, sombre histoire,
Un passant plus prodigieux! 240

«Gloire au maître qui dort sous l'herbe!
Gloire à ce grand audacieux!
Nous l'avons vu gravir, superbe,
Les premiers échelons des cieux!

«Il envoyait, âme acharnée, 245
Prenant Moscou, prenant Madrid,
Lutter contre la destinée
Tous les rêves de son esprit.

«A chaque instant, rentrant en lice,
Cet homme aux gigantesques pas 250
Proposait quelque grand caprice
A Dieu, qui n'y consentait pas.

«Il n'était presque plus un homme.
Il disait, grave et rayonnant,
En regardant fixement Rome: 255
C'est moi qui règne maintenant!

«Il voulait, héros et symbole,
Pontife et roi, phare et volcan,
Faire du Louvre un Capitole,
Et de Saint-Cloud un Vatican. 260

«César, il eût dit à Pompée:
Sois fier d'être mon lieutenant!

On voyait luire son épée
Au fond d'un nuage tonnant.

«Il voulait, dans les frénésies 265
De ses vastes ambitions,
Faire devant ses fantaisies
Agenouiller les nations,

«Ainsi qu'en une urne profonde,
Mêler races, langues, esprits, 270
Répandre Paris sur le monde,
Enfermer le monde en Paris!

«Comme Cyrus dans Babylone,
Il voulait sous sa large main
Ne faire du monde qu'un trône 275
Et qu'un peuple du genre humain,

«Et bâtir, malgré les huées,
Un tel empire sous son nom,
Que Jéhovah dans les nuées
Fût jaloux de Napoléon!» 280

VI

Enfin, mort triomphant, il vit sa délivrance,
Et l'océan rendit son cercueil à la France.

L'homme, depuis douze ans, sous le dôme doré
Reposait, par l'exil et par la mort sacré,
En paix!—Quand on passait près du monument sombre, 285
On se le figurait, couronne au front, dans l'ombre,
Dans son manteau semé d'abeilles d'or, muet,
Couché sous cette voûte où rien ne remuait,
Lui, l'homme qui trouvait la terre trop étroite,
Le sceptre en sa main gauche, et l'épée en sa droite, 290

A ses pieds son grand aigle ouvrant l'œil à demi,
Et l'on disait: C'est là qu'est César endormi!

Laissant dans la clarté marcher l'immense ville,
Il dormait; il dormait confiant et tranquille.

VII

Une nuit,—c'est toujours la nuit dans le tombeau,— 295
Il s'éveilla. Luisant comme un hideux flambeau,
D'étranges visions emplissaient sa paupière;
Des rires éclataient sous son plafond de pierre;
Livide, il se dressa; la vision grandit;
O terreur! une voix qu'il reconnut, lui dit: 300

—Réveille-toi. Moscou, Waterloo, Sainte-Hélène,
L'exil, les rois geôliers, l'Angleterre hautaine
Sur ton lit accoudée à ton dernier moment,
Sire, cela n'est rien. Voici le châtiment:

La voix alors devint âpre, amère, stridente, 305
Comme le noir sarcasme et l'ironie ardente;
C'était le rire amer mordant un demi-dieu.

—Sire! on t'a retiré de ton Panthéon bleu!
Sire! on t'a descendu de ta haute colonne!
Regarde. Des brigands, dont l'essaim tourbillonne, 310
D'affreux bohémiens, des vainqueurs de charnier
Te tiennent dans leurs mains et t'ont fait prisonnier.
A ton orteil d'airain leur patte infâme touche.
Ils t'ont pris. Tu mourus, comme un astre se couche,
Napoléon le Grand, empereur; tu renais 315
Bonaparte, écuyer du cirque Beauharnais.
Te voilà dans leurs rangs, on t'a, l'on te harnache.
Ils t'appellent tout haut grand homme, entre eux, ganache.
Ils traînent, sur Paris qui les voit s'étaler,

Des sabres qu'au besoin ils sauraient avaler. 320
Aux passants attroupés devant leur habitacle,
Ils disent, entends-les:—Empire à grand spectacle!
Le pape est engagé dans la troupe; c'est bien,
Nous avons mieux; le czar en est; mais ce n'est rien,
Le czar n'est qu'un sergent, le pape n'est qu'un bonze; 325
Nous avons avec nous le bonhomme de bronze!
Nous sommes les neveux du grand Napoléon!—
Et Fould, Magnan, Rouher, Parieu caméléon,
Font rage. Ils vont montrant un sénat d'automates.
Ils ont pris de la paille au fond des casemates 330
Pour empailler ton aigle, ô vainqueur d'Iéna!
Il est là, mort, gisant, lui qui si haut plana,
Et du champ de bataille il tombe au champ de foire.
Sire, de ton vieux trône ils recousent la moire.
Ayant dévalisé la France au coin d'un bois, 335
Ils ont à leurs haillons du sang, comme tu vois,
Et dans son bénitier Sibour lave leur linge.
Toi, lion, tu les suis; leur maître, c'est le singe.
Ton nom leur sert de lit, Napoléon premier.
On voit sur Austerlitz un peu de leur fumier. 340
Ta gloire est un gros vin dont leur honte se grise.
Cartouche essaie et met ta redingote grise;
On quête des liards dans le petit chapeau;
Pour tapis sur la table ils ont mis ton drapeau;
A cette table immonde où le grec devient riche, 345
Avec le paysan on boit, on joue, on triche;
Tu te mêles, compère, à ce tripot hardi,
Et ta main qui tenait l'étendard de Lodi,
Cette main qui portait la foudre, ô Bonaparte,
Aide à piper les dés et fait sauter la carte. 350
Ils te forcent à boire avec eux, et Carlier
Pousse amicalement d'un coude familier
Votre majesté, sire, et Piétri dans son antre
Vous tutoie, et Maupas vous tape sur le ventre.

Faussaires, meurtriers, escrocs, forbans, voleurs,   355
Ils savent qu'ils auront comme toi, des malheurs;
Leur soif en attendant vide la coupe pleine
A ta santé; Poissy trinque avec Sainte-Hélène.
Regarde! bals, sabbats, fêtes matin et soir.
La foule au bruit qu'ils font se culbute pour voir;   360
Debout sur le tréteau qu'assiège une cohue
Qui rit, bâille, applaudit, tempête, siffle, hue,
Entouré de pasquins agitant leur grelot,
—Commencer par Homère et finir par Callot!
Épopée! épopée! oh! quel dernier chapitre!—   365
Entre Troplong paillasse et Chaix-d'Est-Ange pitre,
Devant cette baraque, abject et vil bazar
Où Mandrin mal lavé se déguise en César,
Riant, l'affreux bandit, dans sa moustache épaisse,
Toi, spectre impérial, tu bats la grosse caisse!—   370

L'horrible vision s'éteignit. L'empereur,
Désespéré, poussa dans l'ombre un cri d'horreur,
Baissant les yeux, dressant ses mains épouvantées.
Les Victoires de marbre à la porte sculptées,
Fantômes blancs debout hors du sépulcre obscur,   375
Se faisaient du doigt signe, et, s'appuyant au mur,
Écoutaient le titan pleurer dans les ténèbres.
Et lui, cria: «Démon aux visions funèbres,
Toi qui me suis partout, que jamais je ne vois,
Qui donc es-tu?—Je suis ton crime,» dit la voix.   380
La tombe alors s'emplit d'une lumière étrange
Semblable à la clarté de Dieu quand il se venge;
Pareils aux mots que vit resplendir Balthazar,
Deux mots dans l'ombre écrits flamboyaient sur César;
Bonaparte, tremblant comme un enfant sans mère,   385
Leva sa face pâle et lut:—DIX-HUIT BRUMAIRE!

                    Jersey, 25–30 novembre 1852.

LIVRE VI—LA STABILITÉ EST ASSURÉE

XV

77.   STELLA

Je m'étais endormi la nuit près de la grève.
Un vent frais m'éveilla, je sortis de mon rêve,
J'ouvris les yeux, je vis l'étoile du matin.
Elle resplendissait au fond du ciel lointain
Dans une blancheur molle, infinie et charmante.   5
Aquilon s'enfuyait emportant la tourmente.
L'astre éclatant changeait la nuée en duvet.
C'était une clarté qui pensait, qui vivait;
Elle apaisait l'écueil où la vague déferle;
On croyait voir une âme à travers une perle.   10
Il faisait nuit encor, l'ombre régnait en vain,
Le ciel s'illuminait d'un sourire divin.
La lueur argentait le haut du mât qui penche;
Le navire était noir, mais la voile était blanche;
Des goëlands debout sur un escarpement,   15
Attentifs, contemplaient l'étoile gravement
Comme un oiseau céleste et fait d'une étincelle;
L'océan, qui ressemble au peuple, allait vers elle,
Et, rugissant tout bas, la regardait briller,
Et semblait avoir peur de la faire envoler.   20
Un ineffable amour emplissait l'étendue.
L'herbe verte à mes pieds frissonnait éperdue,
Les oiseaux se parlaient dans les nids; une fleur
Qui s'éveillait me dit: c'est l'étoile ma sœur.
Et pendant qu'à longs plis l'ombre levait son voile,   25
J'entendis une voix qui venait de l'étoile
Et qui disait:—Je suis l'astre qui vient d'abord.
Je suis celle qu'on croit dans la tombe et qui sort.
J'ai lui sur le Sina, j'ai lui sur le Taygète;
Je suis le caillou d'or et de feu que Dieu jette,   30

Comme avec une fronde, au front noir de la nuit.
Je suis ce qui renaît quand un monde est détruit.
O nations! je suis la poésie ardente.
J'ai brillé sur Moïse et j'ai brillé sur Dante.
Le lion océan est amoureux de moi.   35
J'arrive. Levez-vous, vertu, courage, foi!
Penseurs, esprits, montez sur la tour, sentinelles!
Paupières, ouvrez-vous, allumez-vous, prunelles,
Terre, émeus le sillon, vie, éveille le bruit,
Debout, vous qui dormez!—car celui qui me suit,   40
Car celui qui m'envoie en avant la première,
C'est l'ange Liberté, c'est le géant Lumière!

Jersey, 31 août.

LIVRE VII—LES SAUVEURS SE SAUVERONT

VI

78.   CHANSON

Sa grandeur éblouit l'histoire.
    Quinze ans, il fut
Le dieu que traînait la victoire
    Sur un affût;
L'Europe sous sa loi guerrière   5
    Se débattit.—
Toi, son singe, marche derrière,
    Petit, petit.

Napoléon dans la bataille,
    Grave et serein,   10
Guidait à travers la mitraille
    L'aigle d'airain.
Il entra sur le pont d'Arcole,
    Il en sortit.—
Voici de l'or, viens, pille et vole,   15
    Petit, petit.

Berlin, Vienne, étaient ses maîtresses;
    Il les forçait
Leste, et prenant les forteresses
    Par le corset.   20
Il triompha de cent batailles
    Qu'il investit.—
Voici pour toi, voici des filles,
    Petit, petit.

Il passait les monts et les plaines,   25
    Tenant en main
La palme, la foudre et les rênes
    Du genre humain;
Il était ivre de sa gloire
    Qui retentit.—   30
Voici du sang, accours, viens boire,
    Petit, petit.

Quand il tomba, lâchant le monde,
    L'immense mer
Ouvrit à sa chute profonde   35
    Le gouffre amer;
Il y plongea, sinistre archange,
    Et s'engloutit.—
Toi, tu te noieras dans la fange,
    Petit, petit.

                Jersey, septembre 1853.

XVII

79.   ULTIMA VERBA

La conscience humaine est morte; dans l'orgie,
Sur elle il s'accroupit; ce cadavre lui plaît;
Par moments, gai, vainqueur, la prunelle rougie,
Il se retourne et donne à la morte un soufflet.

La prostitution du juge est la ressource.   5
Les prêtres font frémir l'honnête homme éperdu;
Dans le champ du potier ils déterrent la bourse;
Sibour revend le Dieu que Judas a vendu.

Ils disent:—César règne, et le Dieu des armées
L'a fait son élu. Peuple, obéis, tu le dois!—   10
Pendant qu'ils vont chantant, tenant leurs mains fermées,
On voit le sequin d'or qui passe entre leurs doigts.

Oh! tant qu'on le verra trôner, ce gueux, ce prince,
Par le pape béni, monarque malandrin,
Dans une main le sceptre et dans l'autre la pince,   15
Charlemagne taillé par Satan dans Mandrin;

Tant qu'il se vautrera, broyant dans ses mâchoires
Le serment, la vertu, l'honneur religieux,
Ivre, affreux, vomissant sa honte sur nos gloires;
Tant qu'on verra cela sous le soleil des cieux;   20

Quand même grandirait l'abjection publique
A ce point d'adorer l'exécrable trompeur;
Quand même l'Angleterre et même l'Amérique
Diraient à l'exilé:—Va-t'en! nous avons peur!

Quand même nous serions comme la feuille morte;   25
Quand, pour plaire à César, on nous renîrait tous;
Quand le proscrit devrait s'enfuir de porte en porte,
Aux hommes déchiré comme un haillon aux clous;

Quand le désert, où Dieu contre l'homme proteste,
Bannirait les bannis, chasserait les chassés;   30
Quand même, infâme aussi, lâche comme le reste,
Le tombeau jetterait dehors les trépassés;

Je ne fléchirai pas! Sans plainte dans la bouche,
Calme, le deuil au cœur, dedaignant le troupeau,
Je vous embrasserai dans mon exil farouche,   35
Patrie, ô mon autel! Liberté, mon drapeau!

Mes nobles compagnons, je garde votre culte;
Bannis, la république est là qui nous unit.
J'attacherai la gloire à tout ce qu'on insulte;
Je jetterai l'opprobre à tout ce qu'on bénit!   40

Je serai, sous le sac de cendre qui me couvre,
La voix qui dit: malheur! la bouche qui dit: non!
Tandis que tes valets te montreront ton Louvre,
Moi, je te montrerai, césar, ton cabanon.

Devant les trahisons et les têtes courbées,   45
Je croiserai les bras, indigné, mais serein.
Sombre fidélité pour les choses tombées,
Sois ma force et ma joie et mon pilier d'airain!

Oui, tant qu'il sera là, qu'on cède ou qu'on persiste,
O France! France aimée et qu'on pleure toujours,   50
Je ne reverrai pas ta terre douce et triste,
Tombeau de mes aïeux et nid de mes amours!

Je ne reverrai pas ta rive qui nous tente,
France! hors le devoir, hélas! j'oublîrai tout.
Parmi les éprouvés je planterai ma tente.   55
Je resterai proscrit, voulant rester debout.

J'accepte l'âpre exil, n'eût-il ni fin ni terme,
Sans chercher à savoir et sans considérer
Si quelqu'un a plié qu'on aurait cru plus ferme,
Et si plusieurs s'en vont qui devraient demeurer.   60

Si l'on n'est plus que mille, eh bien, j'en suis! Si même
Ils ne sont plus que cent, je brave encor Sylla;
S'il en demeure dix, je serai le dixième;
Et s'il n'en reste qu'un, je serai celui-là!

Jersey, 14 décembre.

LES CONTEMPLATIONS

TOME I—AUTREFOIS

LIVRE PREMIER—AURORE
VII

80. RÉPONSE A UN ACTE D'ACCUSATION

Donc, c'est moi qui suis l'ogre et le bouc émissaire.
Dans ce chaos du siècle où votre cœur se serre,
J'ai foulé le bon goût et l'ancien vers françois
Sous mes pieds, et, hideux, j'ai dit à l'ombre: «Sois!»
Et l'ombre fut.—Voilà votre réquisitoire.   5
Langue, tragédie, art, dogmes, conservatoire,
Toute cette clarté s'est éteinte, et je suis
Le responsable, et j'ai vidé l'urne des nuits.
De la chute de tout je suis la pioche inepte;
C'est votre point de vue. Eh bien, soit, je l'accepte;   10
C'est moi que votre prose en colère a choisi;
Vous me criez: Racca; moi, je vous dis: Merci!
Cette marche du temps, qui ne sort d'une église
Que pour entrer dans l'autre, et qui se civilise;
Ces grandes questions d'art et de liberté,   15
Voyons-les, j'y consens, par le moindre côté,
Et par le petit bout de la lorgnette. En somme,
J'en conviens, oui, je suis cet abominable homme;
Et, quoique, en vérité, je pense avoir commis
D'autres crimes encor que vous avez omis,   20
Avoir un peu touché les questions obscures,

Avoir sondé les maux, avoir cherché les cures,
De la vieille ânerie insulté les vieux bâts,
Secoué le passé du haut jusques en bas,
Et saccagé le fond tout autant que la forme, 25
Je me borne à ceci: je suis ce monstre énorme,
Je suis le démagogue horrible et débordé,
Et le dévastateur du vieil A B C D;
Causons.

  Quand je sortis du collège, du thème,
Des vers latins, farouche, espèce d'enfant blême 30
Et grave, au front penchant, aux membres appauvris;
Quand, tâchant de comprendre et de juger, j'ouvris
Les yeux sur la nature et sur l'art, l'idiome,
Peuple et noblesse, était l'image du royaume;
La poésie était la monarchie; un mot 35
Était un duc et pair, ou n'était qu'un grimaud;
Les syllabes, pas plus que Paris et que Londre,
Ne se mêlaient; ainsi marchent sans se confondre
Piétons et cavaliers traversant le pont Neuf;
La langue était l'État avant quatre-vingt-neuf; 40
Les mots, bien ou mal nés, vivaient parqués en castes;
Les uns, nobles, hantant les Phèdres, les Jocastes,
Les Méropes, ayant le décorum pour loi,
Et montant à Versaille aux carrosses du roi;
Les autres, tas de gueux, drôles patibulaires, 45
Habitant les patois; quelques-uns aux galères
Dans l'argot; dévoués à tous les genres bas,
Déchirés en haillons dans les halles; sans bas,
Sans perruque; créés pour la prose et la farce;
Populace du style au fond de l'ombre éparse; 50
Vilains, rustres, croquants, que Vaugelas leur chef
Dans le bagne Lexique avait marqués d'une F;
N'exprimant que la vie abjecte et familière,
Vils, dégradés, flétris, bourgeois, bons pour Molière.
Racine regardait ces marauds de travers; 55
Si Corneille en trouvait un blotti dans son vers,

Il le gardait, trop grand pour dire: Qu'il s'en aille;
Et Voltaire criait: Corneille s'encanaille!
Le bonhomme Corneille, humble, se tenait coi.
Alors, brigand, je vins; je m'écriai: Pourquoi   60
Ceux-ci toujours devant, ceux-là toujours derrière?
Et sur l'Académie, aïeule et douairière,
Cachant sous ses jupons les tropes effarés,
Et sur les bataillons d'alexandrins carrés,
Je fis souffler un vent révolutionnaire.   65
Je mis un bonnet rouge au vieux dictionnaire.
Plus de mot sénateur! plus de mot roturier!
Je fis une tempête au fond de l'encrier,
Et je mêlai, parmi les ombres débordées,
Au peuple noir des mots l'essaim blanc des idées;   70
Et je dis: Pas de mot où l'idée au vol pur
Ne puisse se poser, tout humide d'azur!
Discours affreux!—Syllepse, hypallage, litote,
Frémirent; je montai sur la borne Aristote,
Et déclarai les mots égaux, libres, majeurs.   75
Tous les envahisseurs et tous les ravageurs,
Tous ces tigres, les Huns, les Scythes et les Daces,
N'étaient que des toutous auprès de mes audaces;
Je bondis hors du cercle et brisai le compas.
Je nommai le cochon par son nom; pourquoi pas?   80
Guichardin a nommé le Borgia! Tacite
Le Vitellius! Fauve, implacable, explicite,
J'ôtai du cou du chien stupéfait son collier
D'épithètes; dans l'herbe, à l'ombre du hallier,
Je fis fraterniser la vache et la génisse,   85
L'une étant Margoton et l'autre Bérénice.
Alors, l'ode, embrassant Rabelais, s'enivra;
Sur le sommet du Pinde on dansait Ça ira;
Les neuf muses, seins nus, chantaient la Carmagnole;
L'emphase frissonna dans sa fraise espagnole;   90
Jean, l'ânier, épousa la bergère Myrtil.
On entendit un roi dire: «Quelle heure est-il?»

Je massacrai l'albâtre, et la neige, et l'ivoire,
Je retirai le jais de la prunelle noire,
Et j'osai dire au bras: Sois blanc, tout simplement.   95
Je violai du vers le cadavre fumant;
J'y fis entrer le chiffre; ô terreur! Mithridate
Du siège de Cyzique eût pu citer la date.
Jours d'effroi! les Laïs devinrent des catins.
Force mots, par Restaut peignés tous les matins,   100
Et de Louis-Quatorze ayant gardé l'allure,
Portaient encor perruque; à cette chevelure
La Révolution, du haut de son beffroi,
Cria: «Transforme-toi! c'est l'heure. Remplis-toi
«De l'âme de ces mots que tu tiens prisonnière!»   105
Et la perruque alors rugit, et fut crinière.
Liberté! c'est ainsi qu'en nos rébellions,
Avec des épagneuls nous fîmes des lions,
Et que, sous l'ouragan maudit que nous soufflâmes,
Toutes sortes de mots se couvrirent de flammes.   110
J'affichai sur Lhomond des proclamations.
On y lisait: «Il faut que nous en finissions!
«Au panier les Bouhours, les Batteux, les Brossettes!
«A la pensée humaine ils ont mis les poucettes.
«Aux armes, prose et vers! formez vos bataillons!   115
«Voyez où l'on en est: la strophe a des bâillons!
«L'ode a les fers aux pieds, le drame est en cellule.
«Sur le Racine mort le Campistron pullule!»
Boileau grinça des dents; je lui dis: Ci-devant,
Silence! et je criai dans la foudre et le vent: 120
Guerre à la rhétorique et paix à la syntaxe!
Et tout quatre-vingt-treize éclata. Sur leur axe,
On vit trembler l'athos, l'ithos et le pathos.
Les matassins, lâchant Pourceaugnac et Cathos,
Poursuivant Dumarsais dans leur hideux bastringue,   125
Des ondes du Permesse emplirent leur seringue.
La syllabe, enjambant le loi qui la tria,
Le substantif manant, le verbe paria,

Accoururent. On but l'horreur jusqu'à la lie.
On les vit déterrer le songe d'Athalie;   130
Ils jetèrent au vent les cendres du récit
De Théramène; et l'astre Institut s'obscurcit.
Oui, de l'ancien régime ils ont fait tables rases,
Et j'ai battu des mains, buveur du sang des phrases,
Quand j'ai vu par la strophe écumante et disant   135
Les choses dans un style énorme et rugissant,
L'Art poétique pris au collet dans la rue,
Et quand j'ai vu, parmi la foule qui se rue,
Pendre, par tous les mots que le bon goût proscrit,
La lettre aristocrate à la lanterne esprit.   140
Oui, je suis ce Danton! je suis ce Robespierre!
J'ai, contre le mot noble à la longue rapière,
Insurgé le vocable ignoble, son valet,
Et j'ai, sur Dangeau mort, égorgé Richelet.
Oui, c'est vrai, ce sont là quelques-uns de mes crimes.   145
J'ai pris et démoli la bastille des rimes.
J'ai fait plus: j'ai brisé tous les carcans de fer
Qui liaient le mot peuple, et tiré de l'enfer
Tous les vieux mots damnés, légions sépulcrales;
J'ai de la périphase écrasé les spirales,   150
Et mêlé, confondu, nivelé sous le ciel
L'alphabet, sombre tour qui naquit de Babel;
Et je n'ignorais pas que la main courroucée
Qui délivre le mot, délivre la pensée.
L'unité, des efforts de l'homme est l'attribut.   155
Tout est la même flèche et frappe au même but.

Donc, j'en conviens, voilà, déduits en style honnête,
Plusieurs de mes forfaits, et j'apporte ma tête.
Vous devez être vieux, par conséquent, papa,
Pour la dixième fois j'en fais meâ culpâ.   160
Oui, si Beauzée est dieu, c'est vrai, je suis athée.
La langue était en ordre, auguste, époussetée,
Fleur-de-lis d'or, Tristan et Boileau, plafond bleu,

Les quarante fauteuils et le trône au milieu;
Je l'ai troublée, et j'ai, dans ce salon illustre, 165
Même un peu cassé tout; le mot propre, ce rustre,
N'était que caporal: je l'ai fait colonel;
J'ai fait un jacobin du pronom personnel,
Du participe, esclave à la tête blanchie,
Une hyène, et du verbe une hydre d'anarchie. 170
Vous tenez le *reum confitentem*. Tonnez!
J'ai dit à la narine: Eh mais! tu n'est qu'un nez!
J'ai dit au long fruit d'or: Mais tu n'es qu'une poire!
J'ai dit à Vaugelas: Tu n'es qu'une mâchoire!
J'ai dit aux mots: Soyez république! soyez 175
La fourmilière immense, et travaillez! Croyez,
Aimez, vivez!—J'ai mis tout en branle, et, morose,
J'ai jeté le vers noble aux chiens noirs de la prose.

Et, ce que je faisais, d'autres l'ont fait aussi;
Mieux que moi. Calliope, Euterpe au ton transi, 180
Polymnie, ont perdu leur gravité postiche.
Nous faisons basculer la balance hémistiche.
C'est vrai, maudissez-nous. Le vers, qui, sur son front
Jadis portait toujours douze plumes en rond,
Et sans cesse sautait sur la double raquette 185
Qu'on nomme prosodie et qu'on nomme étiquette,
Rompt désormais la règle et trompe le ciseau,
Et s'échappe, volant qui se change en oiseau,
De la cage césure, et fuit vers la ravine,
Et vole dans les cieux, alouette divine. 190

Tous les mots à présent planent dans la clarté.
Les écrivains ont mis la langue en liberté.
Et, grâce à ces bandits, grâce à ces terroristes,
Le vrai, chassant l'essaim des pédagogues tristes,
L'imagination, tapageuse aux cent voix, 195
Qui casse des carreaux dans l'esprit des bourgeois;
La poésie au front triple, qui rit, soupire

Et chante; raille et croit; que Plaute et que Shakespeare
Semaient, l'un sur la plebs, et l'autre sur le mob;
Qui verse aux nations la sagesse de Job   200
Et la raison d'Horace à travers sa démence;
Qu'enivre de l'azur la frénésie immense,
Et qui, folle sacrée aux regards éclatants,
Monte à l'éternité par les degrés du temps,
La muse reparaît, nous reprend, nous ramène,   205
Se remet à pleurer sur la misère humaine,
Frappe et console, va du zénith au nadir,
Et fait sur tous les fronts reluire et resplendir
Son vol, tourbillon, lyre, ouragan d'étincelles,
Et ses millions d'yeux sur ses millions d'ailes.   210

Le mouvement complète ainsi son action.
Grâce à toi, progrès saint, la Révolution
Vibre aujourd'hui dans l'air, dans la voix, dans le livre;
Dans le mot palpitant le lecteur la sent vivre;
Elle crie, elle chante, elle enseigne, elle rit.   215
Sa langue est déliée ainsi que son esprit.
Elle est dans le roman, parlant tout bas aux femmes.
Elle ouvre maintenant deux yeux où sont deux flammes,
L'un sur le citoyen, l'autre sur le penseur.
Elle prend par la main la Liberté, sa sœur,   220
Et la fait dans tout homme entrer par tous les pores.
Les préjugés, formés, comme les madrépores,
Du sombre entassement des abus sous les temps,
Se dissolvent au choc de tous les mots flottants,
Pleins de sa volonté, de son but, de son âme.   225
Elle est la prose, elle est le vers, elle est le drame;
Elle est l'expression, elle est le sentiment,
Lanterne dans la rue, étoile au firmament.
Elle entre aux profondeurs du langage insondable;
Elle souffle dans l'art, porte-voix formidable;   230
Et, c'est Dieu qui le veut, après avoir rempli
De ses fiertés le peuple, effacé le vieux pli

Des fronts, et relevé la foule dégradée,
Et s'être faite droit, elle se fait idée!

Paris, janvier 1834.

XXII

81.   LA FÊTE CHEZ THÉRÈSE

La chose fut exquise et fort bien ordonnée.
C'était au mois d'avril, et dans une journée
Si douce, qu'on eût dit qu'amour l'eût faite exprès.
Thérèse la duchesse à qui je donnerais,
Si j'étais roi, Paris, si j'étais Dieu, le monde,   5
Quand elle ne serait que Thérèse la blonde;
Cette belle Thérèse, aux yeux de diamant,
Nous avait conviés dans son jardin charmant.

On était peu nombreux. Le choix faisait la fête.
Nous étions tous ensemble et chacun tête à tête.   10
Des couples pas à pas erraient de tous côtés.
C'étaient les fiers seigneurs et les rares beautés,
Les Amyntas rêvant auprès des Léonores,
Les marquises riant avec les monsignores;
Et l'on voyait rôder dans les grands escaliers   15
Un nain qui dérobait leur bourse aux cavaliers.

A midi, le spectacle avec la mélodie.
Pourquoi jouer Plautus la nuit? La comédie
Est une belle fille, et rit mieux au grand jour.
Or, on avait bâti, comme un temple d'amour,   20
Près d'un bassin dans l'ombre habité par un cygne,
Un théâtre en treillage où grimpait une vigne.
Un cintre à claire-voie en anse de panier,
Cage verte où sifflait un bouvreuil prisonnier,
Couvrait toute la scène, et, sur leurs gorges blanches,   25
Les actrices sentaient errer l'ombre des branches.

On entendait au loin de magiques accords;
Et, tout en haut, sortant de la frise à mi-corps,
Pour attirer la foule aux lazzis qu'il répète,
Le blanc Pulcinella sonnait de la trompette.   30
Deux faunes soutenaient le manteau d'Arlequin;
Trivelin leur riait au nez comme un faquin.
Parmi les ornements sculptés dans le treillage,
Colombine dormait dans un gros coquillage,
Et, quand elle montrait son sein et ses bras nus,   35
On eût cru voir la conque, et l'on eût dit Vénus.
Le seigneur Pantalon, dans une niche, à droite,
Vendait des limons doux sur une table étroite,
Et criait par instants:—«Seigneurs, l'homme est divin.
Dieu n'avait fait que l'eau, mais l'homme a fait le vin!»   40
Scaramouche en un coin harcelait de sa batte
Le tragique Alcantor, suivi du triste Arbate;
Crispin, vêtu de noir, jouait de l'éventail;
Perché, jambe pendante, au sommet du portail,
Carlino se penchait, écoutant les aubades,   45
Et son pied ébauchait de rêveuses gambades.

Le soleil tenait lieu de lustre; la saison
Avait brodé de fleurs un immense gazon,
Vert tapis déroulé sous maint groupe folâtre.
Rangés des deux côtés de l'agreste théâtre,   50
Les vrais arbres du parc, les sorbiers, les lilas,
Les ébéniers qu'avril charge de falbalas,
De leur sève embaumée exhalant les délices,
Semblaient se divertir à faire les coulisses,
Et, pour nous voir, ouvrant leurs fleurs comme des yeux,   55
Joignaient aux violons leur murmure joyeux;
Si bien qu'à ce concert gracieux et classique,
La nature mêlait un peu de sa musique.

Tout nous charmait, les bois, le jour serein, l'air pur,
Les femmes tout amour, et le ciel tout azur.   60

Pour la pièce, elle était fort bonne, quoique ancienne.
C'était, nonchalamment assis sur l'avant-scène,
Pierrot, qui haranguait, dans un grave entretien,
Un singe timbalier à cheval sur un chien.

Rien de plus. C'était simple et beau.—Par intervalles, 65
Le singe faisait rage et cognait ses timbales;
Puis Pierrot répliquait.—Écoutait qui voulait.
L'un faisait apporter des glaces au valet;
L'autre, galant drapé d'une cape fantasque,
Parlait bas à sa dame en lui nouant son masque; 70
Trois marquis attablés chantaient une chanson;
Thérèse était assise à l'ombre d'un buisson:
Les roses pâlissaient à côté de sa joue,
Et, la voyant si belle, un paon faisait la roue.

Moi, j'écoutais, pensif, un profane couplet 75
Que fredonnait dans l'ombre un abbé violet.

La nuit vint, tout se tut; les flambeaux s'éteignirent;
Dans les bois assombris les sources se plaignirent;
Le rossignol, caché dans son nid ténébreux,
Chanta comme un poète et comme un amoureux. 80
Chacun se dispersa sous les profonds feuillages;
Les folles en riant entraînèrent les sages;
L'amante s'en alla dans l'ombre avec l'amant;
Et, troublés comme on l'est en songe, vaguement,
Ils sentaient par degrés se mêler à leur âme, 85
A leurs discours secrets, à leurs regards de flamme,
A leur cœur, à leurs sens, à leur molle raison,
Le clair de lune bleu qui baignait l'horizon.

Avril 18..

LIVRE DEUXIÈME—L'AME EN FLEURS

II

82.   MES VERS FUIRAIENT, DOUX ET FRÊLES

Mes vers fuiraient, doux et frêles,
Vers votre jardin si beau,
Si mes vers avaient des ailes,
Des ailes comme l'oiseau.

Ils voleraient, étincelles,   5
Vers votre foyer qui rit,
Si mes vers avaient des ailes,
Des ailes comme l'esprit.

Près de vous, purs et fidèles,
Ils accourraient nuit et jour,   10
Si mes vers avaient des ailes,
Des ailes comme l'amour.

Paris, mars 18..

III

83.   LE ROUET D'OMPHALE

Il est dans l'atrium, le beau rouet d'ivoire.
La roue agile est blanche, et la quenouille est noire;
La quenouille est d'ébène incrusté de lapis.
Il est dans l'atrium sur un riche tapis.

Un ouvrier d'Égine a sculpté sur la plinthe   5
Europe, dont un dieu n'écoute pas la plainte.
Le taureau blanc l'emporte. Europe, sans espoir,
Crie, et baissant les yeux, s'épouvante de voir
L'Océan monstrueux qui baise ses pieds roses.

Des aiguilles, du fil, des boîtes demi-closes, 10
Les laines de Milet, peintes de pourpre et d'or,
Emplissent un panier près du rouet qui dort.

Cependant, odieux, effroyables, énormes,
Dans le fond du palais, vingt fantômes difformes,
Vingt monstres tout sanglants, qu'on ne voit qu'à demi, 15
Errent en foule autour du rouet endormi:
Le lion néméen, l'hydre affreuse de Lerne,
Cacus, le noir brigand de la noire caverne,
Le triple Géryon, et les typhons des eaux,
Qui le soir à grand bruit soufflent dans les roseaux; 20
De la massue au front tous ont l'empreinte horrible,
Et tous, sans approcher, rôdant d'un air terrible,
Sur le rouet, où pend un fil souple et lié,
Fixent de loin dans l'ombre un œil humilié.

Juin 18..

XXVI

84.   CRÉPUSCULE

L'étang mystérieux, suaire aux blanches moires,
Frissonne; au fond du bois, la clairière apparaît;
Les arbres sont profonds et les branches sont noires;
Avez-vous vu Vénus à travers la forêt?

Avez-vous vu Vénus au sommet des collines? 5
Vous qui passez dans l'ombre, êtes-vous des amants?
Les sentiers bruns sont pleins de blanches mousselines;
L'herbe s'éveille et parle aux sépulcres dormants.

Que dit-il, le brin d'herbe? et que répond la tombe?
Aimez, vous qui vivez! on a froid sous les ifs. 10
Lèvre, cherche la bouche! aimez-vous! la nuit tombe;
Soyez heureux pendant que nous sommes pensifs.

Dieu veut qu'on ait aimé. Vivez! faites envie,
O couples qui passez sous le vert coudrier.
Tout ce que dans la tombe, en sortant de la vie, 15
On emporta d'amour, on l'emploie à prier.

Les mortes d'aujourd'hui furent jadis les belles.
Le ver luisant dans l'ombre erre avec son flambeau.
Le vent fait tressaillir, au milieu des javelles,
Le brin d'herbe, et Dieu fait tressaillir le tombeau. 20

La forme d'un toit noir dessine une chaumière;
On entend dans les prés le pas lourd du faucheur;
L'étoile aux cieux, ainsi qu'une fleur de lumière,
Ouvre et fait rayonner sa splendide fraîcheur.

Aimez-vous! c'est le mois où les fraises sont mûres. 25
L'ange du soir rêveur, qui flotte dans les vents,
Mêle, en les emportant sur ses ailes obscures,
Les prières des morts aux baisers des vivants.

Chelles, août 18. .

LIVRE TROISIÈME—LES LUTTES ET LES RÊVES

IV

85.   ÉCRIT AU BAS D'UN CRUCIFIX

Vous qui pleurez, venez à ce Dieu, car il pleure.
Vous qui souffrez, venez à lui, car il guérit.
Vous qui tremblez, venez à lui, car il sourit.
Vous qui passez, venez à lui, car il demeure.

Mars 1842.

XXVII

86.   J'AIME L'ARAIGNÉE ET J'AIME L'ORTIE

J'aime l'araignée et j'aime l'ortie,
    Parce qu'on les hait;
Et que rien n'exauce et que tout châtie
    Leur morne souhait;

Parce qu'elles sont maudites, chétives,   5
    Noirs êtres rampants;
Parce qu'elles sont les tristes captives
    De leur guet-apens;

Parce qu'elles sont prises dans leur œuvre;
    O sort! fatals nœuds!   10
Parce que l'ortie est une couleuvre,
    L'araignée un gueux;

Parce qu'elles ont l'ombre des abîmes,
    Parce qu'on les fuit,
Parce qu'elles sont toutes deux victimes   15
    De la sombre nuit.

Passants, faites grâce à la plante obscure,
    Au pauvre animal.
Plaignez la laideur, plaignez la piqûre,
    Oh! plaignez le mal!   20

Il n'est rien qui n'ait sa mélancolie;
    Tout veut un baiser.
Dans leur fauve horreur, pour peu qu'on oublie
    De les écraser,

Pour peu qu'on leur jette un œil moins superbe,   25
    Tout bas loin du jour,

La mauvaise bête et la mauvaise herbe
Murmurent: Amour!

Juillet 1842.

TOME II—AUJOURD'HUI

LIVRE QUATRIÈME—PAUCA MEÆ

IV

87. OH! JE FUS COMME FOU DANS LE PREMIER MOMENT

Oh! je fus comme fou dans le premier moment,
Hélas! et je pleurai trois jours amèrement.
Vous tous à qui Dieu prit votre chère espérance,
Pères, mères, dont l'âme a souffert ma souffrance,
Tout ce que j'éprouvais, l'avez-vous éprouvé?   5
Je voulais me briser le front sur le pavé;
Puis je me révoltais, et, par moments, terrible,
Je fixais mes regards sur cette chose horrible,
Et je n'y croyais pas, et je m'écriais: Non!
—Est-ce que Dieu permet de ces malheurs sans nom   10
Qui font que dans le cœur le désespoir se lève?—
Il me semblait que tout n'était qu'un affreux rêve,
Qu'elle ne pouvait pas m'avoir ainsi quitté,
Que je l'entendais rire en la chambre à côté,
Que c'était impossible enfin qu'elle fût morte,   15
Et que j'allais la voir entrer par cette porte!

Oh! que de fois j'ai dit: Silence! elle a parlé!
Tenez! voici le bruit de sa main sur la clé!
Attendez! elle vient! Laissez-moi, que j'écoute!
Car elle est quelque part dans la maison sans doute! 20

Marine-Terrace, 4 septembre 1852.

V

88. ELLE AVAIT PRIS CE PLI DANS SON AGE
ENFANTIN

Elle avait pris ce pli dans son âge enfantin
De venir dans ma chambre un peu chaque matin;
Je l'attendais ainsi qu'un rayon qu'on espère;
Elle entrait, et disait: «Bonjour, mon petit père;»
Prenait ma plume, ouvrait mes livres, s'asseyait   5
Sur mon lit, dérangeait mes papiers, et riait,
Puis soudain s'en allait comme un oiseau qui passe.
Alors, je reprenais, la tête un peu moins lasse,
Mon œuvre interrompue, et, tout en écrivant,
Parmi mes manuscrits je rencontrais souvent   10
Quelque arabesque folle et qu'elle avait tracée,
Et mainte page blanche entre ses mains froissée
Où, je ne sais comment, venaient mes plus doux vers.
Elle aimait Dieu, les fleurs, les astres, les prés verts,
Et c'était un esprit avant d'être une femme.   15
Son regard reflétait la clarté de son âme.
Elle me consultait sur tout à tous moments.
Oh! que de soirs d'hiver radieux et charmants,
Passés à raisonner langue, histoire et grammaire,
Mes quatre enfants groupés sur mes genoux, leur mère   20
Tout près, quelques amis causant au coin du feu!
J'appelais cette vie être content de peu!
Et dire qu'elle est morte! hélas! que Dieu m'assiste!
Je n'étais jamais gai quand je la sentais triste;
J'étais morne au milieu du bal le plus joyeux   25
Si j'avais, en partant, vu quelque ombre en ses yeux.

                              Novembre 1846, jour des morts.

XIV

89.   DEMAIN, DÈS L'AUBE, A L'HEURE
                  OU BLANCHIT LA CAMPAGNE

Demain, dès l'aube, à l'heure où blanchit la campagne,
Je partirai. Vois-tu, je sais que tu m'attends.
J'irai par la forêt, j'irai par la montagne.
Je ne puis demeurer loin de toi plus longtemps.

Je marcherai les yeux fixés sur mes pensées,   5
Sans rien voir au dehors, sans entendre aucun bruit,
Seul, inconnu, le dos courbé, les mains croisées,
Triste, et le jour pour moi sera comme la nuit.

Je ne regarderai ni l'or du soir qui tombe,
Ni les voiles au loin descendant vers Harfleur,   10
Et, quand j'arriverai, je mettrai sur ta tombe
Un bouquet de houx vert et de bruyère en fleur.

3 septembre 1847.

XV

90.   A VILLEQUIER

Maintenant que Paris, ses pavés et ses marbres,
Et sa brume et ses toits sont bien loin de mes yeux;
Maintenant que je suis sous les branches des arbres,
Et que je puis songer à la beauté des cieux;

Maintenant que du deuil qui m'a fait l'âme obscure   5
          Je sors, pâle et vainqueur,
Et que je sens la paix de la grande nature
          Qui m'entre dans le cœur;

Maintenant que je puis, assis au bord des ondes,
Ému par ce superbe et tranquille horizon, 10
Examiner en moi les vérités profondes
Et regarder les fleurs qui sont dans le gazon;

Maintenant, ô mon Dieu! que j'ai ce calme sombre
  De pouvoir désormais
Voir de mes yeux la pierre où je sais que dans l'ombre 15
  Elle dort pour jamais;

Maintenant qu'attendri par ces divins spectacles,
Plaines, forêts, rochers, vallons, fleuve argenté,
Voyant ma petitesse et voyant vos miracles,
Je reprends ma raison devant l'immensité; 20

Je viens à vous, Seigneur, père auquel il faut croire;
  Je vous porte, apaisé,
Les morceaux de ce cœur tout plein de votre gloire
  Que vous avez brisé;

Je viens à vous, Seigneur! confessant que vous êtes 25
Bon, clément, indulgent et doux, ô Dieu vivant!
Je conviens que vous seul savez ce que vous faites,
Et que l'homme n'est rien qu'un jonc qui tremble au vent;

Je dis que le tombeau qui sur les morts se ferme
  Ouvre le firmament; 30
Et que ce qu'ici-bas nous prenons pour le terme
  Est le commencement;

Je conviens à genoux que vous seul, père auguste,
Possédez l'infini, le réel, l'absolu;
Je conviens qu'il est bon, je conviens qu'il est juste 35
Que mon cœur ait saigné, puisque Dieu l'a voulu!

Je ne résiste plus à tout ce qui m'arrive
    Par votre volonté.
L'âme de deuils en deuils, l'homme de rive en rive
    Roule à l'éternité.   40

Nous ne voyons jamais qu'un seul côté des choses;
L'autre plonge en la nuit d'un mystère effrayant.
L'homme subit le joug sans connaître les causes.
Tout ce qu'il voit est court, inutile et fuyant.

Vous faites revenir toujours la solitude   45
    Autour de tous ses pas.
Vous n'avez pas voulu qu'il eût la certitude
    Ni la joie ici-bas!

Dès qu'il possède un bien, le sort le lui retire.
Rien ne lui fut donné, dans ses rapides jours,   50
Pour qu'il s'en puisse faire une demeure, et dire:
C'est ici ma maison, mon champ et mes amours!

Il doit voir peu de temps tout ce que ses yeux voient;
    Il vieillit sans soutiens.
Puisque ces choses sont, c'est qu'il faut qu'elles soient;   55
    J'en conviens, j'en conviens!

Le monde est sombre, ô Dieu! l'immuable harmonie
Se compose des pleurs aussi bien que des chants;
L'homme n'est qu'un atome en cette ombre infinie,
Nuit où montent les bons, où tombent les méchants.   60

Je sais que vous avez bien autre chose à faire
    Que de nous plaindre tous,
Et qu'un enfant qui meurt, désespoir de sa mère,
    Ne vous fait rien, à vous!

Je sais que le fruit tombe au vent qui le secoue; 65
Que l'oiseau perd sa plume et la fleur son parfum;
Que la création est une grande roue
Qui ne peut se mouvoir sans écraser quelqu'un;

Les mois, les jours, les flots des mers, les yeux qui pleurent,
    Passent sous le ciel bleu; 70
Il faut que l'herbe pousse et que les enfants meurent;
    Je le sais, ô mon Dieu!

Dans vos cieux, au delà de la sphère des nues,
Au fond de cet azur immobile et dormant,
Peut-être faites-vous des choses inconnues 75
Où la douleur de l'homme entre comme élément.

Peut-être est-il utile à vos desseins sans nombre
    Que des êtres charmants
S'en aillent, emportés par le tourbillon sombre
    Des noirs événements. 80

Nos destins ténébreux vont sous des lois immenses
Que rien ne déconcerte et que rien n'attendrit.
Vous ne pouvez avoir de subites clémences
Qui dérangent le monde, ô Dieu, tranquille esprit!

Je vous supplie, ô Dieu! de regarder mon âme, 85
    Et de considérer
Qu'humble comme un enfant et doux comme une femme,
    Je viens vous adorer!

Considérez encor que j'avais, dès l'aurore,
Travaillé, combattu, pensé, marché, lutté, 90
Expliquant la nature à l'homme qui l'ignore,
Éclairant toute chose avec votre clarté;

Que j'avais, affrontant la haine et la colère,
    Fait ma tâche ici-bas,
Que je ne pouvais pas m'attendre à ce salaire,   95
    Que je ne pouvais pas

Prévoir que, vous aussi, sur ma tête qui ploie,
Vous appesantiriez votre bras triomphant,
Et que, vous qui voyiez comme j'ai peu de joie,
Vous me reprendriez si vite mon enfant!   100

Qu'une âme ainsi frappée à se plaindre est sujette,
    Que j'ai pu blasphémer,
Et vous jeter mes cris comme un enfant qui jette
    Une pierre à la mer!

Considérez qu'on doute, ô mon Dieu! quand on souffre,   105
Que l'œil qui pleure trop finit par s'aveugler,
Qu'un être que son deuil plonge au plus noir du gouffre,
Quand il ne vous voit plus, ne peut vous contempler,

Et qu'il ne se peut pas que l'homme, lorsqu'il sombre
    Dans les afflictions,   110
Ait présente à l'esprit la sérénité sombre
    Des constellations!

Aujourd'hui, moi qui fus faible comme une mère,
Je me courbe à vos pieds devant vos cieux ouverts.
Je me sens éclairé dans ma douleur amère   115
Par un meilleur regard jeté sur l'univers.

Seigneur, je reconnais que l'homme est en délire,
    S'il ose murmurer;
Je cesse d'accuser, je cesse de maudire,
    Mais laissez-moi pleurer!   120

Hélas! laissez les pleurs couler de ma paupière,
Puisque vous avez fait les hommes pour cela!
Laissez-moi me pencher sur cette froide pierre
Et dire à mon enfant: Sens-tu que je suis-là?

Laissez-moi lui parler, incliné sur ses restes, 125
  Le soir, quand tout se tait,
Comme si, dans sa nuit rouvrant ses yeux célestes,
  Cet ange m'écoutait!

Hélas! vers le passé tournant un œil d'envie,
Sans que rien ici-bas puisse m'en consoler, 130
Je regarde toujours ce moment de ma vie
Où je l'ai vue ouvrir son aile et s'envoler!

Je verrai cet instant jusqu'à ce que je meure,
  L'instant, pleurs superflus!
Où je criai: L'enfant que j'avais tout à l'heure, 135
  Quoi donc! je ne l'ai plus!

Ne vous irritez pas que je sois de la sorte,
O mon Dieu! cette plaie a si longtemps saigné!
L'angoisse dans mon âme est toujours la plus forte,
Et mon cœur est soumis, mais n'est pas résigné. 140

Ne vous irritez pas! fronts que le deuil réclame,
  Mortels sujets aux pleurs,
Il nous est malaisé de retirer notre âme
  De ces grandes douleurs.

Voyez-vous, nos enfants nous sont bien nécessaires, 145
Seigneur; quand on a vu dans sa vie, un matin,
Au milieu des ennuis, des peines, des misères,
Et de l'ombre que fait sur nous notre destin,

Apparaître un enfant, tête chère et sacrée,
    Petit être joyeux,   150
Si beau, qu'on a cru voir s'ouvrir à son entrée
    Une porte des cieux;

Quand on a vu, seize ans, de cet autre soi-même
Croître la grâce aimable et la douce raison,
Lorsqu'on a reconnu que cet enfant qu'on aime   155
Fait le jour dans notre âme et dans notre maison,

Que c'est la seule joie ici-bas qui persiste
    De tout ce qu'on rêva,
Considérez que c'est une chose bien triste
    De le voir qui s'en va!   160

                  Villequier, 4 septembre 1847.

LIVRE CINQUIÈME—EN MARCHE

XIII

91.   PAROLES SUR LA DUNE

Maintenant que mon temps décroît comme un flambeau,
    Que mes tâches sont terminées;
Maintenant que voici que je touche au tombeau
    Par les deuils et par les années,

Et qu'au fond de ce ciel que mon essor rêva,   5
    Je vois fuir, vers l'ombre entraînées,
Comme le tourbillon du passé qui s'en va,
    Tant de belles heures sonnées;

Maintenant que je dis:—Un jour nous triomphons;
    Le lendemain, tout est mensonge!—   10
Je suis triste, et je marche au bord des flots profonds,
    Courbé comme celui qui songe.

Je regarde, au-dessus du mont et du vallon,
    Et des mers sans fin remuées,
S'envoler sous le bec du vautour aquilon,
    Toute la toison des nuées;
          15

J'entends le vent dans l'air, la mer sur le récif,
    L'homme liant la gerbe mûre;
J'écoute, et je confronte en mon esprit pensif
    Ce qui parle à ce qui murmure;
          20

Et je reste parfois couché sans me lever
    Sur l'herbe rare de la dune,
Jusqu'à l'heure où l'on voit apparaître et rêver
    Les yeux sinistres de la lune.

Elle monte, elle jette un long rayon dormant
    A l'espace, au mystère, au gouffre;
Et nous nous regardons tous les deux fixement,
    Elle qui brille et moi qui souffre.
          25

Où donc s'en sont allés mes jours évanouis?
    Est-il quelqu'un qui me connaisse?
Ai-je encor quelque chose en mes yeux éblouis,
    De la clarté de ma jeunesse?
          30

Tout s'est-il envolé? Je suis seul, je suis las;
    J'appelle sans qu'on me réponde;
O vents! ô flots! ne suis-je aussi qu'un souffle, hélas!
    Hélas! ne suis-je aussi qu'une onde?
          35

Ne verrai-je plus rien de tout ce que j'aimais?
    Au dedans de moi le soir tombe.
O terre, dont la brume efface les sommets,
    Suis-je le spectre, et toi la tombe?
          40

Ai-je donc vidé tout, vie, amour, joie, espoir?
    J'attends, je demande, j'implore;
Je penche tour à tour mes urnes pour avoir
    De chacune une goutte encore!

Comme le souvenir est voisin du remord!   45
    Comme à pleurer tout nous ramène!
Et que je te sens froide en te touchant, ô mort,
    Noir verrou de la porte humaine!

Et je pense, écoutant gémir le vent amer,
    Et l'onde aux plis infranchissables;   50
L'été rit, et l'on voit sur le bord de la mer
    Fleurir le chardon bleu des sables.

          5 août 1854, anniversaire de mon arrivée à Jersey.

XVII

92.   MUGITUSQUE BOUM

Mugissement des bœufs, au temps du doux Virgile,
Comme aujourd'hui, le soir, quand fuit la nue agile,
Ou, le matin, quand l'aube aux champs extasiés
Verse à flots la rosée et le jour, vous disiez:
«Mûrissez, blés mouvants! prés, emplissez-vous d'herbes!   5
«Que la terre, agitant son panache de gerbes,
«Chante dans l'onde d'or d'une riche moisson!
«Vis, bête; vis, caillou; vis, homme; vis, buisson;
«A l'heure où le soleil se couche, où l'herbe est pleine
«Des grands fantômes noirs des arbres de la plaine   10
«Jusqu'aux lointains coteaux rampant et grandissant,
«Quand le brun laboureur des collines descend
«Et retourne à son toit d'où sort une fumée,
«Que la soif de revoir sa femme bien-aimée
«Et l'enfant qu'en ses bras hier il réchauffait,   15
«Que ce désir, croissant à chaque pas qu'il fait,

«Imite dans son cœur l'allongement de l'ombre!
«Êtres! choses! vivez! sans peur, sans deuil, sans nombre!
«Que tout s'épanouisse en sourire vermeil!
«Que l'homme ait le repos et le bœuf le sommeil! 20
«Vivez! croissez! semez le grain à l'aventure!
«Qu'on sente frissonner dans toute la nature,
«Sous la feuille des nids, au seuil blanc des maisons,
«Dans l'obscur tremblement des profonds horizons,
«Un vaste emportement d'aimer, dans l'herbe verte, 25
«Dans l'antre, dans l'étang, dans la clairière ouverte,
«D'aimer sans fin, d'aimer toujours, d'aimer encor,
«Sous la sérénité des sombres astres d'or!
«Faites tressaillir l'air, le flot, l'aile, la bouche,
«O palpitations du grand amour farouche! 30
«Qu'on sente le baiser de l'être illimité!
«Et, paix, vertu, bonheur, espérance, bonté,
«O fruits divins, tombez des branches éternelles!»

Ainsi vous parliez, voix, grandes voix solennelles; 35
Et Virgile écoutait comme j'écoute, et l'eau
Voyait passer le cygne auguste, et le bouleau
Le vent, et le rocher l'écume, et le ciel sombre
L'homme . . . O nature! abîme! immensité de l'ombre!

Marine-Terrace, juillet 1855.

XXIII

93. **PASTEURS ET TROUPEAUX,**
A MADAME LOUISE C.

Le vallon où je vais tous les jours est charmant,
Serein, abandonné, seul sous le firmament,
Plein de ronces en fleurs; c'est un sourire triste.
Il vous fait oublier que quelque chose existe,
Et, sans le bruit des champs remplis de travailleurs, 5
On ne saurait plus là si quelqu'un vit ailleurs.

Là, l'ombre fait l'amour; l'idylle naturelle
Rit; le bouvreuil avec le verdier s'y querelle,
Et la fauvette y met de travers son bonnet;
C'est tantôt l'aubépine et tantôt le genêt; 10
De noirs granits bourrus, puis des mousses riantes;
Car Dieu fait un poème avec des variantes;
Comme le vieil Homère, il rabâche parfois,
Mais c'est avec les fleurs, les monts, l'onde et les bois!
Une petite mare est là, ridant sa face, 15
Prenant des airs de flot pour la fourmi qui passe,
Ironie étalée au milieu du gazon,
Qu'ignore l'océan grondant à l'horizon.
J'y rencontre parfois sur la roche hideuse
Un doux être; quinze ans, yeux bleus, pieds nus, gardeuse 20
De chèvres, habitant, au fond d'un ravin noir,
Un vieux chaume croulant qui s'étoile le soir;
Ses sœurs sont au logis et filent leur quenouille;
Elle essuie aux roseaux ses pieds que l'étang mouille;
Chèvres, brebis, béliers, paissent; quand, sombre esprit, 25
J'apparais, le pauvre ange a peur, et me sourit;
Et moi, je la salue, elle étant l'innocence.
Ses agneaux, dans le pré plein de fleurs qui l'encense,
Bondissent, et chacun, au soleil s'empourprant,
Laisse aux buissons, à qui la bise le reprend, 30
Un peu de sa toison, comme un flocon d'écume.
Je passe; enfant, troupeau, s'effacent dans la brume;
Le crépuscule étend sur les longs sillons gris
Ses ailes de fantôme et de chauve-souris;
J'entends encore au loin dans la plaine ouvrière 35
Chanter derrière moi la douce chevrière,
Et, là-bas, devant moi, le vieux gardien pensif
De l'écume, du flot, de l'algue, du récif,
Et des vagues sans trêve et sans fin remuées,
Le pâtre promontoire au chapeau de nuées, 40
S'accoude et rêve au bruit de tous les infinis,

Et, dans l'ascension des nuages bénis,
Regarde se lever la lune triomphale,
Pendant que l'ombre tremble, et que l'âpre rafale
Disperse à tous les vents avec son souffle amer   45
La laine des moutons sinistres de la mer.

Jersey, Grouville, avril 1855.

LIVRE SIXIÈME—AU BORD DE L'INFINI

I

94.   LE PONT

J'avais devant les yeux les ténèbres. L'abîme
Qui n'a pas de rivage et qui n'a pas de cime,
Était là, morne, immense; et rien n'y remuait.
Je me sentais perdu dans l'infini muet.
Au fond, à travers l'ombre, impénétrable voile,   5
On apercevait Dieu comme une sombre étoile.
Je m'écriai:—Mon âme, ô mon âme! il faudrait,
Pour traverser ce gouffre où nul bord n'apparaît,
Et pour qu'en cette nuit jusqu'à ton Dieu tu marches,
Bâtir un pont géant sur des milliers d'arches.   10
Qui le pourra jamais? Personne! ô deuil! effroi!
Pleure!—Un fantôme blanc se dressa devant moi
Pendant que je jetais sur l'ombre un œil d'alarme,
Et ce fantôme avait la forme d'une larme;
C'était un front de vierge avec des mains d'enfant;   15
Il ressemblait au lys que la blancheur défend;
Ses mains en se joignant faisaient de la lumière.
Il me montra l'abîme où va toute poussière,
Si profond que jamais un écho n'y répond,
Et me dit:—Si tu veux, je bâtirai le pont.   20
Vers ce pâle inconnu je levai ma paupière.
—Quel est ton nom? lui dis-je. Il me dit:—La prière.

Jersey, décembre 1852.

II

95.   IBO

Dites, pourquoi, dans l'insondable
  Au mur d'airain,
Dans l'obscurité formidable
  Du ciel serein,

Pourquoi, dans ce grand sanctuaire   5
  Sourd et béni,
Pourquoi, sous l'immense suaire
  De l'infini,

Enfouir vos lois éternelles
  Et vos clartés?   10
Vous savez bien que j'ai des ailes,
  O vérités!

Pourquoi vous cachez-vous dans l'ombre
  Qui nous confond?
Pourquoi fuyez-vous l'homme sombre 15
  Au vol profond?

Que le mal détruise ou bâtisse,
  Rampe ou soit roi,
Tu sais bien que j'irai, Justice,
  J'irai vers toi!   20

Beauté sainte, Idéal qui germes
  Chez les souffrants,
Toi par qui les esprits sont fermes
  Et les cœurs grands,

Vous le savez, vous que j'adore,   25
  Amour, Raison,

Qui vous levez comme l'aurore
    Sur l'horizon,

Foi, ceinte d'un cercle d'étoiles,
    Droit, bien de tous,   30
J'irai, Liberté qui te voiles,
    J'irai vers vous!

Vous avez beau, sans fin, sans borne,
    Lueurs de Dieu,
Habiter la profondeur morne   35
    Du gouffre bleu,

Ame à l'abîme habituée
    Dès le berceau,
Je n'ai pas peur de la nuée;
    Je suis oiseau.   40

Je suis oiseau comme cet être
    Qu'Amos rêvait,
Que saint Marc voyait apparaître
    A son chevet,

                                            45
Qui mêlait sur sa tête fière,
    Dans les rayons,
L'aile de l'aigle à la crinière
    Des grands lions.

J'ai des ailes. J'aspire au faîte;
                                            50
    Mon vol est sûr;
J'ai des ailes pour la tempête
    Et pour l'azur.

Je gravis les marches sans nombre.
    Je veux savoir,

Quand la science serait sombre   55
    Comme le soir!

Vous savez bien que l'âme affronte
    Ce noir degré,
Et que, si haut qu'il faut qu'on monte,
    J'y monterai!   60

Vous savez bien que l'âme est forte
    Et ne craint rien
Quand le souffle de Dieu l'emporte!
    Vous savez bien

Que j'irai jusqu'aux bleux pilastres,   65
    Et que mon pas,
Sur l'échelle qui monte aux astres,
    Ne tremble pas!

L'homme, en cette époque agitée,
    Sombre océan,   70
Doit faire comme Prométhée
    Et comme Adam.

Il doit ravir au ciel austère
    L'éternel feu;
Conquérir son propre mystère,   75
    Et voler Dieu.

L'homme a besoin, dans sa chaumière,
    Des vents battu,
D'une loi qui soit sa lumière
    Et sa vertu.   80

Toujours ignorance et misère!
    L'homme en vain fuit,

Le sort le tient; toujours la serre!
    Toujours la nuit!

Il faut que le peuple s'arrache
    Au dur décret,
Et qu'enfin ce grand martyr sache
    Le grand secret!

Déjà l'amour, dans l'ère obscure
    Qui va finir,
Dessine la vague figure
    De l'avenir.

Les lois de nos destins sur terre,
    Dieu les écrit;
Et, si ces lois sont le mystère,
    Je suis l'esprit.

Je suis celui que rien n'arrête,
    Celui qui va,
Celui dont l'âme est toujours prête
    A Jéhovah;

Je suis le poète farouche,
    L'homme devoir,
Le souffle des douleurs, la bouche
    Du clairon noir;

Le rêveur qui sur ses registres
    Met les vivants,
Qui mêle des strophes sinistres
    Aux quatre vents;

Le songeur ailé, l'âpre athlète
    Au bras nerveux,

Et je traînerais la comète
    Par les cheveux.

Donc, les lois de notre problème,
    Je les aurai;
J'irai vers elles, penseur blême,   115
    Mage effaré!

Pourquoi cacher ces lois profondes?
    Rien n'est muré.
Dans vos flammes et dans vos ondes
    Je passerai;   120

J'irai lire la grande bible;
    J'entrerai nu
Jusqu'au tabernacle terrible
    ' De l'inconnu,

Jusqu'au seuil de l'ombre et du vide,   125
    Gouffres ouverts
Que garde la meute livide
    Des noirs éclairs,

Jusqu'aux portes visionnaires
    Du ciel sacré;   130
Et, si vous aboyez, tonnerres,
    Je rugirai.

                    Au dolmen de Rozel, janvier 1853.

IV

96. ÉCOUTEZ. JE SUIS JEAN. J'AI VU DES CHOSES SOMBRES

Écoutez. Je suis Jean. J'ai vu des choses sombres.
J'ai vu l'ombre infinie où se perdent les nombres,

J'ai vu les visions que les réprouvés font,
Les engloutissements de l'abîme sans fond;
J'ai vu le ciel, l'éther, le chaos et l'espace.   5
Vivants! puisque j'en viens, je sais ce qui s'y passe;
Je vous affirme à tous, écoutez bien ma voix,
J'affirme même à ceux qui vivent dans les bois,
Que le Seigneur, le Dieu des esprits des prophètes,
Voit ce que vous pensez et sait ce que vous faites.   10
C'est bien. Continuez, grands, petits, jeunes, vieux!
Que l'avare soit tout à l'or, que l'envieux
Rampe et morde en rampant, que le glouton dévore,
Que celui qui faisait le mal, le fasse encore,
Que celui qui fut lâche et vil, le soit toujours!   15
Voyant vos passions, vos fureurs, vos amours,
J'ai dit à Dieu: «Seigneur, jugez où nous en sommes.
«Considérez la terre et regardez les hommes.
«Ils brisent tous les nœuds qui devaient les unir.»
Et Dieu m'a répondu: «Certes, je vais venir!»   20

Serk, juillet 1853.

XXII

97.   ## CE QUE C'EST QUE LA MORT

Ne dites pas: mourir; dites: naître. Croyez.
On voit ce que je vois et ce que vous voyez;
On est l'homme mauvais que je suis, que vous êtes;
On se rue aux plaisirs, aux tourbillons, aux fêtes;
On tâche d'oublier le bas, la fin, l'écueil,   5
La sombre égalité du mal et du cercueil;
Quoique le plus petit vaille le plus prospère;
Car tous les hommes sont les fils du même père;
Ils sont la même larme et sortent du même œil.
On vit, usant ses jours à se remplir d'orgueil;   10
On marche, on court, on rêve, on souffre, on penche, on tombe,
On monte. Quelle est donc cette aube? C'est la tombe.

Où suis-je? Dans la mort. Viens! Un vent inconnu
Vous jette au seuil des cieux. On tremble; on se voit nu,
Impur, hideux, noué de mille nœuds funèbres   15
De ses torts, de ses maux honteux, de ses ténèbres;
Et soudain on entend quelqu'un dans l'infini
Qui chante, et par quelqu'un on sent qu'on est béni,
Sans voir la main d'où tombe à notre âme méchante
L'amour, et sans savoir quelle est la voix qui chante.   20
On arrive homme, deuil, glaçon, neige; on se sent
Fondre et vivre; et, d'extase et d'azur s'emplissant,
Tout notre être frémit de la défaite étrange
Du monstre que devient dans la lumière un ange.

Au dolmen de la tour Blanche, jour des Morts, novembre 1854.

XXV

98.   NOMEN, NUMEN, LUMEN

Quand il eut terminé, quand les soleils épars,
Éblouis, du chaos montant de toutes parts,
Se furent tous rangés à leur place profonde,
Il sentit le besoin de se nommer au monde;
Et l'être formidable et serein se leva;   5
Il se dressa sur l'ombre et cria: JÉHOVAH!
Et dans l'immensité ces sept lettres tombèrent;
Et ce sont, dans les cieux que nos yeux réverbèrent,
Au-dessus de nos fronts tremblants sous leur rayon,
Les sept astres géants du noir septentrion.   10

Minuit, au dolmen du Faldouet, mars 1855.

LA LÉGENDE DES SIÈCLES—LES PETITES ÉPOPÉES

I. D'ÈVE A JÉSUS

VI

99.   BOOZ ENDORMI
                         *

Booz s'était couché de fatigue accablé;
Il avait tout le jour travaillé dans son aire;
Puis avait fait son lit à sa place ordinaire;
Booz dormait auprès des boisseaux pleins de blé.

Ce vieillard possédait des champs de blés et d'orge;   5
Il était, quoique riche, à la justice enclin;
Il n'avait pas de fange en l'eau de son moulin;
Il n'avait pas d'enfer dans le feu de sa forge.

Sa barbe était d'argent comme un ruisseau d'avril.
Sa gerbe n'était point avare ni haineuse;   10
Quand il voyait passer quelque pauvre glaneuse:
«Laissez tomber exprès des épis,» disait-il.

Cet homme marchait pur loin des sentiers obliques,
Vêtu de probité candide et de lin blanc;
Et, toujours du côté des pauvres ruisselant,   15
Ses sacs de grains semblaient des fontaines publiques.

Booz était bon maître et fidèle parent;
Il était généreux, quoiqu'il fût économe;
Les femmes regardaient Booz plus qu'un jeune homme,
Car le jeune homme est beau, mais le vieillard est grand.   20

Le vieillard, qui revient vers la source première,
Entre aux jours éternels et sort des jours changeants;

Et l'on voit de la flamme aux yeux des jeunes gens,
Mais dans l'œil du vieillard on voit de la lumière.

*

Donc, Booz dans la nuit dormait parmi les siens.   25
Près des meules, qu'on eût prises pour des décombres,
Les moissonneurs couchés faisaient des groupes sombres;
Et ceci se passait dans des temps très anciens.

Les tribus d'Israël avaient pour chef un juge;
La terre, où l'homme errait sous la tente, inquiet   30
Des empreintes de pieds de géant qu'il voyait,
Était encor mouillée et molle du déluge.

*

Comme dormait Jacob, comme dormait Judith,
Booz, les yeux fermés, gisait sous la feuillée;
Or, la porte du ciel s'étant entre-bâillée   35
Au-dessus de sa tête, un songe en descendit.

Et ce songe était tel, que Booz vit un chêne
Qui, sorti de son ventre, allait jusqu'au ciel bleu;
Une race y montait comme une longue chaîne;
Un roi chantait en bas, en haut mourait un Dieu.   40

Et Booz murmurait avec la voix de l'âme:
«Comment se pourrait-il que de moi ceci vînt?
Le chiffre de mes ans a passé quatre-vingt,
Et je n'ai pas de fils, et je n'ai plus de femme.

«Voilà longtemps que celle avec qui j'ai dormi,   45
O Seigneur! a quitté ma couche pour la vôtre;
Et nous sommes encor tout mêlés l'un à l'autre,
Elle à demi vivante et moi mort à demi.

«Une race naîtrait de moi! Comment le croire?
Comment se pourrait-il que j'eusse des enfants?   50

Quand on est jeune, on a des matins triomphants,
Le jour sort de la nuit comme d'une victoire;

«Mais, vieux, on tremble ainsi qu'à l'hiver le bouleau;
Je suis veuf, je suis seul, et sur moi le soir tombe,
Et je courbe, ô mon Dieu! mon âme vers la tombe, 55
Comme un bœuf ayant soif penche son front vers l'eau.»

Ainsi parlait Booz dans le rêve et l'extase,
Tournant vers Dieu ses yeux par le sommeil noyés;
Le cèdre ne sent pas une rose à sa base,
Et lui ne sentait pas une femme à ses pieds. 60

*

Pendant qu'il sommeillait, Ruth, une moabite,
S'était couchée aux pieds de Booz, le sein nu,
Espérant on ne sait quel rayon inconnu,
Quand viendrait du réveil la lumière subite.

Booz ne savait point qu'une femme était là, 65
Et Ruth ne savait point ce que Dieu voulait d'elle.
Un frais parfum sortait des touffes d'asphodèle;
Les souffles de la nuit flottaient sur Galgala.

L'ombre était nuptiale, auguste et solennelle;
Les anges y volaient sans doute obscurément, 70
Car on voyait passer dans la nuit, par moment,
Quelque chose de bleu qui paraissait une aile.

La respiration de Booz qui dormait,
Se mêlait au bruit sourd des ruisseaux sur la mousse.
On était dans le mois où la nature est douce, 75
Les collines ayant des lys sur leur sommet.

Ruth songeait et Booz dormait; l'herbe était noire;
Les grelots des troupeaux palpitaient vaguement;

Une immense bonté tombait du firmament;
C'était l'heure tranquille où les lions vont boire.　　80

Tout reposait dans Ur et dans Jérimadeth;
Les astres émaillaient le ciel profond et sombre;
Le croissant fin et clair parmi ces fleurs de l'ombre
Brillait à l'occident, et Ruth se demandait,

Immobile, ouvrant l'œil à moitié sous ses voiles,　　85
Quel dieu, quel moissonneur de l'éternel été,
Avait, en s'en allant, négligemment jeté
Cette faucille d'or dans le champ des étoiles.

IX. LA ROSE DE L'INFANTE

100.　　　　LA ROSE DE L'INFANTE

Elle est toute petite; une duègne la garde.
Elle tient à la main une rose, et regarde.
Quoi? que regarde-t-elle? Elle ne sait pas. L'eau,
Un bassin qu'assombrit le pin et le bouleau;
Ce qu'elle a devant elle; un cygne aux ailes blanches,　　5
Le bercement des flots sous la chanson des branches,
Et le profond jardin rayonnant et fleuri;
Tout ce bel ange a l'air dans la neige pétri.
On voit un grand palais comme au fond d'une gloire,
Un parc, de clairs viviers où les biches vont boire,　　10
Et des paons étoilés sous les bois chevelus.
L'innocence est sur elle une blancheur de plus;
Toutes ses grâces font comme un faisceau qui tremble.
Autour de cette enfant l'herbe est splendide et semble
Pleine de vrais rubis et de diamants fins;　　15
Un jet de saphirs sort des bouches des dauphins.
Elle se tient au bord de l'eau; sa fleur l'occupe;
Sa basquine est en point de Gênes; sur sa jupe
Une arabesque, errant dans les plis du satin,

Suit les mille détours d'un fil d'or florentin.
La rose épanouie est toute grande ouverte,
Sortant du frais bouton comme d'une urne verte,
Charge la petitesse exquise de sa main;
Quand l'enfant, allongeant ses lèvres de carmin,
Fronce, en la respirant, sa riante narine,
La magnifique fleur, royale et purpurine,
Cache plus qu'à demi ce visage charmant,
Si bien que l'œil hésite, et qu'on ne sait comment
Distinguer de la fleur ce bel enfant qui joue,
Et si l'on voit la rose ou si l'on voit la joue.
Ses yeux bleus sont plus beaux sous son pur sourcil brun.
En elle tout est joie, enchantement, parfum;
Quel doux regard, l'azur! et quel doux nom, Marie!
Tout est rayon; son œil éclaire et son nom prie.
Pourtant, devant la vie et sous le firmament,
Pauvre être! elle se sent très grande vaguement;
Elle assiste au printemps, à la lumière, à l'ombre,
Au grand soleil couchant horizontal et sombre,
A la magnificence éclatante du soir,
Aux ruisseaux murmurants qu'on entend sans les voir,
Aux champs, à la nature éternelle et sereine,
Avec la gravité d'une petite reine;
Elle n'a jamais vu l'homme que se courbant;
Un jour, elle sera duchesse de Brabant;
Elle gouvernera la Flandre ou la Sardaigne.
Elle est l'infante, elle a cinq ans, elle dédaigne.
Car les enfants des rois sont ainsi; leurs fronts blancs
Portent un cercle d'ombre, et leurs pas chancelants
Sont des commencements de règne. Elle respire
Sa fleur en attendant qu'on lui cueille un empire;
Et son regard, déjà royal, dit: C'est à moi.
Il sort d'elle un amour mêlé d'un vague effroi.
Si quelqu'un, la voyant si tremblante et si frêle,
Fût ce pour la sauver, mettait la main sur elle,

Avant qu'il eût pu faire un pas ou dire un mot,   55
Il aurait sur le front l'ombre de l'échafaud.

La douce enfant sourit, ne faisant autre chose
Que de vivre et d'avoir dans la main une rose,
Et d'être là devant le ciel, parmi les fleurs.

Le jour s'éteint; les nids chuchotent, querelleurs;   60
Les pourpres du couchant sont dans les branches d'arbre;
La rougeur monte au front des déesses de marbre
Qui semblent palpiter sentant venir la nuit;
Et tout ce qui planait redescend; plus de bruit,
Plus de flamme; le soir mystérieux recueille   65
Le soleil sous la vague et l'oiseau sous la feuille.

Pendant que l'enfant rit, cette fleur à la main,
Dans le vaste palais catholique romain
Dont chaque ogive semble au soleil une mitre,
Quelqu'un de formidable est derrière la vitre;   70
On voit d'en bas une ombre, au fond d'une vapeur,
De fenêtre en fenêtre errer, et l'on a peur;
Cette ombre au même endroit, comme en un cimetière,
Parfois est immobile une journée entière;
C'est un être effrayant qui semble ne rien voir;   75
Il rôde d'une chambre à l'autre, pâle et noir;
Il colle aux vitraux blancs son front lugubre, et songe;
Spectre blême! Son ombre aux feux du soir s'allonge;
Son pas funèbre est lent comme un glas de beffroi;
Et c'est la Mort, à moins que ce ne soit le Roi.   80

C'est lui; l'homme en qui vit et tremble le royaume.
Si quelqu'un pouvait voir dans l'œil de ce fantôme
Debout en ce moment l'épaule contre un mur,
Ce qu'on apercevrait dans cet abîme obscur,
Ce n'est pas l'humble enfant, le jardin, l'eau moirée   85
Reflétant le ciel d'or d'une claire soirée,

Les bosquets, les oiseaux se becquetant entre eux,
Non: au fond de cet œil comme l'onde vitreux,
Sous ce fatal sourcil qui dérobe à la sonde
Cette prunelle autant que l'océan profonde,   90
Ce qu'on distinguerait, c'est, mirage mouvant,
Tout un vol de vaisseaux en fuite dans le vent,
Et, dans l'écume, au pli des vagues, sous l'étoile,
L'immense tremblement d'une flotte à la voile,
Et, là-bas, sous la brume, une île, un blanc rocher,   95
Écoutant sur les flots ces tonnerres marcher.

Telle est la vision qui, dans l'heure où nous sommes,
Emplit le froid cerveau de ce maître des hommes,
Et qui fait qu'il ne peut rien voir autour de lui.
L'armada, formidable et flottant point d'appui   100
Du levier dont il va soulever tout un monde,
Traverse en ce moment l'obscurité de l'onde;
Le roi dans son esprit la suit des yeux, vainqueur,
Et son tragique ennui n'a plus d'autre lueur.

Philippe Deux était une chose terrible.   105
Iblis dans le Koran et Caïn dans la Bible
Sont à peine aussi noirs qu'en son Escurial
Ce royal spectre, fils du spectre impérial.
Philippe Deux était le Mal tenant le glaive.
Il occupait le haut du monde comme un rêve.   110
Il vivait: nul n'osait le regarder; l'effroi
Faisait une lumière étrange autour du roi;
On tremblait rien qu'à voir passer ses majordomes;
Tant il se confondait, aux yeux troublés des hommes,
Avec l'abîme, avec les astres du ciel bleu!   115
Tant semblait grande à tous son approche de Dieu!
Sa volonté fatale, enfoncée, obstinée,
Était comme un crampon mis sur la destinée;
Il tenait l'Amérique et l'Inde, il s'appuyait
Sur l'Afrique, il régnait sur l'Europe, inquiet   120

Seulement du côté de la sombre Angleterre
Sa bouche était silence et son âme mystère;
Son trône était de piège et de fraude construit;
Il avait pour soutien la force de la nuit;
L'ombre était le cheval de sa statue équestre.   125
Toujours vêtu de noir, ce Tout-Puissant terrestre
Avait l'air d'être en deuil de ce qu'il existait;
Il ressemblait au sphinx qui digère et se tait;
Immuable; étant tout, il n'avait rien à dire.
Nul n'avait vu ce roi sourire; le sourire   130
N'étant pas plus possible à ces lèvres de fer
Que l'aurore à la grille obscure de l'enfer.
S'il secouait parfois sa torpeur de couleuvre,
C'était pour assister le bourreau dans son œuvre,
Et sa prunelle avait pour clarté le reflet   135
Des bûchers sur lesquels par moments il soufflait.
Il était redoutable à la pensée, à l'homme,
A la vie, au progrès, au droit, dévot à Rome;
C'était Satan régnant au nom de Jésus-Christ;
Les choses qui sortaient de son nocturne esprit   140
Semblaient un glissement sinistre de vipères.
L'Escurial, Burgos, Aranjuez, ses repaires,
Jamais n'illuminaient leurs livides plafonds;
Pas de festins, jamais de cour, pas de bouffons;
Les trahisons pour jeu, l'auto-da-fé pour fête.   145
Les rois troublés avaient au-dessus de leur tête
Ses projets dans la nuit obscurément ouverts;
Sa rêverie était un poids sur l'univers;
Il pouvait et voulait tout vaincre et tout dissoudre;
Sa prière faisait le bruit sourd d'une foudre;   150
De grands éclairs sortaient de ses songes profonds.
Ceux auxquels il pensait disaient: Nous étouffons.
Et les peuples, d'un bout à l'autre de l'empire,
Tremblaient, sentant sur eux ces deux yeux fixes luire.

Charles fut le vautour, Philippe est le hibou.   155

Morne en son noir pourpoint, la toison d'or au cou,
On dirait du destin la froide sentinelle;
Son immobilité commande; sa prunelle
Luit comme un soupirail de caverne; son doigt
Semble, ébauchant un geste obscur que nul ne voit,   160
Donner un ordre à l'ombre et vaguement l'écrire.
Chose inouïe! il vient de grincer un sourire.
Un sourire insondable, impénétrable, amer.
C'est que la vision de son armée en mer
Grandit de plus en plus dans sa sombre pensée;   165
C'est qu'il la voit voguer par son dessein poussée,
Comme s'il était là, planant sous le zénith;
Tout est bien; l'océan docile s'aplanit;
L'armada lui fait peur comme au déluge l'arche;
La flotte se déploie en bon ordre de marche,   170
Et, les vaisseaux gardant les espaces fixés,
Échiquier de tillacs, de ponts, de mâts dressés,
Ondule sur les eaux comme une immense claie.
Ces vaisseaux sont sacrés; les flots leur font la haie;
Les courants, pour aider ces nefs à débarquer,   175
Ont leur besogne à faire et n'y sauraient manquer;
Autour d'elles la vague avec amour déferle,
L'écueil se change en port, l'écume tombe en perle.
Voici chaque galère avec son gastadour;
Voilà ceux de l'Escaut, voilà ceux de l'Adour;   180
Les cent mestres de camp et les deux connétables;
L'Allemagne a donné ses ourques redoutables,
Naples ses brigantins, Cadiz ses galions,
Lisbonne ses marins, car il faut des lions.
Et Philippe se penche, et, qu'importe l'espace?   185
Non-seulement il voit, mais il entend. On passe,
On court, on va. Voici le cri des porte-voix,
Le pas des matelots courant sur les pavois,
Les moços, l'amiral appuyé sur son page,
Les tambours, les sifflets des maîtres d'équipage,   190
Les signaux pour la mer, l'appel pour les combats,

Le fracas sépulcral et noir du branle-bas.
Sont-ce des cormorans? sont-ce des citadelles?
Les voiles font un vaste et sourd battement d'ailes;
L'eau gronde, et tout ce groupe énorme vogue, et fuit,   195
Et s'enfle et roule avec un prodigieux bruit.
Et le lugubre roi sourit de voir groupées
Sur quatre cents vaisseaux quatre-vingt mille épées.
O rictus du vampire assouvissant sa faim!
Cette pâle Angleterre, il la tient donc enfin!   200
Qui pourrait la sauver? Le feu va prendre aux poudres.
Philippe dans sa droite a la gerbe des foudres;
Qui pourrait délier ce faisceau dans son poing?
N'est-il pas le seigneur qu'on ne contredit point?
N'est-il pas l'héritier de César? le Philippe   205
Dont l'ombre immense va du Gange au Pausilippe?
Tout n'est-il pas fini quand il a dit: Je veux!
N'est-ce pas lui qui tient la victoire aux cheveux?
N'est-ce pas lui qui lance en avant cette flotte,
Ces vaisseaux effrayants dont il est le pilote   210
Et que la mer charrie ainsi qu'elle le doit?
Ne fait-il pas mouvoir avec son petit doigt
Tous ces dragons ailés et noirs, essaim sans nombre?
N'est-il pas lui, le roi? n'est-il pas l'homme sombre
A qui ce tourbillon de monstres obéit?   215

Quand Béit-Cifresil, fils d'Abdallah-Béit,
Eut creusé le grand puits de la mosquée, au Caire,
Il y grava: «Le ciel est à Dieu; j'ai la terre.»
Et, comme tout se tient, se mêle et se confond,
Tous les tyrans n'étant qu'un seul despote au fond,   220
Ce que dit ce sultan jadis, ce roi le pense.

Cependant, sur le bord du bassin, en silence,
L'infante tient toujours sa rose gravement,
Et, doux ange aux yeux bleus, la baise par moment.
Soudain un souffle d'air, une de ces haleines   225

Que le soir frémissant jette à travers les plaines,
Tumultueux zéphyr effleurant l'horizon,
Trouble l'eau, fait frémir les joncs, met un frisson
Dans les lointains massifs de myrte et d'asphodèle,
Vient jusqu'au bel enfant tranquille, et, d'un coup d'aile, 230
Rapide, et secouant même l'arbre voisin,
Effeuille brusquement la fleur dans le bassin;
Et l'infante n'a plus dans la main qu'une épine.
Elle se penche, et voit sur l'eau cette ruine;
Elle ne comprend pas; qu'est-ce donc? Elle a peur; 235
Et la voilà qui cherche au ciel avec stupeur
Cette brise qui n'a pas craint de lui déplaire.
Que faire? le bassin semble plein de colère;
Lui, si clair tout à l'heure, il est noir maintenant;
Il a des vagues; c'est une mer bouillonnant; 240
Toute la pauvre rose est éparse sur l'onde;
Ses cent feuilles, que noie et roule l'eau profonde,
Tournoyant, naufrageant, s'en vont de tous côtés
Sur mille petits flots par la brise irrités;
On croit voir dans un gouffre une flotte qui sombre. 245
«—Madame, dit la duègne avec sa face d'ombre
A la petite fille étonnée et rêvant,
Tout sur terre appartient aux princes, hors le vent.»

XIII. MAINTENANT

I

101.   APRÈS LA BATAILLE

Mon père, ce héros au sourire si doux,
Suivi d'un seul housard qu'il aimait entre tous
Pour sa grande bravoure et pour sa haute taille,
Parcourait à cheval, le soir d'une bataille,
Le champ couvert de morts sur qui tombait la nuit. 5
Il lui sembla dans l'ombre entendre un faible bruit.

C'était un Espagnol de l'armée en déroute
Qui se traînait sanglant sur le bord de la route,
Râlant, brisé, livide, et mort plus qu'à moitié,
Et qui disait: «A boire, à boire par pitié!»   10
Mon père, ému, tendit à son housard fidèle
Une gourde de rhum qui pendait à sa selle,
Et dit: «Tiens, donne à boire à ce pauvre blessé.»
Tout à coup, au moment où le housard baissé
Se penchait vers lui, l'homme, une espèce de Maure,   15
Saisit un pistolet qu'il étreignait encore,
Et vise au front mon père en criant: «Caramba!»
Le coup passa si près, que le chapeau tomba
Et que le cheval fit un écart en arrière.
«Donne-lui tout de même à boire,» dit mon père.   20

LES CHANSONS DES RUES ET DES BOIS

LIVRE DEUXIÈME—SAGESSE
I. AMA, CREDE

III

102.   SAISON DES SEMAILLES. LE SOIR

C'est le moment crépusculaire.
J'admire, assis sous un portail,
Ce reste de jour dont s'éclaire
La dernière heure du travail.

Dans les terres, de nuit baignées,   5
Je contemple, ému, les haillons
D'un vieillard qui jette à poignées
La moisson future aux sillons.

Sa haute silhouette noire
Domine les profonds labours.   10

On sent à quel point il doit croire
A la fuite utile des jours.

Il marche dans la plaine immense,
Va, vient, lance la graine au loin,
Rouvre sa main, et recommence,   15
Et je médite, obscur témoin,

Pendant que, déployant ses voiles,
L'ombre, où se mêle une rumeur,
Semble élargir jusqu'aux étoiles
Le geste auguste du semeur.   20

L'ART D'ÊTRE GRAND-PÈRE

VI. GRAND AGE ET BAS AGE MÊLÉS

VI

103. JEANNE ÉTAIT AU PAIN SEC DANS LE CABINET
NOIR

Jeanne était au pain sec dans le cabinet noir,
Pour un crime quelconque, et, manquant au devoir,
J'allai voir la proscrite en pleine forfaiture,
Et lui glissai dans l'ombre un pot de confiture
Contraire aux lois. Tous ceux sur qui, dans ma cité,   5
Repose le salut de la société,
S'indignèrent, et Jeanne a dit d'une voix douce:
—Je ne toucherai plus mon nez avec mon pouce;
Je ne me ferai plus griffer par le minet.
Mais on s'est récrié:—Cette enfant vous connaît;   10
Elle sait à quel point vous êtes faible et lâche.
Elle vous voit toujours rire quand on se fâche.
Pas de gouvernement possible. A chaque instant
L'ordre est troublé par vous; le pouvoir se détend;

Plus de règle. L'enfant n'a plus rien qui l'arrête.   15
Vous démolissez tout.—Et j'ai baissé la tête,
Et j'ai dit:—Je n'ai rien à répondre à cela,
J'ai tort. Oui, c'est avec ces indulgences-là
Qu'on a toujours conduit les peuples à leur perte.
Qu'on me mette au pain sec.—Vous le méritez, certe.   20
On vous y mettra.—Jeanne alors, dans son coin noir,
M'a dit tout bas, levant ses yeux si beaux à voir,
Pleins de l'autorité des douces créatures:
—Eh bien, moi, je t'irai porter des confitures.

                                        21 octobre 1876.

XVI. DEUX CHANSONS

I

104.   CHANSON DE GRAND-PÈRE

        Dansez, les petites filles,
            Toutes en rond.
        En vous voyant si gentilles,
            Les bois riront.

        Dansez, les petites reines,   5
            Toutes en rond.
        Les amoureux sous les frênes
            S'embrasseront.

        Dansez, les petites folles,
            Toutes en rond.   10
        Les bouquins dans les écoles
            Bougonneront.

        Dansez, les petites belles,
            Toutes en rond.
        Les oiseaux avec leurs ailes   15
            Applaudiront.

Dansez, les petites fées,
   Toutes en rond.
Dansez, de bleuets coiffées,
   L'aurore au front.   20

Dansez, les petites femmes,
   Toutes en rond.
Les messieurs diront aux dames
   Ce qu'ils voudront.

                               Nuit du 26 au 27 novembre 1876.

CHARLES-AUGUSTIN SAINTE-BEUVE

Boulogne-sur-Mer, 1804—Paris, 1869

THE creation of the art of literary criticism by Sainte-Beuve out-weighs all the "reforms" of painting, poetry, fiction and drama in the romantic epoch. Even his poetry has exerted an influence whose importance is at last well understood.

It was a homely, red-haired, oldish medical student who won admission to the second *Cénacle* by a review of Hugo's *Odes et Ballades* in 1827. When the Academy accidentally offered its *prix d'éloquence* for a study of the French sixteenth century, Sainte-Beuve wrote his *Tableau de la poésie française au XVI° siècle* which served to connect the romantic school, exposed to attacks as un-French, with the national past. The young critic already knew the English poets Cowper, Crabbe and the Lake School. As Nodier was the scholar of the first *Cénacle*, so Sainte-Beuve proved the theorist in Hugo's group. His insistence upon purity of language and correct form, his sense of the value of archaisms and of non-oratorical lyricism were great contributions to French poetry.

Sainte-Beuve's second book was disguised as the work of a consumptive on the brink of suicide, *Vie, Poésies et Pensées de Joseph Delorme* (1829). The *Poésies*, in rhythms of the renaissance or of Chénier, or rendering common city life in an intimate or morbid vein, reviving the sonnet, widened the scope of the lyric. "*J'ai tâché . . . d'être original à ma manière, humblement et bourgeoisement . . .*" Two sensational poems, "*Ma muse*"—a consumptive girl—and "*les Rayons jaunes*"—funereal—made Guizot call Joseph Delorme a "Werther *carabin et jacobin.*" *Les Consolations* (1830) contains poetry in the same manner. Sainte-Beuve understood that he could not compete in their strains with Lamartine and Hugo. Nevertheless he did become Victor's rival for Adèle Hugo's heart, and jealousy appears in his later work as a critic, as well as injustice towards such as

Musset and others who won success in literature. Sainte-Beuve gave up poetry only after *Pensées d'août*, wilfully prosaic or Wordsworthian, appeared in 1837. A passage of rimed criticism from *les Pensées* is almost famous:

> Lamartine ignorant, qui ne sait que son âme,
> Hugo puissant et fort, Vigny soigneux et fin,
> D'un destin inégal, mais aucun d'eux en vain,
> Tentaient le grand succès et disputaient l'empire.
> Lamartine régna; chantre ailé ui soupire,
> Il planait sans effort. Hugo, dur partisan,
> (Comme chez Dante on voit, Florentin ou Pisan,
> Un baron féodal), combattit sous l'armure,
> Et tint haut sa bannière au milieu du murmure;
> Il la maintient encore; et Vigny, plus secret,
> Comme en sa tour d'ivoire, avant midi, rentrait.
>
> «*A M. Villemain*»

Adèle Hugo and Sainte-Beuve gave up their meetings in churches and semi-public places in 1837. In his diary, he notes in 1841: "*Je la* hais", and in 1843 he had his early love-poems, the *Livre d'amour*, printed secretly, distributing a few copies just after the drowning of Hugo's daughter. This evil action provoked only a small scandal, for Hugo had just persuaded Vigny to wait and allow of Sainte-Beuve's election to the Academy (1845). Thereafter, "*l'oncle Beuve*" turns definitely away from the romantic attitude and devotes the rest of his life to criticism and his weekly articles, "*les Lundis.*"

"Joseph Delorme" not only gave his name to the *Cénacle* of Victor Hugo's friends, he also exerted an influence upon such Parnassian poets as Théodore de Banville and the original moderns, the great Baudelaire, and Verlaine, the Coppée who wrote "*les Humbles*", Sully Prudhomme and M. Francis Jammes.

Consult *Poésies de Sainte-Beuve*, 1845 (reprinted), *Le Livre d'amour*, (reprinted 1904 and 1906); Lewis F. Mott, *Sainte-Beuve*, 1925, A. Bellessort, *Sainte-Beuve et le XIXᵉ siècle*, 1927,

H. Bidou, *Sainte-Beuve*, 1931, also E. Benoît-Lévy, *Sainte-Beuve et Mme Victor Hugo*, 1926.

POÉSIES DE JOSEPH DELORME

105.   A LA RIME

    Rime, qui donnes leurs sons
        Aux chansons,
    Rime, l'unique harmonie
    Du vers, qui sans tes accents
        Frémissants,   5
    Serait muet au génie;

    Rime, écho qui prends la voix
        Du hautbois
    Ou l'éclat de la trompette,
    Dernier adieu d'un ami   10
        Qu'à demi
    L'autre ami de loin répète;

    Rime, tranchant aviron,
        Éperon
    Qui fends la vague écumante;   15
    Frein d'or, aiguillon d'acier
        Du coursier
    A la crinière fumante;

    Agrafe, autour des seins nus
        De Vénus,   20
    Pressant l'écharpe divine,
    Ou serrant le baudrier
        Du guerrier
    Contre sa forte poitrine;

Col étroit, par où saillit 25
    Et jaillit
La source au ciel élancée,
Qui, brisant l'éclat vermeil
    Du soleil,
Tombe en gerbe nuancée; 30

Anneau pur de diamant,
    Ou d'aimant,
Qui, jour et nuit, dans l'enceinte
Suspends la lampe, ou le soir
    L'encensoir 35
Aux mains de la Vierge Sainte;

Clef, qui loin de l'œil mortel,
    Sur l'autel
Ouvres l'arche du miracle;
Ou tiens le vase embaumé 40
    Renfermé
Dans le cèdre au tabernacle;

Ou plutôt fée au léger
    Voltiger,
Habile, agile courrière, 45
Qui mènes le char des vers
    Dans les airs
Par deux sillons de lumière;

O Rime! qui que tu sois,
    Je reçois 50
Ton joug; et longtemps rebelle,
Corrigé, je te promets
    Désormais
Une oreille plus fidèle.

Mais aussi devant mes pas   55
    Ne fuis pas;
Quand la Muse me dévore,
Donne, donne par égard
    Un regard
Au poète qui t'implore!   60

Dans un vers tout défleuri,
    Qu'a flétri
L'aspect d'une règle austère,
Ne laisse point murmurer,
    Soupirer,   65
La syllabe solitaire.

Sur ma lyre, l'autre fois,
    Dans un bois,
Ma main préludait à peine:
Une colombe descend,   70
    En passant,
Blanche sur le luth d'ébène.

Mais au lieu d'accords touchants,
    De doux chants,
La colombe gémissante   75
Me demande par pitié
    Sa moitié,
Sa moitié loin d'elle absente.

Ah! plutôt, oiseaux charmants,
    Vrais amants,   80
Mariez vos voix jumelles;
Que ma lyre et ses concerts
    Soient couverts
De vos baisers, de vos ailes;

Ou bien, attelés d'un crin
  Pour tout frein
Au plus léger des nuages,
Traînez-moi, coursiers chéris
  De Cypris,
Au fond de sacrés bocages.

85

90

106.   LES RAYONS JAUNES

  Lurida præterea fiunt quæcumque . . . Lucrèce, liv. IV.

Les dimanches d'été, le soir, vers les six heures,
Quand le peuple empressé déserte ses demeures
  Et va s'ébattre aux champs,
Ma persienne fermée, assis à ma fenêtre,
Je regarde d'en haut passer et disparaître
  Joyeux bourgeois, marchands,

5

Ouvriers en habits de fête, au cœur plein d'aise;
Un livre est entr'ouvert, près de moi, sur ma chaise:
  Je lis ou fais semblant;
Et les jaunes rayons que le couchant ramène,
Plus jaunes ce soir-là que pendant la semaine,
  Teignent mon rideau blanc.

10

J'aime à les voir percer vitres et jalousie;
Chaque oblique sillon trace à ma fantaisie
  Un flot d'atomes d'or;
Puis, m'arrivant dans l'âme à travers la prunelle,
Ils redorent aussi mille pensers en elle,
  Mille atomes encor.

15

Ce sont des jours confus dont reparaît la trame,
Des souvenirs d'enfance, aussi doux à notre âme
  Qu'un rêve d'avenir:
C'était à pareille heure (oh! je me le rappelle)

20

Qu'après vêpres, enfants, au chœur de la chapelle,
　　On nous faisait venir.

La lampe brûlait jaune, et jaune aussi les cierges;　25
Et la lueur glissant aux fronts voilés des vierges
　　Jaunissait leur blancheur;
Et le prêtre vêtu de son étole blanche
Courbait un front jauni, comme un épi qui penche
　　Sous la faux du faucheur.　30

Oh! qui dans une église, à genoux sur la pierre,
N'a bien souvent, le soir, déposé sa prière,
　　Comme un grain pur de sel?
Qui n'a du crucifix baisé le jaune ivoire?
Qui n'a de l'Homme-Dieu lu la sublime histoire　35
　　Dans un jaune missel?

Mais où la retrouver, quand elle s'est perdue,
Cette humble foi du cœur, qu'un ange a suspendue
　　En palme à nos berceaux;
Qu'une mère a nourrie en nous d'un zèle immense;　40
Dont chaque jour un prêtre arrosait la semence
　　Aux bords des saints ruisseaux?

Peut-elle refleurir lorsqu'a soufflé l'orage,
Et qu'en nos cœurs l'orgueil, debout, a dans sa rage
　　Mis le pied sur l'autel?　45
On est bien faible alors, quand le malheur arrive,
Et la mort . . . faut-il donc que l'idée en survive
　　Au vœu d'être immortel!

J'ai vu mourir, hélas! ma bonne vieille tante,
L'an dernier; sur son lit, sans voix et haletante,　50
　　Ella resta trois jours,
Et trépassa. J'étais près d'elle dans l'alcôve;

J'étais près d'elle encor, quand sur sa tête chauve
    Le linceul fit trois tours.

Le cercueil arriva, qu'on mesura de l'aune;   55
J'étais là . . . puis, autour, des cierges brûlaient jaune,
    Des prêtres priaient bas;
Mais en vain je voulais dire l'hymne dernière;
Mon œil était sans larme et ma voix sans prière,
    Car je ne croyais pas.   60

Elle m'aimait pourtant; . . . et ma mère aussi m'aime,
Et ma mère à son tour mourra; bientôt moi-même
    Dans le jaune linceul
Je l'ensevelirai; je clouerai sous la lame
Ce corps flétri, mais cher, ce reste de mon âme;   65
    Alors je serai seul;

Seul, sans mère, sans sœur, sans frère et sans épouse;
Car qui voudrait m'aimer, et quelle main jalouse
    S'unirait à ma main? . . .
Mais déjà le soleil recule devant l'ombre,   70
Et les rayons qu'il lance à mon rideau plus sombre
    S'éteignent en chemin. . . .

Non, jamais à mon nom ma jeune fiancée
Ne rougira d'amour, rêvant dans sa pensée
    Au jeune époux absent;   75
Jamais deux enfants purs, deux anges de promesse,
Ne tiendront suspendus sur moi, durant la messe,
    Le poêle jaunissant.

Non, jamais, quand la mort m'étendra sur ma couche,
Mon front ne sentira le baiser d'une bouche,   80
    Ni mon œil obscurci
N'entreverra l'adieu d'une lèvre mi-close!

Jamais sur mon tombeau ne jaunira la rose,
    Ni le jaune souci!

—Ainsi va ma pensée, et la nuit est venue;   85
Je descends, et bientôt dans la foule inconnue
    J'ai noyé mon chagrin:
Plus d'un bras me coudoie; on entre à la guinguette,
On sort du cabaret; l'invalide en goguette
    Chevrote un gai refrain.   90

Ce ne sont que chansons, clameurs, rixes d'ivrogne,
Ou qu'amours en plein air, et baisers sans vergogne,
    Et publiques faveurs;
Je rentre: sur ma route on se presse, on se rue;
Toute la nuit j'entends se traîner dans ma rue   95
    Et hurler les buveurs.

LES CONSOLATIONS

III

107.   A M. AUGUSTE LE PRÉVOST

Quis memorabitur tui post mortem et quis orabit pro te? *De Imit. Christi*, lib. I, cap. 23.

    Dans l'île Saint-Louis, le long d'un quai désert,
  L'autre soir je passais; le ciel était couvert,
  Et l'horizon brumeux eût paru noir d'orages,
  Sans la fraîcheur du vent qui chassait les nuages;
  Le soleil se couchait sous de sombres rideaux;   5
  La rivière coulait verte entre les radeaux;
  Aux balcons çà et là quelque figure blanche
  Respirait l'air du soir;—et c'était un dimanche.
  Le dimanche est pour nous le jour du souvenir;
  Car, dans la tendre enfance, on aime à voir venir   10

Après les soins comptés de l'exacte semaine
Et les devoirs remplis, le soleil qui ramène
Le loisir et la fête, et les habits parés,
Et l'église aux doux chants, et les jeux dans les prés;
Et plus tard, quand la vie, en proie à la tempête,   15
Ou stagnante d'ennui, n'a plus loisir ni fête,
Si pourtant nous sentons, aux choses d'alentour,
A la gaîté d'autrui, qu'est revenu ce jour,
Par degrés attendris jusqu'au fond de notre âme,
De nos beaux ans brisés nous renouons la trame,   20
Et nous nous rappelons nos dimanches d'alors,
Et notre blonde enfance, et ses riants trésors.

Je rêvais donc ainsi, sur ce quai solitaire,
A mon jeune matin si voilé de mystère,
A tant de pleurs obscurs en secret dévorés,   25
A tant de biens trompeurs ardemment espérés,
Qui ne viendront jamais, . . . qui sont venus peut-être?
En suis-je plus heureux qu'avant de les connaître?

Et, tout rêvant ainsi, pauvre rêveur, voilà
Que soudain, loin, bien loin, mon âme s'envola,   30
Et d'objets en objets, dans sa course inconstante,
Se prit aux longs discours que feu ma bonne tante
Me tenait, tout enfant, durant nos soirs d'hiver,
Dans ma ville natale, à Boulogne-sur-Mer.

Elle m'y racontait souvent, pour me distraire,   35
Son enfance, et les jeux de mon père, son frère,
Que je n'ai pas connu; car je naquis en deuil,
Et mon berceau d'abord posa sur un cercueil.

Elle me parlait donc, et de mon père, et d'elle;
Et ce qu'aimait surtout sa mémoire fidèle,   40
C'était de me conter leurs destins entraînes
Loin du bourg paternel où tous deux étaient nés.

De mon antique aïeul je savais le ménage,
Le manoir, son aspect et tout le voisinage;
La rivière coulait à cent pas près du seuil: 45

Douze enfants (tous sont morts) ! entouraient le fauteuil ;
Et je disais les noms de chaque jeune fille,
Du curé, du notaire, amis de la famille,
Pieux hommes de bien, dont j'ai rêvé les traits,
Morts pourtant sans savoir que jamais je naîtrais.   50

Et tout cela revint en mon âme mobile,
Ce jour que je passais le long du quai, dans l'île.

Et bientôt, au sortir de ces songes flottants,
Je me sentis pleurer, et j'admirai longtemps
Que de ces hommes morts, de ces choses vieillies,   55
De ces traditions par hasard recueillies,
Moi, si jeune et d'hier, inconnu des aïeux,
Qui n'ai vu qu'en récits les images des lieux,
Je susse ces détails, seul peut-être sur terre,
Que j'en gardasse un culte en mon cœur solitaire,   60
Et qu'à propos de rien, un jour d'été, si loin
Des lieux et des objets, ainsi j'en prisse soin.
Hélas! pensai-je alors, la tristesse dans l'âme,
Humbles hommes, l'oubli sans pitié nous réclame,
Et, sitôt que la mort nous a remis à Dieu,   65
Le souvenir de nous ici nous survit peu ;
Notre trace est légère et bien vite effacée ;
Et moi, qui de ces morts garde encor la pensée,
Quand je m'endormirai comme eux, du temps vaincu,
Sais-je, hélas! si quelqu'un saura que j'ai vécu ?   70
Et poursuivant toujours, je disais qu'en la gloire,
En la mémoire humaine, il est peu sûr de croire,
Que les cœurs sont ingrats, et que bien mieux il vaut
De bonne heure aspirer et se fonder plus haut,
Et croire en Celui seul qui, dès qu'on le supplie,   75
Ne nous fait jamais faute, et qui jamais n'oublie.

                                        Juillet 1829.

LIVRE D'AMOUR

XVIII

108.   SONNET

Par un ciel étoilé, sur ce beau pont des Arts,
Revenant tard et seul de la cité qui gronde,
J'ai mille fois songé que l'Éden en ce monde
Serait de mener là mon ange aux doux regards;

De fuir boue et passants, les cris, le vice épars;   5
De lui montrer le ciel, la lune éclairant l'onde,
Les constellations dans leur courbe profonde
Planant sur ce vain bruit des hommes et des chars.

J'ai rêvé lui donner un bouquet au passage,
A la rampe accoudé, ne voir que son visage,   10
Ou l'asseoir sur ces bancs d'un mol éclat blanchis,

Et quand son âme est pleine et sa voix oppressée,
L'entendre désirer de gagner le logis,
Suspendant à mon bras sa marche un peu lasse.

                                        Octobre 1832.

XXIV

109.   SONNET

Si quelque blâme, hélas! se glisse à l'origine
En ces amours trop chers où deux cœurs ont failli,
Où deux êtres, perdus par un baiser cueilli,
Sur le sein l'un de l'autre ont béni la ruine;

Si le monde, raillant tout bonheur qu'il devine,   5
N'y voit que sens émus et que fragile oubli;

Si l'Ange, tout d'abord se voilant d'un long pli,
Refuse d'écouter le couple qui s'incline;

Approche, ô ma Délie, approche encor ton front,
Serrons plus fort nos mains pour les ans qui viendront: 10
La faute disparaît dans sa constance même.

Quand la fidélité, triomphant jusqu'au bout,
Luit sur des cheveux blancs et des rides qu'on aime,
Le Temps, vieillard divin, honore et blanchit tout.

Auguste Barbier

Paris, 1805—Nice, 1882

The revolution of 1789 provoked the satirical *Iambes* of Chénier, and the revolution of July 1830 made Barbier's name a household word in France. This well-to-do son of a notary did not belong to the *Cénacle*, but had written a historical novel on the Middle Ages, when, as Sainte-Beuve put it, *"il reçut en plein le coup de soleil de juillet"* and wrote *"la Curée"*, in iambuses. The poem cracked the whip of scorn over the liberals and the sycophants of Charles X, who rushed to seize positions and sinecures after the accession of Louis-Philippe. Stifled by several decades of political absolutism, satire was now revived by Barbier, in a hybrid style blended of vulgarity and grandeur of expression, which rose to the heights again in his denunciation of Napoleon, *"l'Idole"*.

These two poems suffice to establish an author's reputation. A visit to Italy was the inspiration of *Il Pianto*, 1832. *Lazare*, 1833, in a Byronic vein, dwells upon the horrors of the industrial revolution in England, next visited by Barbier. The friend of Vigny, Brizeux, Deschamps and Laprade had been lost from view, *"un petit bourgeois dans de l'acajou"*, when he was elected to the Academy in 1869 as a protest against the Empire of Napoleon III.

Book recommended—*Iambes et poèmes by Auguste Barbier*, edited by Ch.-M. Garnier, Oxford, 1907.

IAMBES

110. ### LA CURÉE

I

Oh! lorsqu'un lourd soleil chauffait les grandes dalles
    Des ponts et de nos quais déserts,

Que les cloches hurlaient, que la grêle des balles
    Sifflait et pleuvait par les airs;
Que dans Paris entier, comme la mer qui monte,   5
    Le peuple soulevé grondait,
Et qu'au lugubre accent des vieux canons de fonte
    La Marseillaise répondait,
Certe, on ne voyait pas, comme au jour où nous sommes,
    Tant d'uniformes à la fois;   10
C'était sous des haillons que battaient les cœurs d'hommes;
    C'étaient alors de sales doigts
Qui chargeaient les mousquets et renvoyaient la foudre;
    C'était la bouche aux vils jurons
Qui mâchait la cartouche, et qui, noire de poudre,   15
    Criait aux citoyens: Mourons!

II

Quant à tous ces beaux fils aux tricolores flammes,
    Au beau linge, au frac élégant,
Ces hommes en corset, ces visages de femmes,
    Héros du boulevard de Gand,   20
Que faisaient-ils, tandis qu'à travers la mitraille,
    Et sous le sabre détesté,
La grande populace et la sainte canaille
    Se ruaient à l'immortalité?
Tandis que tout Paris se jonchait de merveilles,   25
    Ces messieurs tremblaient dans leur peau,
Pâles, suant la peur, et, la main aux oreilles,
    Accroupis derrière un rideau.

III

C'est que la Liberté n'est pas une comtesse
    Du noble faubourg Saint-Germain,   30
Une femme qu'un cri fait tomber en faiblesse,
    Qui met du blanc et du carmin:
C'est une forte femme aux puissantes mamelles

A la voix rauque, aux durs appas,
Qui, du brun sur la peau, du feu dans les prunelles, 35
Agile et marchant à grands pas,
Se plaît aux cris du peuple, aux sanglantes mêlées,
Aux longs roulements des tambours,
A l'odeur de la poudre, aux lointaines volées
Des cloches et des canons sourds; 40
Qui ne prend ses amours que dans la populace;
Qui ne prête son large flanc
Qu'à des gens forts comme elle, et qui veut qu'on l'embrasse
Avec des bras rouges de sang.

IV

C'est la vierge fougueuse, enfant de la Bastille, 45
Qui jadis, lorsqu'elle apparut
Avec son air hardi, ses allures de fille,
Cinq ans mit tout le peuple en rut;
Qui, plus tard, entonnant une marche guerrière,
Lasse de ses premiers amants, 50
Jeta là son bonnet, et devint vivandière
D'un capitaine de vingt ans:
C'est cette femme, enfin, qui, toujours belle et nue,
Avec l'écharpe aux trois couleurs
Dans nos murs mitraillés tout à coup reparue, 55
Vient de sécher nos yeux en pleurs,
De remettre en trois jours une haute couronne
Aux mains des Français soulevés,
D'écraser une armée et de broyer un trône
Avec quelques tas de pavés. 60

V

Mais, ô honte! Paris, si beau dans sa colère;
Paris, si plein de majesté
Dans ce jour de tempête où le vent populaire
Déracina la royauté;

Paris, si magnifique avec ses funérailles,   65
    Ses débris d'hommes, ses tombeaux,
Ses chemins dépavés et ses pans de murailles
    Troués comme de vieux drapeaux;
Paris, cette cité de lauriers toute ceinte,
    Dont le monde entier est jaloux,   70
Que les peuples émus appellent tous la sainte,
    Et qu'ils ne nomment qu'à genoux;
Paris n'est maintenant qu'une sentine impure,
    Un égout sordide et boueux,
Où mille noirs courants de limon et d'ordure   75
    Viennent traîner leurs flots honteux;
Un taudis regorgeant de faquins sans courage,
    D'effrontés coureurs de salons,
Qui vont de porte en porte, et d'étage en étage,
    Gueusant quelques bouts de galons;   80
Une halle cynique aux clameurs insolentes,
    Où chacun cherche à déchirer
Un misérable coin de guenilles sanglantes
    Du pouvoir qui vient d'expirer.

VI

Ainsi, quand désertant sa bauge solitaire,   85
    Le sanglier, frappé de mort,
Est là, tout palpitant, étendu sur la terre
    Et sous le soleil qui le mord;
Lorsque, blanchi de bave et la langue tirée,
    Ne bougeant plus en ses liens,   90
Il meurt, et que la trompe a sonné la curée
    A toute la meute des chiens,
Toute la meute, alors, comme une vague immense,
    Bondit; alors chaque mâtin
Hurle en signe de joie, et prépare d'avance   95
    Ses larges crocs pour le festin;
Et puis vient la cohue, et les abois féroces
    Roulent de vallons en vallons;

Chiens courants et limiers, et dogues, et molosses,
    Tout s'élance, et tout crie: Allons!   100
Quand le sanglier tombe et roule sur l'arène,
    Allons, allons! les chiens sont rois!
Le cadavre est à nous; payons-nous notre peine,
    Nos coups de dents et nos abois.
Allons! nous n'avons plus de valet qui nous fouaille   105
    Et qui se pende à notre cou:
Du sang chaud, de la chair, allons, faisons ripaille,
    Et gorgeons-nous tout notre soûl!
Et tous, comme ouvriers, que l'on met à la tâche,
    Fouillent ses flancs à plein museau,   110
Et de l'ongle et des dents travaillent sans relâche,
    Car chacun en veut un morceau;
Car il faut au chenil que chacun d'eux revienne
    Avec un os demi-rongé,
Et que, trouvant au seuil son orgueilleuse chienne,   115
    Jalouse et le poil allongé,
Il lui montre sa gueule encor rouge, et qui grogne,
    Son os dans les dents arrêté,
Et lui crie, en jetant son quartier de charogne:
    «Voici ma part de royauté!»   120

111.   L'IDOLE

I

    Allons, chauffeur, allons, du charbon, de la houille,
        Du fer, du cuivre et de l'étain!
    Allons, à large pelle, à grands bras plonge et fouille,
        Nourris le brasier, vieux Vulcain:
    Donne force pâture à l'avide fournaise;   5
        Car pour mettre ses dents en jeu,
    Pour tordre et dévorer le métal qui lui pèse,
        Il lui faut le palais en feu.
    C'est bien, voici la flamme ardente, folle, immense,
        Implacable et couleur de sang,   10

Qui tombe de la voûte, et l'assaut qui commence:
    Chaque lingot se prend au flanc;
Et ce ne sont que bonds, rugissements, délire,
    Cuivre sur plomb et plomb sur fer;
Tout s'allonge, se tord, s'embrasse et se déchire   15
    Comme des damnés en enfer.

Enfin l'œuvre est finie, enfin la flamme est morte,
    La fournaise fume et s'éteint,
L'airain bouillonne à flots; chauffeur, ouvre la porte
    Et laisse passer le hautain!   20

O fleuve impétueux! mugis et prends ta course,
    Sors de ta loge, et d'un élan,
D'un seul bond lance-toi comme un flot de la source,
    Comme une flamme du volcan!

La terre ouvre son sein à tes vagues de lave;   25
    Précipite en bloc ta fureur,
Dans le moule profond, bronze, descends esclave:
    Tu vas remonter empereur.

II

Encor Napoléon! encor sa grande image!
    Ah! que ce rude et dur guerrier   30
Nous a coûté de sang, de larmes et d'outrage
    Pour quelques rameaux de laurier!
Ce fut un triste jour pour la France abattue,
    Quand du haut de son piédestal,
Comme un voleur honteux, son antique statue   35
    Pendit sous un chanvre brutal.
Alors on vit au pied de la haute colonne,
    Courbé sur un câble grinçant,
L'étranger, au long bruit d'un hourra monotone,
    Ébranler le bronze puissant;   40
Et quand, sous mille efforts, la tête la première,
    Le bloc superbe et souverain
Précipita sa chute, et sur la froide pierre
    Roula son cadavre d'airain,

Le Hun, le Hun stupide, à la peau sale et rance,   45
    L'œil plein d'une basse fureur,
Aux rebords des ruisseaux, devant toute la France,
    Traîna le front de l'empereur.

Ah! pour celui qui porte un cœur sous la mammelle
    Ce jour pèse comme un remord;   50
Au front de tout Français, c'est la tache éternelle
    Qui ne s'en va qu'avec la mort.

J'ai vu l'invasion à l'ombre de nos marbres
    Entasser ses lourds chariots;
Je l'ai vue arracher l'écorce de nos arbres,   55
    Pour la jeter à ses chevaux;

J'ai vu l'homme du Nord, à la lèvre farouche,
    Jusqu'au sang nous meurtrir la chair,
Nous manger notre pain, et jusque dans la bouche
    S'en venir respirer notre air;   60

J'ai vu, jeune Français, ignobles libertines,
    Nos femmes, belles d'impudeur,
Aux regards d'un Cosaque étaler leurs poitrines,
    Et s'enivrer de son odeur:

Eh bien! dans tous ces jours d'abaissement, de peine,   65
    Pour tous ces outrages sans nom,
Je n'ai jamais chargé qu'un être de ma haine . . .
    Sois maudit, ô Napoléon!

III

O Corse à cheveux plats! que ta France était belle
    Au grand soleil de messidor!   70
C'était une cavale indomptable et rebelle,
    Sans frein d'acier ni rênes d'or;

Une jument sauvage à la croupe rustique,
    Fumante encor du sang des rois,
Mais fière, et d'un pied fort heurtant le sol antique   75
    Libre pour la première fois.

Jamais aucune main n'avait passé sur elle
    Pour la flétrir et l'outrager;

Jamais ses larges flancs n'avaient porté la selle
    Et le harnais de l'étranger;   80
Tout son poil était vierge, et, belle vagabonde,
    L'œil haut, la croupe en mouvement,
Sur ses jarrets dressée, elle effrayait le monde
    Du bruit de son hennissement.

Tu parus, et sitôt que tu vis son allure,   85
    Ses reins si souples et dispos,
Dompteur audacieux, tu pris sa chevelure,
    Tu montas botté sur son dos.

Alors, comme elle aimait les rumeurs de la guerre,
    La poudre, les tambours battants,   90
Pour champ de course, alors tu lui donnas la terre
    Et des combats pour passe-temps:
Alors, plus de repos, plus de nuits, plus de sommes,
    Toujours l'air, toujours le travail,
Toujours comme du sable écraser des corps d'hommes,   95
    Toujours du sang jusqu'au poitrail;
Quinze ans son dur sabot, dans sa course rapide,
    Broya les générations;
Quinze ans elle passa, fumante, à toute bride,
    Sur le ventre des nations;   100
Enfin, lasse d'aller sans finir sa carrière,
    D'aller sans user son chemin,
De pétrir l'univers, et comme une poussière
    De soulever le genre humain;
Les jarrets épuisés, haletante, et sans force,   105
    Et fléchissant à chaque pas,
Elle demanda grâce à son cavalier corse;
    Mais, bourreau, tu n'écoutas pas!
Tu la pressas plus fort de ta cuisse nerveuse,
    Pour étouffer ses cris ardents,   110
Tu retournas le mors dans sa bouche baveuse,
    De fureur tu brisas ses dents;
Elle se releva: mais un jour de bataille,
    Ne pouvant plus mordre ses freins,

Mourante, elle tomba sur un lit de mitraille   115
    Et du coup te cassa les reins.

IV

Maintenant tu renais de ta chute profonde :
    Pareil à l'aigle radieux,
Tu reprends ton essor pour dominer le monde,
    Ton image remonte aux cieux.   120
Napoléon n'est plus ce voleur de couronne,
    Cet usurpateur effronté,
Qui serra sans pitié, sous les coussins du trône,
    La gorge de la Liberté ;
Ce triste et vieux forçat de la Sainte-Alliance   125
    Qui mourut sur un noir rocher,
Traînant comme un boulet l'image de la France
    Sous le bâton de l'étranger ;
Non, non, Napoléon n'est plus souillé de fanges :
    Grâce aux flatteurs mélodieux,   130
Aux poètes menteurs, aux sonneurs de louanges,
    César est mis au rang des dieux.
Son image reluit à toutes les murailles ;
    Son nom dans tous les carrefours
Résonne incessamment, comme au fort des batailles   135
    Il résonnait sur les tambours.
Puis de ces hauts quartiers où le peuple foisonne,
    Paris, comme un vieux pèlerin,
Redescend tous les jours au pied de la colonne
    Abaisser son front souverain.   140
Et là, les bras chargés de palmes éphémères,
    Inondant de bouquets de fleurs
Ce bronze que jamais ne regardent les mères,
    Ce bronze grandi sous leurs pleurs ;
En veste d'ouvrier, dans son ivresse folle,   145
    Au bruit du fifre et du clairon,
Paris d'un pied joyeux danse la carmagnole
    Autour du grand Napoléon.

V

Ainsi, passez, passez, monarques débonnaires,
   Doux pasteurs de l'humanité;   150
Hommes sages, passez comme des fronts vulgaires
   Sans reflet d'immortalité!
Du peuple vainement vous allégez la chaîne;
   Vainement, tranquille troupeau,
Le peuple sur vos pas, sans sueur et sans peine,   155
   S'achemine vers le tombeau:
Sitôt qu'à son déclin votre astre tutélaire

   Épanche son dernier rayon,
Votre nom qui s'éteint sur le flot populaire
   Trace à peine un léger sillon.   160
Passez, passez, pour vous point de haute statue:
   Le peuple perdra votre nom;
Car il ne se souvient que de l'homme qui tue
   Avec le sabre ou le canon;
Il n'aime que le bras qui dans des champs humides   165
   Par milliers fait pourrir ses os;
Il aime qui lui fait bâtir des Pyramides,
   Porter des pierres sur le dos.

Auguste Brizeux

Lorient, 1806—Montpellier, 1858

As THE greater romantics had travelled and found color and
novelty outside of France, the less fortunate exponents of these
principles were to help propagate them in the provinces or to
discover in their writings picturesque France for the French.
Just as George Sand's later novels of rural life in Berry initiate
the regional novel so prized in contemporary France, so the
memory of Brizeux, first bard of Brittany, links itself with that
province. His homesick Breton idyl *Marie*, which seemed de-
liciously fresh, Vergilian and chaste, by contrast with the
romantic writings of 1831 is still remembered. It is the faithful
record of a boy's love for Marie Pellân, three years his senior,
an unlettered peasant who belonged to the same catechism class
in the village of Arzannô. After this success, the author of *Marie*
at once conceived a descriptive epic, *les Bretons* (1845), visited
Italy four times, and translated Dante into French tercets, a
meter adopted for his poems *les Ternaires* (published likewise in
1841). Brizeux also wrote in the Breton language.

Editions: *Œuvres complètes*, 1860, introduction by Saint-René
Taillandier; 1912, *Œuvres*, biographical notice by A. Dorchain,
1910-12. Consult Lecigne, *Brizeux, sa vie et ses œuvres*, 1898,
and E. Dupuy, *Alfred de Vigny, ses amitiés*, vol. II, 1912.

MARIE

112. LA MAISON DU MOUSTOIR

O maison du Moustoir! combien de fois la nuit,
Ou quand j'erre le jour dans la foule et le bruit,
Tu m'apparais!—Je vois les toits de ton village,
Baignés à l'horizon dans des mers de feuillage,

Une grêle fumée au-dessus; dans un champ 5
Une femme de loin appelant son enfant,
Ou bien un jeune pâtre assis près de sa vache,
Qui, tandis qu'indolente elle paît à l'attache,
Entonne un air breton, un air breton si doux
Qu'en le chantant ma voix vous ferait pleurer tous.— 10
Oh! les bruits, les odeurs, les murs gris des chaumières,
Le petit sentier blanc et bordé de bruyères,
Tout renaît, comme au temps où, pieds nus, sur le soir,
J'escaladais la porte et courais au Moustoir;
Et, dans ces souvenirs où je me sens revivre, 15
Mon pauvre cœur troublé se délecte et s'enivre!
Aussi, sans me lasser, tous les jours je revois
Le haut des toits de chaume et le bouquet de bois,
Au vieux puits la servante allant emplir ses cruches,
Et le courtil en fleur où bourdonnent les ruches, 20
Et l'aire, et le lavoir, et la grange; en un coin,
Les pommes par monceaux; et les meules de foin;
Les grands bœufs étendus aux portes de la crèche,
Et devant la maison un lit de paille fraîche.
Et j'entre; et c'est d'abord un silence profond, 25
Une nuit calme et noire; aux poutres du plafond
Un rayon de soleil, seul, darde sa lumière,
Et tout autour de lui fait danser la poussière.
Chaque objet cependant s'éclaircit; à deux pas,
Je vois le lit de chêne et son coffre; et plus bas, 30
(Vers la porte, en tournant), sur le bahut énorme
Pêle-mêle, bassins, vases de toute forme,
Pain de seigle, laitage, écuelles de noyer;
Enfin, plus bas encor, sur le bord du foyer,
Assise à son rouet près du grillon qui crie, 35
Et dans l'ombre filant, je reconnais Marie;
Et, sous sa jupe blanche arrangeant ses genoux,
Avec son doux parler elle me dit: «C'est vous!»

Félix Arvers

Paris, 1806—1851

"Arvers, . . . qui s'est un peu dispersé dans les petits théâtres et dans les plaisirs, a eu dans sa vie une bonne fortune; il a éprouvé une fois un sentiment vrai, délicat et profond, et il l'a exprimé dans un sonnet adorable." (Sainte-Beuve, *Nouveaux Lundis*, iii). Félix, at twenty-one, was clerk for a lawyer who served the Nodier and Musset families, and thus came to attend Nodier's *soirées de l'Arsenal.* The lines which have preserved his memory were inscribed in Marie Nodier's autograph album by Arvers between 1830 and 1832. The later title, *"Imité de l'italien"*, served to conceal the fact that *"le sonnet du siècle"* was intended, as Guttinguer told Musset, for Marie herself. She was already the wife of F. J. Mennessier, a clerk in the ministry of Justice.

Mes heures perdues, 1833. Consult L. Séché, *Alfred de Musset,* vol. I, *"les Camarades"*, 1907.

MES HEURES PERDUES

113.   IMITÉ DE L'ITALIEN

Mon âme a son secret, ma vie a son mystère:
Un amour éternel en un moment conçu.
Le mal est sans espoir, aussi j'ai dû le taire,
Et celle qui l'a fait n'en a jamais rien su.

Hélas! j'aurai passé près d'elle inaperçu,   5
Toujours à ses côtés et toujours solitaire;
Et j'aurai jusqu'au bout fait mon temps sur la terre,
N'osant rien demander et n'ayant rien reçu.

Pour elle, quoique Dieu l'ait faite douce et tendre,
Elle suit son chemin, distraite et sans entendre   10

Ce murmure d'amour élevé sur ses pas.

A l'austère devoir pieusement fidèle,
Elle dira, lisant ces vers tout remplis d'elle:
«Quelle est donc cette femme?» et ne comprendra pas.

ALOYSIUS BERTRAND

Ceva (Piedmont) 1808—Paris, 1841

THE author of *Gaspard de la Nuit, fantaisies à la manière de Rembrant et de Callot,* which led Baudelaire to write his *Petits Poèmes en prose,*[1] is a remote ancestor of *vers libre.* Louis Bertrand discovered a picturesque romanticism in the Gothic Dijon of the Dukes of Burgundy, and wrote his first prose poems there before he was twenty. Two years later he made a pilgrimage to Nodier, Deschamps, Sainte-Beuve and Hugo, reciting his work before the *Cénacle* at the Arsenal. In 1832, his pensioned mother and sister removed to Paris, where the family faced hardship to give Ludovic or Aloysius the opportunity to perfect his fantasies. His earnings were small, and he soon fell into a long consumption. Although a publisher bought *Gaspard* in 1836, the book was only published in 1842, after the death of this *enfant perdu du romantisme,* through the united efforts of the sculptor David d'Angers, Victor Pavie and Sainte-Beuve. The latter, by his preface, founded Bertrand's fame and gave currency to the name Aloysius.

Gaspard de la nuit, Édition publiée d'après le manuscrit de l'auteur par Bertrand Guégan (Payot, 1925). Book recommended, Cargill Sprietsma, *Louis Bertrand dit Aloysius Bertrand,* 1926.

---

[1] *"C'est en feuilletant, pour la vingtième fois au moins, le fameux* Gaspard de la Nuit, *d'Aloysius Bertrand . . . que l'idée m'est venue de tenter quelque chose d'analogue, et d'appliquer à la description . . . d'une vie moderne et plus abstraite, le procédé qu'il avait appliqué à la peinture de la vie ancienne, si étrangement pittoresque."*

GASPARD DE LA NUIT

114.   AVANT-PROPOS

> Ami, te souviens-tu qu'en route pour Cologne,
> Un dimanche, à Dijon, au cœur de la Bourgogne,
> Nous allions admirant clochers, portails et tours,
> Et les vieilles maisons dans les arrière-cours?
>   SAINTE-BEUVE.—*Les Consolations.*

Gothique donjon
Et flèche gothique
Dans un ciel d'optique,
Là-bas, c'est Dijon.
Ses joyeuses treilles,   5
N'ont point leurs pareilles;
Ses clochers jadis
Se comptaient par dix.
Là, plus d'une pinte
Est sculptée ou peinte;   10
Là, plus d'un portail
S'ouvre en éventail.
Dijon, Moult te tarde!
Et mon luth camard
Chante la moutarde   15
Et ton Jacquemart!

GASPARD DE LA NUIT

J'aime Dijon comme l'enfant, la nourrice dont il a sucé le lait,
comme le poète, la jouvencelle qui a initié son cœur.—Enfance
et poésie! Que l'une est éphémère et que l'autre est trompeuse!
L'enfance est un papillon qui se hâte de brûler ses blanches ailes
aux flammes de la jeunesse, et la poésie est semblable à
l'amandier: ses fleurs sont parfumées et ses fruits sont amers. . . .

ICI COMMENCE LE PREMIER LIVRE DES FANTAISIES DE GASPARD
DE LA NUIT

ÉCOLE FLAMANDE

II

115. ## LE MAÇON

Le maître maçon.—Regardez ces bastions, ces contreforts: on les dirait
construits pour l'éternité. SCHILLER.—*Guillaume Tell.*

Le maçon Abraham Knupfer chante, la truelle à la main, dans
les airs échafaudé,—si haut que, lisant les vers gothiques du
bourdon, il nivelle de ses pieds, et l'église aux trente arcs-boutants,
et la ville au trente églises.

Il voit les tarasques de pierre vomir l'eau des ardoises dans
l'abîme confus des galeries, des fenêtres, des pendentifs, des
clochetons, des tourelles, des toits et des charpentes, que tache
d'un point gris l'aile échancrée et immobile du tiercelet.

Il voit les fortifications qui se découpent en étoile, la citadelle
qui se rengorge comme une géline dans un tourteau, les cours
des palais où le soleil tarit les fontaines, et les cloîtres des
monastères où l'ombre tourne autour des piliers.

Les troupes impériales se sont logées dans le faubourg. Voilà
qu'un cavalier tambourine là-bas. Abraham Knupfer distingue
son chapeau à trois cornes, ses aiguillettes de laine rouge, sa
cocarde traversée d'une ganse, et sa queue nouée d'un ruban.

Ce qu'il voit encore, ce sont des soudards qui, dans le parc
empanaché de gigantesques ramées, sur de larges pelouses
d'émeraude, criblent de coups d'arquebuse un oiseau de bois fiché
à la pointe d'un mai.

Et le soir, quand la nef harmonieuse de la cathédrale s'endormit, couchée les bras en croix, il aperçut, de l'échelle, à l'horizon, un village incendié par des gens de guerre, qui flamboyait comme une comète dans l'azur.

VIII

116.　　　　　L'ALCHIMISTE

Nostre art s'apprent en deux manières, c'est à sauoir par enseignement d'un maistre, bouche à bouche, et non autrement, ou par inspiration et réuélation diuines; ou bien par les livres, lesquelz sont moult obscurs et embrouillez; et pour en iceux trouuer accordance et vérité moult conuient estre subtil, patient, studieux et vigilant.

　　　　　　　La Clef des secrets de filosofie de Pierre Vicot.

Rien encore!—Et vainement ai-je feuilleté pendant trois jours et trois nuits, aux blafardes lueurs de la lampe, les livres hermétiques de Raymond-Lulle!

Non rien, si ce n'est avec le sifflement de la cornue étincelante, les rires moqueurs d'un salamandre qui se fait un jeu de troubler mes méditations.

Tantôt il attache un pétard à un poil de ma barbe, tantôt il me décoche de son arbalète un trait de feu dans mon manteau.

Ou bien fourbit-il son armure, c'est alors la cendre du fourneau qu'il souffle sur les pages de mon formulaire et sur l'encre de mon écritoire.

Et la cornue, toujours plus étincelante, siffle le même air que le diable, quand Saint Éloy lui tenailla le nez dans sa forge.

Mais rien encore!—Et pendant trois autre jours et trois autres nuits, je feuilletterai, aux blafardes lueurs de la lampe, les livres hermétiques de Raymond-Lulle!

ICI COMMENCE LE SIXIÈME LIVRE DES FANTAISIES DE GASPARD
DE LA NUIT

SILVES

IV

117.   SUR LES ROCHERS DE CHÈVREMORTE

Et moi aussi j'ai été déchiré par les épines de ce désert, et j'y laisse chaque jour quelque partie de ma dépouille. Les Martyrs, Livre X.

Ce n'est point ici qu'on respire la mousse des chênes, et les bourgeons du peuplier, ce n'est point ici que les brises et les eaux murmurent d'amour ensemble.

Aucun baume, le matin, après la pluie, le soir, aux heures de la rosée; et rien pour charmer l'oreille que le cri du petit oiseau qui quête un brin d'herbe.

Désert qui n'entend plus la voix de Jean-Baptiste, désert que n'habitent plus ni les hermites ni les colombes!

Ainsi mon âme est une solitude où, sur le bord de l'abîme, une main à la vie et l'autre à la mort, je pousse un sanglot désolé.

Le poète est comme la giroflée qui s'attache frêle et odorante au granit, et demande moins de terre que de soleil.

Mais hélas! je n'ai plus de soleil, depuis que se sont fermés les yeux si charmants qui réchauffaient mon génie!

22 juin 1832.

Gérard de Nerval

Paris, 1808—1855

Gérard Labrunie, known as de Nerval, is a demi-god of French prose. His few poems, however, are now recited with new fervor. Hostile to romanticism, Gérard was self-converted at twenty while translating the first part of *Faust*. Next year he tried to dramatize Hugo's *Han d'Islande*, and at the battle of *Hernani*, was trusted to organize the applause. After the dispersion of *le Grand Cénacle*, Gérard, now studying medicine, was sometimes seen among the *Jeunes-France* of *le Petit Cénacle*. He lived however in an inner illusion—visions of a châtelaine descended from the Valois kings (cf. the poem *"Fantaisie"*), whom he called Adrienne. In 1834, Adrienne became incarnate in the actress Jenny Colon, his Aurélia. With Gautier and others, he formed the *Bohème galante* (after which one of his books is named), in the old *Impasse du Doyenné*, until expelled for noise. The habit of noctambulism grew on Gérard, he parted from Jenny, reality disappeared behind dreams. The following years were filled by travels, paid for by journalism. Strain and self-privation led to disorders in 1841, when it is alleged that he was seen leading a lobster on a ribbon. He soon recommenced wider journeys, but broke down in 1853 when writing his prose masterpieces, *les Filles du Feu* and *Petits Châteaux de Bohème* (which contain those *"diamants noirs de la poésie"* now grouped as *"les Chimères"*; *"guère plus obscurs que* les Mémorables *de Swedenborg"*, said Gérard). After months spent with Antoni Deschamps in Dr. Blanche's sanatorium, the body of *"le fol délicieux"* was found suspended in the rue de la Vieille-Lanterne, his hat on his head, the price of a night's lodging and the last pages of his *Aurélia* in his pockets.

Poésies complètes de Gérard de Nerval (Calmann-Lévy, 1877). Critical edition by Aristide Marie (Champion, 1926). Consult A. Marie, *Gérard de Nerval*, 1914.

FAUST

LE SOIR,—MARGUERITE CHANTE DANS SA CHAMBRE

118.　　　　　LE ROI DE THULÉ

Il était un roi de Thulé,
A qui son amante fidèle
Légua, comme souvenir d'elle,
Une coupe d'or ciselé.

C'était un trésor plein de charmes 　　5
Où son amour se conservait:
A chaque fois qu'il y buvait
Ses yeux se remplissait de larmes.

Voyant ses derniers jours venir,
Il divisa son héritage, 　　10
Mais il excepta du partage
La coupe, son cher souvenir.

Il fit à la table royale
Asseoir les barons dans sa tour;
Debout et rangée alentour, 　　15
Brillait sa noblesse loyale.

Sous le balcon grondait la mer.
Le vieux roi se lève en silence.
Il boit,—frissonne, et sa main lance
La coupe d'or au flot amer! 　　20

Il la vit tourner dans l'eau noire,
La vague en s'ouvrant fit un pli,
Le roi pencha son front pâli . . .
Jamais on ne le vit plus boire.

"*ODELETTES RHYTHMIQUES ET LYRIQUES*"

119.   FANTAISIE

Il est un air pour qui je donnerais
Tout Rossini, tout Mozart et tout Weber,
Un air très-vieux, languissant et funèbre,
Qui pour moi seul a des charmes secrets.

Or, chaque fois que je viens à l'entendre,   5
De deux cents ans mon âme rajeunit:
C'est sous Louis-Treize . . .—Et je crois voir s'étendre
Un coteau vert que le couchant jaunit;

Puis un château de brique à coins de pierre,
Aux vitraux teints de rougeâtres couleurs,   10
Ceint de grands parcs, avec une rivière
Baignant ses pieds, qui coule entre des fleurs.

Puis une dame, à sa haute fenêtre,
Blonde aux yeux noirs, en ses habits anciens . . .
Que, dans une autre existence peut-être,   15
J'ai déjà vue—et dont je me souviens!

120.   LES CYDALISES

Où sont nos amoureuses?
Elles sont au tombeau!
Elles sont plus heureuses
Dans un séjour plus beau!

Elles sont près des anges,   5
Dans le fond du ciel bleu,
Et chantent les louanges
De la mère de Dieu!

O blanche fiancée!
O jeune vierge en fleur!   10
Amante délaissée,
Que flétrit la douleur!

L'éternité profonde
Souriait dans vos yeux . . .
Flambeaux éteints du monde,   15
Rallumez-vous aux cieux!

"*LES CHIMÈRES*"

121.   EL DESDICHADO

Je suis le ténébreux,—le veuf,—l'inconsolé,
Le prince d'Aquitaine à la tour abolie;
Ma seule *étoile* est morte,—et mon luth constellé
Porte le *soleil noir* de la *Mélancolie*.

Dans la nuit du tombeau, toi qui m'as consolé,   5
Rends-moi le Pausilippe et la mer d'Italie,
La *fleur* qui plaisait tant à mon cœur désolé,
Et la treille où le pampre à la rose s'allie.

Suis-je Amour ou Phébus, Lusignan ou Biron?
Mon front est rouge encor du baiser de la reine;   10
J'ai rêvé dans la grotte où nage la sirène . . .

Et j'ai deux fois vainqueur traversé l'Achéron:
Modulant tour à tour sur la lyre d'Orphée
Les soupirs de la sainte et les cris de la fée.

PÉTRUS BOREL

Lyons, 1809—Mostaganem, 1859

PÉTRUS BOREL, self styled *"Lycanthrope,"* were-wolf or in a misanthropic sense, wolf for man, belongs with his friend Philothée O'Neddy to literary legend rather than to the history of literature. *"Nous le trouvions très fort,"* wrote Gautier, *"et nous pensions qu'il serait le grand homme spécial de la bande."* Hence, in 1830, Pétrus, Gérard de Nerval and Célestin Nanteuil were commissioned by Hugo to enroll supporters for the first night of *Hernani.*

After the break-up of *le Grand Cénacle,* the younger enthusiasts felt the need of a meeting place and rallied around Pétrus in the studio of Jehan Duseigneur, forming *le Petit Cénacle.* Sincere in their admiration for the Gothic non-classical masters, despising mediocrity, burning to renew the arts and letters, this group astonished the bourgeois in all possible ways on all possible occasions. Célestin Nanteuil, *"le jeune homme moyen-âge",* Joseph Bouchardy-*Cœur-de-Salpêtre,* Alphonse Brot, Auguste Maquet, Jules Vabre, *"le compagnon miraculeux",* Léon Clopet, Philothée O'Neddy, Gérard de Nerval and Théophile Gautier, with Borel himself, came to be called *les Jeunes-France.* Their literary radicalism, we know, was too extreme for Hugo's liking; the publication of Pétrus' first book, they thought, would put the *Lycanthrope* at the head of the romantic movement.

Rhapsodies, thirty-four poems, with a queerly-spelled title, appeared in 1832, but failed to impress the public. *Le Petit Cénacle* dissolved as they lost faith in their leader: Gérard and Théophile joined *la bohème galante,* while Pétrus and a few friends began tenting on the slopes of Rochechouart, more or less naked during the summer of 1833, in *le camp des Tartares,* as it was called by neighbors. The romantic movement, insofar as it ever was a school, suffered from these extravagances.

In 1833, Borel published a collection of tales, *Champavert, contes immoraux*, with no success, and left Paris to hide his poverty. After twelve years of effort and failure, the *Lycanthrope* was appointed *inspecteur de colonisation de 2ᵉ classe* at Mostaganem. He acquired land, and built himself a house, called *"Haute pensée"*. Persistent in working bareheaded, he died from sunstroke on his own plantation.

The *Œuvres complètes de Pétrus Borel* were republished in 1922 with a biography and bibliography by Aristide Marie, admirably documented. Read also Théophile Gautier's *Histoire du romantisme* for his racy sketches.

RHAPSODIES

122. ### HEUR ET MALHEUR

A Philadelphe O'Neddy Poète

L'un se fait comte au bas d'un madrigal;
Celui-ci, marquis dans un almanach.
MERCIER.

J'ai caressé la mort, riant au suicide,
Souvent et volontiers quand j'étais plus heureux;
De ma joie ennuyé je la trouvais aride,
J'étais las d'un beau ciel et d'un lit amoureux.
Le bonheur est pesant, il assoupit notre âme.   5
Il étreint notre cœur d'un cercle étroit de fer;
Du bateau de la vie il amortit la rame;
Il pose son pied lourd sur la flamme d'enfer,
Auréole, brûlant sur le front du poète,
Comme au pignon d'un temple un flambeau consacré;   10
Car du cerveau du Barde, arabe cassolette,
Il s'élève un parfum dont l'homme est enivré.—
C'est un oiseau, le Barde! il doit rester sauvage;
La nuit, sous la ramure, il gazouille son chant;
Le canard tout boueux se pavane au rivage,   15
Saluant tout soleil ou levant ou couchant.—
C'est un oiseau, le Barde! il doit vieillir austère,

Sobre, pauvre, ignoré, farouche, soucieux,
Ne chanter pour aucun, et n'avoir rien sur terre
Qu'une cape trouée, un poignard et les Cieux!   20
Mais le barde aujourd'hui, c'est une voix de femme,
Un habit bien collant, un minois relavé,
Un perroquet juché chantonnant pour madame,
Dans une cage d'or un canari privé;
C'est un gras merveilleux versant de chaudes larmes   25
Sur des maux obligés après un long repas;
Portant un parapluie, et jurant par ses armes;
L'électuaire en main invoquant le trépas,
Joyaux, bals, fleurs, cheval, château, fine maîtresse,
Sont les matériaux de ses poèmes lourds: 30
Rien pour la pauvreté, rien pour l'humble en détresse;
Toujours les souffletant de ses vers de velours.
Par merci! voilez-nous vos airs autocratiques;
Heureux si vous cueillez les biens à pleins sillons!
Mais ne galonnez pas, comme vos domestiques,   35
Vos vers qui font rougir nos fronts ceints de haillons.
Eh! vous de ces soleils, moutonnier parélie!
De cacher vos lambeaux ne prenez tant de soin;
Ce n'est qu'à leur abri que l'esprit se délie;
Le barde ne grandit qu'enivré de besoin!   40
J'ai caressé la mort, riant au suicide,
Souvent et volontiers, quand j'étais plus heureux;
Maintenant je la hais, et d'elle suis peureux,
Misérable et miné par la faim homicide.

Hégésippe Moreau

Paris, 1810—1838

THE ghosts of unfortunate young poets—Malfilâtre, Gilbert and Chatterton—haunted Vigny and his contemporaries, but the romantic movement was also to have its ill-starred victims:— Ymbert Galloix, 1807-28, the school-master poet from Geneva; Victor Escousse, 1813-32, who asphyxiated himself with Lebras, his collaborator; A. Fontaney, 1803-37, dying with Mme Dorval's daughter Gabrielle, of consumption:

> Moreau—j'oubliais—Hégésippe,
> Créateur de l'art-hôpital . . .
> (Tristan Corbière, *les Amours jaunes*).

Though an orphan of irregular birth, Moreau was given a good education and apprenticed to a printer at Provins. In love with his employer's daughter, nine years his senior, the young man showed her his first verses. At 18, his political *chansons* were noticed by Pierre Lebrun, *membre de l'académie* and a fellow townsman. Next year Moreau began to set type for Didot, printer to the Academy in Paris. After fighting behind the barricades in the revolution of 1830, the poet lived by feverish expedients until illness brought him low in 1833. In imitation of Barthélémy, a celebrated pamphleteer of the time, Moreau next started a satirical paper at Provins, where he was recuperating. Its failure sent him back to Paris embittered. The verse by which he may be remembered was now written in Paris; reminiscences of country days by the banks of the Voulzie at Provins. In 1838, just as a friend found a publisher for his poems, after *le Myosotis* had come out on fine paper and been praised by the newspapers, Moreau re-entered the hospital and died suddenly.

See *Œuvres de Hégésippe Moreau,* preface by Sainte-Beuve,

1851. *Œuvres complètes*, introduction by R. Vallery-Radot, 2 vols., 1890-1.

LE MYOSOTIS

123.   LA VOULZIE

ÉLÉGIE

S'il est un nom bien doux fait pour la poésie,
Oh! dites, n'est-ce pas le nom de la Voulzie?
La Voulzie, est-ce un fleuve aux grandes îles? Non;
Mais, avec un murmure aussi doux que son nom,
Un tout petit ruisseau coulant visible à peine;   5
Un géant altéré le boirait d'une haleine;
Le nain vert Obéron, jouant au bord des flots,
Sauterait par-dessus sans mouiller ses grelots.
Mais j'aime la Voulzie et ses bois noirs de mûres,
Et dans son lit de fleurs ses bonds et ses murmures.   10
Enfant, j'ai bien souvent, à l'ombre des buissons,
Dans le langage humain traduit ces vagues sons;
Pauvre écolier rêveur, et qu'on disait sauvage,
Quand j'émiettais mon pain à l'oiseau du rivage,
L'onde semblait me dire: «Espère! aux mauvais jours   15
Dieu te rendra ton pain.»—Dieu me le doit toujours!
C'était mon Égérie, et l'oracle prospère
A toutes mes douleurs jetait ce mot: «Espère!
Espère et chante, enfant dont le berceau trembla;
Plus de frayeur: Camille et ta mère sont là.   20
Moi, j'aurai pour tes chants de longs échos . . .»—Chimère!
Le fossoyeur m'a pris et Camille et ma mère.
J'avais bien des amis ici-bas quand j'y vins,
Bluet éclos parmi les roses de Provins:
Du sommeil de la mort, du sommeil que j'envie,   25
Presque tous maintenant dorment; et, dans la vie,
Le chemin dont l'épine insulte à mes lambeaux,
Comme une voie antique, est bordé de tombeaux.
Dans le pays des sourds j'ai promené ma lyre;

J'ai chanté sans échos, et, pris d'un noir délire, [30]
J'ai brisé mon luth, puis, de l'ivoire sacré
J'ai jeté les débris au vent . . . et j'ai pleuré!
Pourtant je te pardonne, ô ma Voulzie! et même,
Triste, tant j'ai besoin d'un confident qui m'aime,
Me parle avec douceur et me trompe, qu'avant [35]
De clore au jour mes yeux battus d'un si long vent
Je veux faire à tes bords un saint pèlerinage,
Revoir tous les buissons si chers à mon jeune âge,
Dormir encor au bruit de tes roseaux chanteurs,
Et causer d'avenir avec tes flots menteurs. [40]

ALFRED DE MUSSET

Paris 1810—1857

THE prodigal son of romanticism wrote his best poetry before he was thirty, and this youthfulness suffuses his writings. Alfred was the second son of a government clerk who admired and edited Rousseau's works. Aged eight, the boy had spells when he seemed to stifle indoors, but proved an excellent student at the Lycée Henri IV. At seventeen, he tried law studies, then medicine and then painting, always associating with his richest schoolmates. His discovery of Chénier's poetry set him to writing verses at eighteen, when his good fortune and good looks gave him admission to Nodier's *Cénacle*—smiled upon as the finest waltzer *dans la grande boutique romantique.* Sainte-Beuve had called him a boy genius. Alfred plays the dandy with his rich friends and the pretty ladies, drinks and gambles—all for the sake of seeing life. By the time he was twenty, he had suffered his first attacks of *le mal du siècle* from a woman's betrayal. His *Contes d'Espagne et d'Italie* appeared in that most romantic year 1830.

Byronic adventures were the fashion in those days. Yet some of the songs of this volume are still remembered besides the "*Ballade à la lune,*" in which Musset parodied the extravagances of romanticism to scandalize those classicists who took him seriously. Musset's father now wrote: "*le romantique se* déhugotise *tout à fait!*", but Alfred got nicknamed "Mademoiselle Byron". His style changed. In the long "*Secrètes pensées de Raphaël*", a sort of profession of literary faith, he wrote this year:

Racine, rencontrant Shakespeare sur ma table,
S'endort près de Boileau, qui leur a pardonné.

Following the fashion Musset wrote two unsuccessful plays in 1830. Hereupon the poet resolved never to face the "*ménagerie*", the critics and the public again. This happy decision freed him from subservience to routine and "taste"; he came to write the

most Shakespearian comedies that France has known. *Le Spectacle
dans un fauteuil* (1833), marked by a simplicity of versification
that is non-romantic, contained two closet-dramas. Here, to his
contemporaries, Musset seemed to have betrayed romanticism!
He even published in the *Revue des Deux-Mondes* plays like
les Caprices de Marianne, the drama of Musset's dual nature and
its antagonisms—ideal purity and skeptical sensuality. A few
months later, the poem *"Rolla"* appeared in the same magazine.
Though Rolla is a fatal, Byronic hero, tainted with Wertherism,
and the last of the kind that Musset conceived, there is much
emotion in his declamations. Alfred strove passionately to set
forth here the fruits of debauchery and doubt. A crisis was
approaching in Musset's life, for he soon believed himself en-
gaged in an ideal love, shared by George Sand, six years his
senior, but with "Isis eyes", never, never, to be forgotten.

"Amour, fléau du monde, exécrable folie" (*Don Paëz*). George
Sand had long considered visiting Italy; Alfred accompanied her.
Early in January 1834, they reached Venice where George fell
ill. This did not spoil Venice for him, but he spoiled Venice
for her. Thus their intimacy was broken, though *"les Amants de
Venise"* were still at the Hotel Danieli when Musset came down
with brain-fever, delirium alternating with semi-coma. George
Sand nursed him devotedly but liked young Pagello, his doctor.
Musset glimpsed this fondness from his sick-bed but his accusa-
tions were taken as signs of insanity, the hallucinations of a
drinker. When his strength allowed, he left for home, abandoning
George to Pagello. Then came wounded pride, entreaties after
George returned to Paris, and the writing of Musset's dramatic
masterpieces: *On ne badine pas avec l'amour*, and *Lorenzaccio*
(1834). The year dragged out in reconciliations or quarrels till
George fled Paris in March, 1835.

When all had ended in humiliation and sorrow, Musset plunged
into dissipation interrupted by days of reflection. *"Rien ne nous
rend si grand qu'une grande douleur"*: the poet's muse inspired
him with his great dialogues, *"la Nuit de mai"* and *"la Nuit de
décembre"* published in the *Revue des Deux-Mondes* for 1835.

La Confession d'un enfant du siècle, most romantic of novels, written with George Sand's permission and published next year, blamed the age for his own shortcomings. A new faith appears in *"la Lettre à Lamartine"* and *"la Nuit d'août"* (too long for reproduction in this volume), and the old freshness in a series of mischievous satires on romanticism, *"les Lettres de Dupuis et Cotonet"* (1836-37). New friendships came into his life, the most helpful being that of Madame Jaubert, accepted as his *marraine* for baptizing him *"le Prince Phosphore de Cœur-Volant"*. In 1837, Musset wrote *"la Nuit d'octobre"*, also too long for quotation, *Un Caprice,* later his most popular play, and charming stories. However, Lamartine failed to reply to the poem addressed him, Musset was unrecognized and prefaced the *Poésies complètes* in 1840 with the tragic *"Tristesse"*.

Serious illness and the influence of Sœur Marceline, sweet sister of charity, almost saved Musset from knowing degradation. Unfortunately, Alfred was subject to spasms or attacks, when he would drink himself into unconsciousness. In ten years, Alfred published only one volume of 170 pages; *les Poésies nouvelles* of 1850. However, Musset's plays began to be staged with financial success and in 1852, election to the Academy came in tardy recognition of his genius. He died from heart attacks May 2, 1857.

During the Second Empire, Musset was immensely popular, and Taine, who represents this generation, placed him above Tennyson; *"C'était plus qu'un poète, c'était un homme . . . celui-là du moins n'a jamais menti."* The Parnassian poets in a reactionary mood were most disdainful and Musset was ridiculed by Verlaine and pilloried by Leconte de Lisle:

> Promène qui voudra son cœur ensanglanté
> Sur ton pavé cynique, ô plèbe carnassière!
> *"Les Montreurs."*

Musset's position is now secure as the greatest romantic playwright in France, the only wit of his generation, the poet of the highest natural gifts who chiefly sets forth the thrills and anguish of the heart. Extensive quotation from his work is imperative for the light it casts upon various phases of the romantic movement.

Musset's work was first collected in the *Œuvres complètes* of 1866. Modern editions, *Œuvres Complètes* in the *Bibliothèque Charpentier*, with notes by E. Biré (Garnier, 1907) or annotated by Robert Doré (Conard, 1923). His brother Paul's *Biographie d'Alfred de Musset*, 1877, principal source of information, may be corrected by Maurice Donnay's *Alfred de Musset*, 1913.

"PREMIÈRES POÉSIES"

124.
AU LECTEUR
DES DEUX VOLUMES DE VERS DE L'AUTEUR

Ce livre est toute ma jeunesse ;
Je l'ai fait sans presque y songer.
Il y paraît, je le confesse,
Et j'aurais pu le corriger.

Mais quand l'homme change sans cesse, 5
Au passé pourquoi rien changer ?
Va-t'en, pauvre oiseau passager ;
Que Dieu te mène à ton adresse !

Qui que tu sois, qui me liras,
Lis-en le plus que tu pourras, 10
Et ne me condamne qu'en somme.

Mes premiers vers sont d'un enfant,
Les seconds d'un adolescent,
Les derniers à peine d'un homme.

1840.

125.   VENISE

Dans Venise la rouge,
Pas un bateau qui bouge,
Pas un pêcheur dans l'eau,
  Pas un falot.

Seul, assis à la grève,   5
Le grand lion soulève,
Sur l'horizon serein,
  Son pied d'airain.

Autour de lui, par groupes,
Navires et chaloupes,   10
Pareils à des hérons
  Couchés en ronds,

Dorment sur l'eau qui fume
Et croisent dans la brume,
En légers tourbillons,   15
  Leurs pavillons.

La lune qui s'efface
Couvre son front qui passe
D'un nuage étoilé
  Demi-voilé.   20

Ainsi, la dame abbesse
De Sainte-Croix rabaisse
Sa cape aux vastes plis
  Sur son surplis;

Et les palais antiques,   25
Et les graves portiques,

Et les blancs escaliers
　　Des chevaliers,

Et les ponts, et les rues,
Et les mornes statues,
Et le golfe mouvant
　　Qui tremble au vent,

Tout se tait, fors les gardes
Aux longues hallebardes,
Qui veillent aux créneaux
　　Des arsenaux.

—Ah! maintenant plus d'une
Attend, au clair de lune,
Quelque jeune muguet,
　　L'oreille au guet.

Pour le bal qu'on prépare,
Plus d'une qui se pare
Met devant son miroir
　　Le masque noir.

Sur sa couche embaumée,
La Vanita pâmée
Presse encor son amant,
　　En s'endormant;

Et Narcisa, la folle,
Au fond de sa gondole,
S'oublie en un festin
　　Jusqu'au matin.

Et qui, dans l'Italie,
N'a son grain de folie?

Qui ne garde aux amours 　　　　55
Ses plus beaux jours?

Laissons la vieille horloge,
Au palais du vieux doge,
Lui compter de ses nuits
Les longs ennuis. 　　　　60

Comptons plutôt, ma belle,
Sur ta bouche rebelle
Tant de baisers donnés . . .
Ou pardonnés.

Comptons plutôt tes charmes, 　　　　65
Comptons les douces larmes
Qu'à nos yeux a coûté
La volupté!

1829.

126.

BALLADE A LA LUNE

C'était, dans la nuit brune,
Sur le clocher jauni,
La lune,
Comme un point sur un i.

Lune, quel esprit sombre 　　　　5
Promène au bout d'un fil,
Dans l'ombre,
Ta face et ton profil?

Es-tu l'œil du ciel borgne?
Quel chérubin cafard 　　　　10
Nous lorgne
Sous ton masque blafard?

N'es-tu rien qu'une boule?
Qu'un grand faucheux bien gras
    Qui roule
Sans pattes et sans bras?   15

Es-tu, je t'en soupçonne,
Le vieux cadran de fer
    Qui sonne
L'heure aux damnés d'enfer?   20

Sur ton front qui voyage,
Ce soir ont-ils compté
    Quel âge
A leur éternité?

                25
Est-ce un ver qui te ronge,
Quand ton disque noirci
    S'allonge
En croissant rétréci?

Qui t'avait éborgnée
L'autre nuit? T'étais-tu   30
    Cognée
A quelque arbre pointu?

Car tu vins, pâle et morne,
Coller sur mes carreaux
    Ta corne,   35
A travers les barreaux.

Va, lune moribonde,
Le beau corps de Phœbé
    La blonde
Dans la mer est tombé,   40

Tu n'en es que la face,
Et déjà, tout ridé,
   S'efface
Ton front dépossédé.

Rends-nous la chasseresse,   45
Blanche, au sein virginal,
   Qui presse
Quelque cerf matinal!

Oh! sous le vert platane,
Sous les frais coudriers,   50
   Diane,
Et ses grands lévriers!

Le chevreau noir qui doute,
Pendu sur un rocher,
   L'écoute,   55
L'écoute s'approcher.

Et, suivant leurs curées,
Par les vaux, par les blés,
   Les prées,
Ses chiens s'en sont allés.   60

Oh! le soir, dans la brise,
Phœbé, sœur d'Apollo,
   Surprise
A l'ombre, un pied dans l'eau!

Phœbé qui, la nuit close,   65
Aux lèvres d'un berger
   Se pose,
Comme un oiseau léger.

Lune, en notre mémoire,
De tes belles amours
   L'histoire
T'embellira toujours.

70

Et toujours rajeunie,
Tu seras du passant
   Bénie,
Pleine lune ou croissant.

75

T'aimera le vieux pâtre,
Seul, tandis qu'à ton front
   D'albâtre
Ses dogues aboieront.

80

T'aimera le pilote
Dans son grand bâtiment,
   Qui flotte,
Sous le clair firmament,

Et la fillette preste
Qui passe le buisson,
   Pied leste,
En chantant sa chanson.

85

Comme un ours à la chaîne,
Toujours sous tes yeux bleus
   Se traîne
L'Océan montueux.

90

Et qu'il vente ou qu'il neige,
Moi-même, chaque soir,
   Que fais-je,
Venant ici m'asseoir?

95

Je viens voir à la brune,
Sur le clocher jauni,
    La lune
Comme un point sur un i.   100

127.   CHANSON

J'ai dit à mon cœur, à mon faible cœur:
N'est-ce point assez d'aimer sa maîtresse?
Et ne vois-tu pas que changer sans cesse,
C'est perdre en désirs le temps du bonheur?

Il m'a répondu: Ce n'est point assez,   5
Ce n'est point assez d'aimer sa maîtresse;
Et ne vois-tu pas que changer sans cesse,
Nous rend doux et chers les plaisirs passés?

J'ai dit à mon cœur, à mon faible cœur:
N'est-ce point assez de tant de tristesse?   10
Et ne vois-tu pas que changer sans cesse
C'est à chaque pas trouver la douleur?

Il m'a répondu: «Ce n'est point assez,
Ce n'est point assez de tant de tristesse
Et ne vois-tu pas que changer sans cesse   15
Nous rend doux et chers les chagrins passés?»

                                        1831.

128.   A MON AMI ÉDOUARD B . . .

Tu te frappais le front en lisant Lamartine,
Édouard, tu pâlissais comme un joueur maudit;
Le frisson te prenait, et la foudre divine,
    Tombant dans ta poitrine,
T'épouvantait toi-même en traversant ta nuit.   5

Ah! frappe-toi le cœur, c'est là qu'est le génie.
C'est là qu'est la pitié, la souffrance et l'amour;
C'est là qu'est le rocher du désert de la vie,
  D'où les flots d'harmonie,
Quand Moïse viendra, jailliront quelque jour.   **10**

Peut-être à ton insu déjà bouillonnent-elles,
Ces laves du volcan, dans les pleurs de tes yeux.
Tu partiras bientôt avec les hirondelles,
  Toi qui te sens des ailes
Lorsque tu vois passer un oiseau dans les cieux.   **15**

Ah! tu sauras alors ce que vaut la paresse;
Sur les rameaux voisins tu voudras revenir.
Édouard, Édouard, ton front est encor sans tristesse,
  Ton cœur plein de jeunesse . . .
Ah! ne les frappe pas, ils n'auraient qu'à s'ouvrir!   **20**

       1832.

129.   LA COUPE ET LES LÈVRES

DÉDICACE

A M. ALFRED T . . .

. . . Je ne fais pas grand cas, pour moi, de la critique;
Toute mouche qu'elle est, c'est rare qu'elle pique.
On m'a dit l'an passé que j'imitais Byron:
Vous qui me connaissez, vous savez bien que non.   **80**
Je hais comme la mort l'état de plagiaire;
Mon verre n'est pas grand, mais je bois dans mon verre.
C'est bien peu, je le sais, que d'être homme de bien,
Mais toujours est-il vrai que je n'exhume rien.

            85
Je ne me suis pas fait écrivain politique,
N'étant pas amoureux de la place publique.
D'ailleurs, il n'entre pas dans mes prétentions

D'être l'homme du siècle et de ses passions.
C'est un triste métier que de suivre la foule,
Et de vouloir crier plus fort que les meneurs,   90
Pendant qu'on se raccroche au manteau des traîneurs.

Vous me demanderez si j'aime ma patrie.
Oui;—j'aime fort aussi l'Espagne et la Turquie.
Je ne hais pas la Perse, et je crois les Hindous
De très honnêtes gens qui boivent comme nous.   110
Mais je hais les cités, les pavés et les bornes,
Tout ce qui porte l'homme à se mettre en troupeau,
Pour vivre entre deux murs et quatre faces mornes,
Le front sous un moellon, les pieds sur un tombeau.

    .   .   .   .   .

Vous me demanderez si j'aime la nature.
Oui;—j'aime fort aussi les arts et la peinture.
Le corps de la Vénus me paraît merveilleux.
La plus superbe femme est-elle préférable?
Elle parle, il est vrai, mais l'autre est admirable,   140
Et je suis quelquefois pour les silencieux.
Mais je hais les pleurards, les rêveurs à nacelles,
Les amants de la nuit, des lacs, des cascatelles,
Cette engeance sans nom, qui ne peut faire un pas
Sans s'inonder de vers, de pleurs et d'agendas.   145
La nature, sans doute, est comme on veut la prendre.
Il se peut, après tout, qu'ils sachent la comprendre,
Mais eux, certainement, je ne les comprends pas.

    .   .   .   .   .

Vous me demanderez si j'aime quelque chose.
Je m'en vais vous répondre à peu près comme Hamlet:
Doutez, Ophélia, de tout ce qu'il vous plaît,
De la clarté des cieux, du parfum de la rose;
Doutez de la vertu, de la nuit et du jour;   165
Doutez de tout au monde, et jamais de l'amour.

L'amour est tout,—l'amour, et la vie au soleil.
Aimer est le grand point, qu'importe la maîtresse?
Qu'importe le flacon, pourvu qu'on ait l'ivresse?   175
Faites-vous de ce monde un songe sans réveil.
S'il est vrai que Schiller n'ait aimé qu'Amélie,
Gœthe que Marguerite, et Rousseau que Julie,
Que la terre leur soit légère!—ils ont aimé.

Vous trouverez, mon cher, mes rimes bien mauvaises;   180
Quant à ces choses-là, je suis un réformé.
Je n'ai plus de système, et j'aime mieux mes aises;
Mais j'ai toujours trouvé honteux de cheviller.
Je vois chez quelques-uns, en ce genre d'escrime,
Des rapports trop exacts avec un menuisier.   185
Gloire aux auteurs nouveaux, qui veulent à la rime
Une lettre de plus qu'il n'en fallait jadis!
Bravo! c'est un bon clou de plus à la pensée.
La vieille liberté par Voltaire laissée
Était bonne autrefois pour les petits esprits.   190

Un long cri de douleur traversa l'Italie
Lorsqu'au pied des autels Michel-Ange expira.
Le siècle se fermait,—et la mélancolie,
Comme un pressentiment, des vieillards s'empara.
L'art, qui sous ce grand homme avait quitté la terre   195
Pour se suspendre au ciel, comme le nourrisson
Se suspend et s'attache aux lèvres de sa mère,
L'art avec lui tomba.—Ce fut le dernier nom
Dont le peuple toscan ait gardé la mémoire.
Aujourd'hui l'art n'est plus,—personne n'y veut croire.   200
Notre littérature a cent mille raisons
Pour parler de noyés, de morts, et de guenilles,
Elle-même est un mort que nous galvanisons.

.   .   .   .

Je ne sais trop à quoi tend tout ce bavardage.

Je voulais mettre un mot sur la première page;
A mon très honoré, très honorable ami,   260
Monsieur—et cœtera,—comme on met aujourd'hui,
Quand on veut proprement faire une dédicace.
Je l'ai faite un peu longue, et je m'en aperçois.
On va s'imaginer que c'est une préface.
Moi qui n'en lis jamais!—ni vous non plus, je crois.   265

"POÉSIES NOUVELLES"

130.   ROLLA

I

Regrettez-vous le temps où le ciel sur la terre
Marchait et respirait dans un peuple de dieux;
Où Vénus Astarté, fille de l'onde amère,
Secouait, vierge encor, les larmes de sa mère,
Et fécondait le monde en tordant ses cheveux?   5
Regrettez-vous le temps où les Nymphes lascives
Ondoyaient au soleil parmi les fleurs des eaux,
Et d'un éclat de rire agaçaient sur les rives
Les Faunes indolents couchés dans les roseaux;
Où les sources tremblaient des baisers de Narcisse;   10
Où du nord au midi, sur la création,
Hercule promenait l'éternelle justice,
Sous son manteau sanglant taillé dans un lion;
Où les Sylvains moqueurs, dans l'écorce des chênes,
Avec les rameaux verts se balançaient au vent,   15
Et sifflaient dans l'écho la chanson du passant;
Où tout était divin, jusqu'aux douleurs humaines;
Où le monde adorait ce qu'il tue aujourd'hui;
Où quatre mille dieux n'avaient pas un athée;
Où tout était heureux, excepté Prométhée,   20
Frère aîné de Satan, qui tomba comme lui?
—Et quand tout fut changé, le ciel, la terre et l'homme,

Quand le berceau du monde en devint le cercueil,
Quand l'ouragan du Nord sur les débris de Rome
De sa sombre avalanche étendit le linceul,—   25
Regrettez-vous le temps où d'un siècle barbare
Naquit un siècle d'or, plus fertile et plus beau;
Où le vieil univers fendit avec Lazare
De son front rajeuni la pierre du tombeau?
Regrettez-vous le temps où nos vieilles romances   30
Ouvraient leurs ailes d'or vers leur monde enchanté;
Où tous nos monuments et toutes nos croyances
Portaient le manteau blanc de leur virginité;
Où, sous la main du Christ, tout venait de renaître;
Où le palais du prince et la maison du prêtre,   35
Portant la même croix sur leur front radieux,
Sortaient de la montagne en regardant les cieux;
Où Cologne et Strasbourg, Notre-Dame et Saint-Pierre,
S'agenouillant au loin dans leurs robes de pierre,
Sur l'orgue universel des peuples prosternés   40
Entonnaient l'hosanna des siècles nouveau-nés;
Le temps où se faisait tout ce qu'a dit l'histoire;
Où sur les saints autels les crucifix d'ivoire
Ouvraient des bras sans tache et blancs comme le lait;
Où la Vie était jeune,—où la Mort espérait?   45

O Christ! je ne suis pas de ceux que la prière
Dans tes temples muets amène à pas tremblants;
Je ne suis pas de ceux qui vont à ton Calvaire,
En se frappant le cœur, baiser tes pieds sanglants;
Et je reste debout sous tes sacrés portiques,   50
Quand ton peuple fidèle, autour des noirs arceaux,
Se courbe en murmurant sous le vent des cantiques,
Comme au souffle du nord un peuple de roseaux.
Je ne crois pas, ô Christ! à ta parole sainte:
Je suis venu trop tard dans un monde trop vieux.   55
D'un siècle sans espoir naît un siècle sans crainte;
Les comètes du nôtre ont dépeuplé les cieux.

Maintenant le hasard promène au sein des ombres
De leurs illusions les mondes réveillés;
L'esprit des temps passés, errant sur leurs décombres,   60
Jette au gouffre éternel tes anges mutilés.
Les clous du Golgotha te soutiennent à peine;
Sous ton divin tombeau le sol s'est dérobé:
Ta gloire est morte, ô Christ! et sur nos croix d'ébène
Ton cadavre céleste en poussière est tombé!   65

Eh bien! qu'il soit permis d'en baiser la poussière
Au moins crédule enfant de ce siècle sans foi,
Et de pleurer, ô Christ! sur cette froide terre
Qui vivait de ta mort, et qui mourra sans toi!
Oh! maintenant, mon Dieu, qui lui rendra la vie?   70
Du plus pur de ton sang tu l'avais rajeunie;
Jésus, ce que tu fis, qui jamais le fera?
Nous, vieillards nés d'hier, qui nous rajeunira?

IV

Dors-tu content, Voltaire, et ton hideux sourire
Voltige-t-il encor sur tes os décharnés?
Ton siècle était, dit-on, trop jeune pour te lire;
Le nôtre doit te plaire, et tes hommes sont nés.
Il est tombé sur nous, cet édifice immense   5
Que de tes larges mains tu sapais nuit et jour.
La Mort devait t'attendre avec impatience,
Pendant quatre-vingts ans que tu lui fis ta cour;
Vous devez vous aimer d'un infernal amour.
Ne quittes-tu jamais la couche nuptiale   10
Où vous vous embrassez dans les vers du tombeau,
Pour t'en aller tout seul promener ton front pâle
Dans un cloître désert ou dans un vieux château?
Que te disent alors tous ces grands corps sans vie,
Ces murs silencieux, ces autels désolés,   15
Que pour l'éternité ton souffle a dépeuplés?
Que te disent les croix? que te dit le Messie?

Oh! saigne-t-il encor, quand, pour le déclouer,
Sur son arbre tremblant, comme une fleur flétrie,
Ton spectre dans la nuit revient le secouer?   20
Crois-tu ta mission dignement accomplie,
Et comme l'Éternel, à la création,
Trouves-tu que c'est bien, et que ton œuvre est bon?
Au festin de mon hôte alors je te convie.
Tu n'as qu'à te lever;—quelqu'un soupe ce soir   25
Chez qui le Commandeur peut frapper et s'asseoir. . . .

131.   LA NUIT DE MAI

LA MUSE

Poète, prends ton luth et me donne un baiser;
La fleur de l'églantier sent ses bourgeons éclore.
Le printemps naît ce soir; les vents vont s'embraser,
Et la bergeronnette, en attendant l'aurore,
Aux premiers buissons verts commence à se poser.   5
Poète, prends ton luth, et me donne un baiser.

LE POÈTE

Comme il fait noir dans la vallée!
J'ai cru qu'une forme voilée
Flottait là-bas sur la forêt.
Elle sortait de la prairie;   10
Son pied rasait l'herbe fleurie:
C'est une étrange rêverie;
Elle s'efface et disparaît.

LA MUSE

Poète, prends ton luth; la nuit, sur la pelouse,
Balance le zéphyr dans son voile odorant.   15
La rose, vierge encor, se referme jalouse
Sur le frelon nacré qu'elle enivre en mourant.

Écoute! tout se tait; songe à ta bien-aimée.
Ce soir, sous les tilleuls, à la sombre ramée
Le rayon du couchant laisse un adieu plus doux.   20
Ce soir, tout va fleurir: l'immortelle nature
Se remplit de parfums, d'amour et de murmure,
Comme le lit joyeux de deux jeunes époux.

LE POÈTE

Pourquoi mon cœur bat-il si vite?
Qu'ai-je donc en moi qui s'agite   25
Dont je me sens épouvanté?
Ne frappe-t-on pas à ma porte?
Pourquoi ma lampe à demi morte
M'éblouit-elle de clarté?
Dieu puissant! tout mon corps frissonne.   30
Qui vient? qui m'appelle?—Personne.
Je suis seul; c'est l'heure qui sonne;
O solitude! ô pauvreté!

LA MUSE

Poète, prends ton luth; le vin de la jeunesse
Fermente cette nuit dans les veines de Dieu.   35
Mon sein est inquiet; la volupté l'oppresse,
Et les vents altérés m'ont mis la lèvre en feu.
O paresseux enfant! regarde, je suis belle.
Notre premier baiser, ne t'en souviens-tu pas,
Quand je te vis si pâle au toucher de mon aile,   40
Et que, les yeux en pleurs, tu tombas dans mes bras?
Ah! je t'ai consolé d'une amère souffrance!
Hélas! bien jeune encor, tu te mourais d'amour.
Console-moi ce soir, je me meurs d'espérance;
J'ai besoin de prier pour vivre jusqu'au jour.   45

LE POÈTE

Est-ce toi dont la voix m'appelle,
O ma pauvre Muse! est-ce toi?

O ma fleur! ô mon immortelle!
Seul être pudique et fidèle
Où vive encor l'amour de moi! 50
Oui, te voilà, c'est toi, ma blonde,
C'est toi, ma maîtresse et ma sœur!
Et je sens, dans la nuit profonde,
De ta robe d'or qui m'inonde
Les rayons glisser dans mon cœur. 55

LA MUSE

Poète, prends ton luth; c'est moi, ton immortelle,
Qui t'ai vu cette nuit triste et silencieux,
Et qui, comme un oiseau que sa couvée appelle,
Pour pleurer avec toi descends du haut des cieux.
Viens, tu souffres, ami. Quelque ennui solitaire 60
Te ronge, quelque chose a gémi dans ton cœur;
Quelque amour t'est venu, comme on en voit sur terre,
Une ombre de plaisir, un semblant de bonheur.
Viens, chantons devant Dieu; chantons dans tes pensées,
Dans tes plaisirs perdus, dans tes peines passées; 65
[Partons, dans un baiser, pour un monde inconnu.]
Éveillons au hasard les échos de ta vie,
Parlons-nous de bonheur, de gloire et de folie,
Et que ce soit un rêve, et le premier venu.
Inventons quelque part des lieux où l'on oublie; 70
Partons, nous sommes seuls, l'univers est à nous.
Voici la verte Écosse et la brune Italie,
Et la Grèce, ma mère, où le miel est si doux,
Argos, et Ptéléon, ville des hécatombes;
Et Messa, la divine, agréable aux colombes; 75
Et le front chevelu du Pélion changeant;
Et le bleu Titarèse, et le golfe d'argent
Qui montre dans ses eaux, où le cygne se mire,
La blanche Oloossone à la blanche Camyre.
Dis-moi, quel songe d'or nos chants vont-ils bercer? 80
D'où vont venir les pleurs que nous allons verser?

Ce matin, quand le jour a frappé ta paupière,
Quel séraphin pensif, courbé sur ton chevet,
Secouait des lilas dans sa robe légère,
Et te contait tout bas les amours qu'il rêvait?   85

Chanterons-nous l'espoir, la tristesse ou la joie?
Tremperons-nous de sang les bataillons d'acier?
Suspendrons-nous l'amant sur l'échelle de soie?
Jetterons-nous au vent l'écume du coursier?

Dirons-nous quelle main, dans les lampes sans nombre   90
De la maison céleste, allume nuit et jour
L'huile sainte de vie et d'éternel amour?

Crierons-nous à Tarquin: «Il est temps, voici l'ombre!»
Descendrons-nous cueillir la perle au fond des mers?
Mènerons-nous la chèvre aux ébéniers amers?   95
Montrerons-nous le ciel à la Mélancolie?

Suivrons-nous le chasseur sur les monts escarpés?
La biche le regarde; elle pleure et supplie;
Sa bruyère l'attend; ses faons sont nouveau-nés;
Il se baisse, il l'égorge, il jette à la curée   100
Sur les chiens en sueur son cœur encor vivant.

Peindrons-nous une vierge à la joue empourprée,
S'en allant à la messe, un page la suivant,
Et d'un regard distrait, à côté de sa mère,
Sur sa lèvre entr'ouverte oubliant sa prière?   105
Elle écoute en tremblant, dans l'écho du pilier,
Résonner l'éperon d'un hardi cavalier.

Dirons-nous aux héros des vieux temps de la France
De monter tout armés aux créneaux de leurs tours,
Et de ressusciter la naïve romance   110
Que leur gloire oubliée apprit aux troubadours?

Vêtirons-nous de blanc une molle élégie?
L'homme de Waterloo nous dira-t-il sa vie,
Et ce qu'il a fauché du troupeau des humains
Avant que l'envoyé de la nuit éternelle   115
Vînt sur son tertre vert l'abattre d'un coup d'aile,
Et sur son cœur de fer lui croiser les deux mains?

Clouerons-nous au poteau d'une satire altière
Le nom sept fois vendu d'un pâle pamphlétaire,
Qui, poussé par la faim, du fond de son oubli, 120
S'en vient, tout grelottant d'envie et d'impuissance,
Sur le front du génie insulter l'espérance,
Et mordre le laurier que son souffle a sali?
Prends ton luth! prends ton luth! je ne peux plus me taire;
Mon aile me soulève au souffle du printemps. 125
Le vent va m'emporter; je vais quitter la terre.
Une larme de toi! Dieu m'écoute; il est temps.

LE POÈTE

S'il ne te faut, ma sœur chérie,
Qu'un baiser d'une lèvre amie
Et qu'une larme de mes yeux, 130
Je te les donnerai sans peine;
De nos amours qu'il te souvienne,
Si tu remontes dans les cieux.
Je ne chante ni l'espérance,
Ni la gloire, ni le bonheur, 135
Hélas! pas même la souffrance.
La bouche garde le silence
Pour écouter parler le cœur.

LA MUSE

Crois-tu donc que je sois comme le vent d'automne,
Qui se nourrit de pleurs jusque sur un tombeau, 140
Et pour qui la douleur n'est qu'une goutte d'eau?
O poète! un baiser, c'est moi qui te le donne.
L'herbe que je voulais arracher de ce lieu,
C'est ton oisiveté; ta douleur est à Dieu.
Quel que soit le souci que ta jeunesse endure, 145
Laisse-la s'élargir, cette sainte blessure
Que les noirs séraphins t'ont faite au fond du cœur;
Rien ne nous rend si grands qu'une grande douleur.

Mais, pour en être atteint, ne crois pas, ô poète,
Que ta voix ici-bas doive rester muette. 150
Les plus désespérés sont les chants les plus beaux,
Et j'en sais d'immortels qui sont de purs sanglots.

Lorsque le pélican, lassé d'un long voyage,
Dans les brouillards du soir retourne à ses roseaux,
Ses petits affamés courent sur le rivage 155
En le voyant au loin s'abattre sur les eaux.

Déjà, croyant saisir et partager leur proie,
Ils courent à leur père avec des cris de joie
En secouant leurs becs sur leurs goîtres hideux.

Lui, gagnant à pas lents une roche élevée, 160
De son aile pendante abritant sa couvée,
Pêcheur mélancolique, il regarde les cieux.

Le sang coule à longs flots de sa poitrine ouverte;
En vain il a des mers fouillé la profondeur:
L'Océan était vide et la plage déserte; 165
Pour toute nourriture il apporte son cœur.

Sombre et silencieux, étendu sur la pierre,
Partageant à ses fils ses entrailles de père,
Dans son amour sublime il berce sa douleur,
Et, regardant couler sa sanglante mamelle, 170
Sur son festin de mort il s'affaisse et chancelle,
Ivre de volupté, de tendresse et d'horreur.

Mais parfois, au milieu du divin sacrifice,
Fatigué de mourir dans un trop long supplice,
Il craint que ses enfants ne le laissent vivant; 175
Alors il se soulève, ouvre son aile au vent,
Et se frappant le cœur avec un cri sauvage,
Il pousse dans la nuit un si funèbre adieu,
Que les oiseaux de mer désertent le rivage,
Et que le voyageur attardé sur la plage, 180
Sentant passer la mort, se recommande à Dieu.

Poète, c'est ainsi que font les grands poètes.
Ils laissent s'égayer ceux qui vivent un temps;
Mais les festins humains qu'ils servent à leurs fêtes

Ressemblent la plupart à ceux des pélicans.   185
Quand ils parlent ainsi d'espérances trompées,
De tristesse et d'oubli, d'amour et de malheur,
Ce n'est pas un concert à dilater le cœur.
Leurs déclamations sont comme des épées:
Elles tracent dans l'air un cercle éblouissant,   190
Mais il y pend toujours quelque goutte de sang.

LE POÈTE

O Muse! spectre insatiable,
Ne m'en demande pas si long.
L'homme n'écrit rien sur le sable
A l'heure où passe l'aquilon.   195
J'ai vu le temps où ma jeunesse
Sur mes lèvres était sans cesse
Prête à chanter comme un oiseau;
Mais j'ai souffert un dur martyre,
Et le moins que j'en pourrais dire,   200
Si je l'essayais sur ma lyre,
La briserait comme un roseau.

Mai 1835.

132.   CHANSON DE FORTUNIO

Si vous croyez que je vais dire
     Qui j'ose aimer,
Je ne saurais, pour un empire,
     Vous la nommer.

Nous allons chanter à la ronde,   5
     Si vous voulez,
Que je l'adore et qu'elle est blonde
     Comme les blés.

Je fais ce que sa fantaisie
     Veut m'ordonner,   10

Et je puis, s'il lui faut ma vie,
    La lui donner.

Du mal qu'une amour ignorée
    Nous fait souffrir,
J'en porte l'âme déchirée   15
    Jusqu'à mourir.

Mais j'aime trop pour que je die (dieu)
    Qui j'ose aimer,
Et je veux mourir pour ma mie
    Sans la nommer.   20

133.   LA NUIT DE DÉCEMBRE
                    LE POÈTE

Du temps que j'étais écolier,
Je restais un soir à veiller
Dans notre salle solitaire.
Devant ma table vint s'asseoir
Un pauvre enfant vêtu de noir,   5
Qui me ressemblait comme un frère.

Son visage était triste et beau:
A la lueur de mon flambeau,
Dans mon livre ouvert il vint lire.
Il pencha son front sur ma main,   10
Et resta jusqu'au lendemain,
Pensif, avec un doux sourire.

Comme j'allais avoir quinze ans,
Je marchais un jour, à pas lents,
Dans un bois, sur une bruyère.   15
Au pied d'un arbre vint s'asseoir
Un jeune homme vêtu de noir,
Qui me ressemblait comme un frère.

Je lui demandai mon chemin;
Il tenait un luth d'une main,   20
De l'autre un bouquet d'églantine.
Il me fit un salut d'ami,
Et, se détournant à demi,
Me montra du doigt la colline.

A l'âge où l'on croit à l'amour,   25
J'étais seul dans ma chambre un jour,
Pleurant ma première misère.
Au coin de mon feu vint s'asseoir
Un étranger vêtu de noir,
Qui me ressemblait comme un frère.   30

Il était morne et soucieux;
D'une main il montrait les cieux,
Et de l'autre il tenait un glaive.
De ma peine il semblait souffrir,
Mais il ne poussa qu'un soupir,   35
Et s'évanouit comme un rêve.

A l'âge où l'on est libertin,
Pour boire un toast en un festin,
Un jour je soulevai mon verre.
En face de moi vint s'asseoir   40
Un convive vêtu de noir,
Qui me ressemblait comme un frère.

Il secouait sous son manteau
Un haillon de pourpre en lambeau,
Sur sa tête un myrte stérile,   45
Son bras maigre cherchait le mien,
Et mon verre, en touchant le sien,
Se brisa dans ma main débile.

Un an après, il était nuit,
J'étais à genoux près du lit   50
Où venait de mourir mon père.
Au chevet du lit vint s'asseoir
Un orphelin vêtu de noir,
Qui me ressemblait comme un frère.

Ses yeux étaient noyés de pleurs;   55
Comme les anges de douleurs,
Il était couronné d'épine;
Son luth à terre était gisant,
Sa pourpre de couleur de sang,
Et son glaive dans sa poitrine.   60

Je m'en suis si bien souvenu,
Que je l'ai toujours reconnu
A tous les instants de ma vie.
C'est une étrange vision;
Et cependant, ange ou démon,   65
J'ai vu partout cette ombre amie.

Lorsque plus tard, las de souffrir,
Pour renaître ou pour en finir,
J'ai voulu m'exiler de France;
Lorsqu'impatient de marcher,   70
J'ai voulu partir, et chercher
Les vestiges d'une espérance;

A Pise, au pied de l'Apennin;
A Cologne, en face du Rhin;
A Nice, au penchant des vallées;   75
A Florence, au fond des palais;
A Brigues, dans les vieux chalets;
Au sein des Alpes désolées;

A Gênes sous les citronniers;
A Vevay, sous les verts pommiers;   80
Au Havre, devant l'Atlantique;
A Venise, à l'affreux Lido,
Où vient sur l'herbe d'un tombeau
Mourir la pâle Adriatique;

Partout où, sous ces vastes cieux,   85
J'ai lassé mon cœur et mes yeux,
Saignant d'une éternelle plaie;
Partout où le boîteux Ennui,
Traînant ma fatigue après lui,
M'a promené sur une claie;   90

Partout où, sans cesse altéré
De la soif d'un monde ignoré,
J'ai suivi l'ombre de mes songes;
Partout où, sans avoir vécu,
J'ai revu ce que j'avais vu,   95
La face humaine et ses mensonges;

Partout où, le long des chemins,
J'ai posé mon front dans mes mains
Et sangloté comme une femme;
Partout où j'ai, comme un mouton   100
Qui laisse sa laine au buisson,
Senti se dénuer mon âme;

Partout où j'ai voulu dormir,
Partout où j'ai voulu mourir,
Partout où j'ai touché la terre,   105
Sur ma route est venu s'asseoir
Un malheureux vêtu de noir,
Qui me ressemblait comme un frère.

Qui donc es-tu, toi que dans cette vie
    Je vois toujours sur mon chemin? 110
Je ne puis croire, à ta mélancolie,
    Que tu sois mon mauvais Destin.
Ton doux sourire a trop de patience,
    Tes larmes ont trop de pitié.
En te voyant, j'aime la Providence. 115
Ta douleur même est sœur de ma souffrance;
    Elle ressemble à l'amitié.

Qui donc es-tu?—Tu n'es pas mon bon ange;
    Jamais tu ne viens m'avertir.
Tu vois mes maux (c'est une chose étrange!), 120
    Et tu me regardes souffrir.
Depuis vingt ans tu marches dans ma voie,
    Et je ne saurais t'appeler.
Qui donc es-tu, si c'est Dieu qui t'envoie?
Tu me souris sans partager ma joie, 125
    Tu me plains sans me consoler!

Ce soir encor je t'ai vu m'apparaître.
    C'était par une triste nuit.
L'aile des vents battait à ma fenêtre;
    J'étais seul, courbé sur mon lit. 130
J'y regardais une place chérie,
    Tiède encor d'un baiser brûlant;
Et je songeais comme la femme oublie,
Et je sentais un lambeau de ma vie,
    Qui se déchirait lentement. 135

Je rassemblais des lettres de la veille,
    Des cheveux, des débris d'amour.
Tout ce passé me criait à l'oreille
    Ses éternels serments d'un jour.
Je contemplais ces reliques sacrées, 140
    Qui me faisaient trembler la main:

Larmes du cœur par le cœur dévorées,
Et que les yeux qui les avaient pleurées
   Ne reconnaîtront plus demain!

J'enveloppais dans un morceau de bure   145
   Ces ruines des jours heureux.
Je me disais qu'ici-bas ce qui dure,
   C'est une mèche de cheveux.
Comme un plongeur dans une mer profonde,
   Je me perdais dans tant d'oubli.   150
De tous côtés j'y retournais la sonde,
Et je pleurais seul, loin des yeux du monde,
   Mon pauvre amour enseveli.

J'allais poser le sceau de cire noire
   Sur ce fragile et cher trésor.   155
J'allais le rendre, et, n'y pouvant pas croire,
   En pleurant j'en doutais encor.
Ah! faible femme, orgueilleuse insensée,
   Malgré toi, tu t'en souviendras!
Pourquoi, grand Dieu! mentir à sa pensée?   160
Pourquoi ces pleurs, cette gorge oppressée,
   Ces sanglots, si tu n'aimais pas?

Oui, tu languis, tu souffres, et tu pleures;
   Mais ta chimère est entre nous.
Eh bien, adieu! Vous compterez les heures   165
   Qui me sépareront de vous.
Partez, partez, et dans ce cœur de glace
   Emportez l'orgueil satisfait.
Je sens encor le mien jeune et vivace,
Et bien des maux pourront y trouver place   170
   Sur le mal que vous m'avez fait.

Partez, partez! la Nature immortelle
   N'a pas tout voulu vous donner.

Ah! pauvre enfant, qui voulez être belle,
    Et ne savez pas pardonner! 175
Allez, allez, suivez la destinée;
    Qui vous perd n'a pas tout perdu.
Jetez au vent notre amour consumée;—
Éternel Dieu! toi que j'ai tant aimée,
    Si tu pars, pourquoi m'aimes-tu? 180

Mais tout à coup j'ai vu dans la nuit sombre
    Une forme glisser sans bruit.
Sur mon rideau j'ai vu passer une ombre;
    Elle vient s'asseoir sur mon lit.
Qui donc es-tu, morne et pâle visage, 185
    Sombre portrait vêtu de noir?
Que me veux-tu, triste oiseau de passage?
Est-ce un vain rêve? est-ce ma propre image
    Que j'aperçois dans ce miroir?

Qui donc es-tu, spectre de ma jeunesse, 190
    Pèlerin que rien n'a lassé?
Dis-moi pourquoi je te trouve sans cesse
    Assis dans l'ombre où j'ai passé.
Qui donc es-tu, visiteur solitaire,
    Hôte assidu de mes douleurs? 195
Qu'as-tu donc fait pour me suivre sur terre?
Qui donc es-tu, qui donc es-tu, mon frère,
    Qui n'apparais qu'au jour des pleurs?

LA VISION

—Ami, notre père est le tien.
Je ne suis ni l'ange gardien, 200
Ni le mauvais destin des hommes.
Ceux que j'aime, je ne sais pas
De quel côté s'en vont leurs pas
Sur ce peu de fange où nous sommes.

205

Je ne suis ni dieu ni démon,
Et tu m'as nommé par mon nom
Quand tu m'as appelé ton frère;
Où tu vas, j'y serai toujours,
Jusques au dernier de tes jours,
Où j'irai m'asseoir sur ta pierre.   210

Le ciel m'a confié ton cœur.
Quand tu seras dans la douleur,
Viens à moi sans inquiétude,
Je te suivrai sur le chemin;
Mais je ne puis toucher ta main;   215
Ami, je suis la Solitude.

Novembre 1835.

134.   TRISTESSE

J'ai perdu ma force et ma vie,
Et mes amis et ma gaîté;
J'ai perdu jusqu'à la fierté
Qui faisait croire à mon génie.

Quand j'ai connu la Vérité,   5
J'ai cru que c'était une amie;
Quand je l'ai comprise et sentie,
J'en étais déjà dégoûté.

Et pourtant elle est éternelle,
Et ceux qui se sont passés d'elle   10
Ici-bas ont tout ignoré.

Dieu parle, il faut qu'on lui réponde.
Le seul bien qui me reste au monde
Est d'avoir quelquefois pleuré.

Bury, 14 juin 1840.

135.   UNE SOIRÉE PERDUE

J'étais seul, l'autre soir, au Théâtre-Français,
Ou presque seul; l'auteur n'avait pas grand succès.
Ce n'était que Molière, et nous savons de reste
Que ce grand maladroit, qui fit un jour *Alceste*,
Ignora le bel art de chatouiller l'esprit   5
Et de servir à point un dénoûment bien cuit.
Grâce à Dieu, nos auteurs ont changé de méthode,
Et nous aimons bien mieux quelque drame à la mode
Où l'intrigue, enlacée et roulée en feston,
Tourne comme un rébus autour d'un mirliton.   10

J'écoutais cependant cette simple harmonie,
Et comme le bon sens fait parler le génie.
J'admirais quel amour pour l'âpre vérité
Eut cet homme si fier en sa naïveté,
Quel grand et vrai savoir des choses de ce monde,   15
Quelle mâle gaîté, si triste et si profonde
Que, lorsqu'on vient d'en rire, on devrait en pleurer!
Et je me demandais: «Est-ce assez d'admirer?
Est-ce assez de venir, un soir, par aventure,
D'entendre au fond de l'âme un cri de la nature,   20
D'essuyer une larme, et de partir ainsi,
Quoi qu'on fasse d'ailleurs, sans en prendre souci?»
Enfoncé que j'étais dans cette rêverie,
Çà et là, toutefois, lorgnant la galerie,
Je vis que, devant moi, se balançait gaîment   25
Sous une tresse noire un cou svelte et charmant;
Et, voyant cet ébène enchâssé dans l'ivoire,
Un vers d'André Chénier chanta dans ma mémoire,
Un vers presque inconnu, refrain inachevé,
Frais comme le hasard, moins écrit que rêvé.   30
J'osai m'en souvenir, même devant Molière;
Sa grande ombre, à coup sûr, ne s'en offensa pas;
Et, tout en écoutant, je murmurais tout bas,

Regardant cette enfant, qui ne s'en doutait guère:
«Sous votre aimable tête, un cou blanc, délicat, 35
Se plie, et de la neige effacerait l'éclat.»

Puis je songeais encore (ainsi va la pensée)
Que l'antique franchise, à ce point délaissée,
Avec notre finesse et notre esprit moqueur,
Ferait croire, après tout, que nous manquons de cœur; 40
Que c'était une triste et honteuse misère
Que cette solitude à l'entour de Molière,
Et qu'il est *pourtant temps*, comme dit la chanson,
De sortir de ce siècle ou d'en avoir raison;
Car à quoi comparer cette scène embourbée, 45
Et l'effroyable honte où la muse est tombée?
La lâcheté nous bride, et les sots vont disant
Que, sous ce vieux soleil, tout est fait à présent;
Comme si les travers de la famille humaine
Ne rajeunissaient pas chaque an, chaque semaine. 50
Notre siècle a ses mœurs, partant, sa vérité;
Celui qui l'ose dire est toujours écouté.

Ah! j'oserais parler, si je croyais bien dire,
J'oserais ramasser le fouet de la satire,
Et l'habiller de noir, cet homme aux rubans verts, 55
Qui se fâchait jadis pour quelques mauvais vers.
S'il rentrait aujourd'hui dans Paris la grand'ville,
Il y trouverait mieux pour émouvoir sa bile
Qu'une méchante femme et qu'un méchant sonnet;
Nous avons autre chose à mettre au cabinet. 60
O notre maître à tous! si ta tombe est fermée,
Laisse-moi, dans ta cendre un instant ranimée,
Trouver une étincelle, et je vais t'imiter!
J'en aurai fait assez si je puis le tenter.
Apprends-moi de quel ton, dans ta bouche hardie, 65
Parlait la vérité, ta seule passion,

Et, pour me faire entendre, à défaut du génie,
J'en aurai le courage et l'indignation!

Ainsi je caressais une folle chimère.
Devant moi, cependant, à côté de sa mère,   70
L'enfant restait toujours, et le cou svelte et blanc
Sous les longs cheveux noirs se berçait mollement.
Le spectacle fini, la charmante inconnue
Se leva. Le beau cou, l'épaule à demi nue,
Se voilèrent; la main glissa dans le manchon;   75
Et, lorsque je la vis au seuil de sa maison
S'enfuir, je m'aperçus que je l'avais suivie.
Hélas! mon cher ami, c'est là toute ma vie.
Pendant que mon esprit cherchait sa volonté,
Mon corps avait le sien et suivait la beauté;   80
Et, quand je m'éveillai de cette rêverie,
Il ne m'en restait plus que l'image chérie:
«Sous votre aimable tête, un cou blanc, délicat,
Se plie, et de la neige effacerait l'éclat.»

                                             Juillet 1840.

136.   SOUVENIR

J'espérais bien pleurer, mais je croyais souffrir
En osant te revoir, place à jamais sacrée,
O la plus chère tombe et la plus ignorée
        Où dorme un souvenir!

Que redoutiez-vous donc de cette solitude,   5
Et pourquoi, mes amis, me preniez-vous la main?
Alors qu'une si douce et si vieille habitude
        Me montrait ce chemin?

Les voilà, ces coteaux, ces bruyères fleuries,
Et ces pas argentins sur le sable muet,   10

Ces sentiers amoureux, remplis de causeries,
    Où son bras m'enlaçait.

Les voilà, ces sapins à la sombre verdure,
Cette gorge profonde aux nonchalants détours,
Ces sauvages amis, dont l'antique murmure   15
    A bercé mes beaux jours.

Les voilà, ces buissons où toute ma jeunesse,
Comme un essaim d'oiseaux, chante au bruit de mes pas.
Lieux charmants, beau désert où passa ma maîtresse,
    Ne m'attendiez-vous pas?   20

Ah! laissez-les couler, elles me sont bien chères,
Ces larmes que soulève un cœur encor blessé!
Ne les essuyez pas, laissez sur mes paupières
    Ce voile du passé!

Je ne viens point jeter un regret inutile   25
Dans l'écho de ces bois témoins de mon bonheur.
Fière est cette forêt dans sa beauté tranquille,
    Et fier aussi mon cœur.

Que celui-là se livre à des plaintes amères,
Qui s'agenouille et prie au tombeau d'un ami.   30
Tout respire en ces lieux; les fleurs des cimetières
    Ne poussent point ici.

Voyez! la lune monte à travers ces ombrages.
Ton regard tremble encor, belle reine des nuits;
Mais du sombre horizon déjà tu te dégages,   35
    Et tu t'épanouis.

Ainsi de cette terre, humide encor de pluie,
Sortent, sous tes rayons, tous les parfums du jour;

Aussi calme, aussi pur, de mon âme attendrie
    Sort mon ancien amour.   40

Que sont-ils devenus, les chagrins de ma vie?
Tout ce qui m'a fait vieux est bien loin maintenant;
Et rien qu'en regardant cette vallée amie,
    Je redeviens enfant.

O puissance du temps! ô légères années!   45
Vous emportez nos pleurs, nos cris et nos regrets;
Mais la pitié vous prend, et sur nos fleurs fanées
    Vous ne marchez jamais.

Tout mon cœur te bénit, bonté consolatrice!
Je n'aurais jamais cru que l'on pût tant souffrir   50
D'une telle blessure, et que sa cicatrice
    Fût si douce à sentir.

Loin de moi les vains mots, les frivoles pensées,
Des vulgaires douleurs linceul accoutumé,
Que viennent étaler sur leurs amours passées   55
    Ceux qui n'ont point aimé!

Dante, pourquoi dis-tu qu'il n'est pire misère
Qu'un souvenir heureux dans les jours de douleur?
Quel chagrin t'a dicté cette parole amère,
    Cette offense au malheur?   60

En est-il donc moins vrai que la lumière existe,
Et faut-il l'oublier du moment qu'il fait nuit?
Est-ce bien toi, grande âme immortellement triste,
    Est-ce toi qui l'as dit?

Non, par ce pur flambeau dont la splendeur m'éclaire,   65
Ce blasphème vanté ne vient pas de ton cœur.

Un souvenir heureux est peut-être sur terre
    Plus vrai que le bonheur.

Eh quoi! l'infortuné qui trouve une étincelle
Dans la cendre brûlante où dorment ses ennuis,   70
Qui saisit cette flamme et qui fixe sur elle
    Ses regards éblouis;

Dans ce passé perdu quand son âme se noie,
Sur ce miroir brisé lorsqu'il rêve en pleurant,
Tu lui dis qu'il se trompe, et que sa faible joie   75
    N'est qu'un affreux tourment!

Et c'est à ta Françoise, à ton ange de gloire,
Que tu pouvais donner ces mots à prononcer,
Elle qui s'interrompt, pour conter son histoire,
    D'un éternel baiser!   80

Qu'est-ce donc, juste Dieu, que la pensée humaine,
Et qui pourra jamais aimer la vérité,
S'il n'est joie ou douleur si juste et si certaine
    Dont quelqu'un n'ait douté?

Comment vivez-vous donc, étranges créatures?   85
Vous riez, vous chantez, vous marchez à grands pas;
Le ciel et sa beauté, le monde et ses souillures
    Ne vous dérangent pas;

Mais, lorsque par hasard le destin vous ramène
Vers quelque monument d'un amour oublié,   90
Ce caillou vous arrête, et cela vous fait peine
    Qu'il vous heurte le pié.

Et vous criez alors que la vie est un songe;
Vous vous tordez les bras comme en vous réveillant,

Et vous trouvez fâcheux qu'un si joyeux mensonge   95
     Ne dure qu'un instant.

Malheureux! cet instant où votre âme engourdie
A secoué les fers qu'elle traîne ici-bas,
Ce fugitif instant fut toute votre vie;
     Ne le regrettez pas!   100

Regrettez la torpeur qui vous cloue à la terre,
Vos agitations dans la fange et le sang,
Vos nuits sans espérance et vos jours sans lumière:
     C'est là qu'est le néant!

Mais que vous revient-il de vos froides doctrines?   105
Que demandent au ciel ces regrets inconstants
Que vous allez semant sur vos propres ruines,
     A chaque pas du Temps?

Oui, sans doute, tout meurt; ce monde est un grand rêve,
Et le peu de bonheur qui nous vient en chemin,   110
Nous n'avons pas plus tôt ce roseau dans la main,
     Que le vent nous l'enlève.

Qui, les premiers baisers, oui, les premiers serments
Que deux êtres mortels échangèrent sur terre,
Ce fut au pied d'un arbre effeuillé par les vents,   115
     Sur un roc en poussière.

Ils prirent à témoin de leur joie éphémère
Un ciel toujours voilé qui change à tout moment,
Et des astres sans nom que leur propre lumière
     Dévore incessamment.   120

Tout mourait autour d'eux, l'oiseau dans le feuillage,
La fleur entre leurs mains, l'insecte sous leurs piés,

La source desséchée où vacillait l'image
De leurs traits oubliés;

Et sur tous ces débris joignant leurs mains d'argile, 125
Étourdis des éclairs d'un instant de plaisir,
Ils croyaient échapper à cet Être immobile
Qui regarde mourir!

—Insensés! dit le sage.—Heureux! dit le poète.
Et quels tristes amours as-tu donc dans le cœur, 130
Si le bruit du torrent te trouble et t'inquiète,
Si le vent te fait peur?

J'ai vu sous le soleil tomber bien d'autres choses
Que les feuilles des bois et l'écume des eaux,
Bien d'autres s'en aller que le parfum des roses 135
Et le chant des oiseaux.

Mes yeux ont contemplé des objets plus funèbres
Que Juliette morte au fond de son tombeau,
Plus affreux que le toast à l'ange des ténèbres
Porté par Roméo. 140

J'ai vu ma seule amie, à jamais la plus chère,
Devenue elle-même un sépulcre blanchi,
Une tombe vivante où flottait la poussière
De notre mort chéri,

De notre pauvre amour, que, dans la nuit profonde, 145
Nous avions sur nos cœurs si doucement bercé!
C'était plus qu'une vie, hélas! c'était un monde
Qui s'était effacé!

Oui, jeune et belle encor, plus belle, osait-on dire,
Je l'ai vue, et ses yeux brillaient comme autrefois. 150

Ses lèvres s'entr'ouvraient, et c'était un sourire,
  Et c'était une voix;

Mais non plus cette voix, non plus ce doux langage,
Ces regards adorés dans les miens confondus;
Mon cœur, encor plein d'elle, errait sur son visage,   155
  Et ne la trouvait plus.

Et pourtant j'aurais pu marcher alors vers elle,
Entourer de mes bras ce sein vide et glacé,
Et j'aurais pu crier: «Qu'as-tu fait, infidèle,
  Qu'as-tu fait du passé?»   160

Mais non: il me semblait qu'une femme inconnue
Avait pris par hasard cette voix et ces yeux;
Et je laissai passer cette froide statue
  En regardant les cieux.

Eh bien! ce fut sans doute une horrible misère   165
Que ce riant adieu d'un être inanimé.
Eh bien! qu'importe encore? O nature! ô ma mère!
  En ai-je moins aimé?

La foudre maintenant peut tomber sur ma tête;
Jamais ce souvenir ne peut m'être arraché!   170
Comme le matelot brisé par la tempête,
  Je m'y tiens attaché.

Je ne veux rien savoir, ni si les champs fleurissent,
Ni ce qu'il adviendra du simulacre humain,
Ni si ces vastes cieux éclaireront demain   175
  Ce qu'ils ensevelissent.

Je me dis seulement: «A cette heure, en ce lieu,
Un jour, je fus aimé, j'aimais, elle était belle.

J'enfouis ce trésor dans mon âme immortelle,
Et je l'emporte à Dieu!»

180

Février 1841.

137.   RÉPONSE A M. CHARLES NODIER

(CONCLUSION)

Ta muse, ami, toute française,
    Tout à l'aise,
Me rend la sœur de la santé,
    La gaîté.

50

Elle rappelle à ma pensée
    Délassée
Les beaux jours et les courts instants
    Du bon temps;

55

Lorsque, rassemblés sous ton aile
    Paternelle,
Échappés de nos pensions,
    Nous dansions.

60

Gais comme l'oiseau sur la branche,
    Le dimanche,
Nous rendions parfois matinal
    L'Arsenal.

La tête coquette et fleurie
    De Marie
Brillait comme un bluet mêlé
    Dans le blé.

65

Tachés déja par l'écritoire,
    Sur l'ivoire
Ses doigts légers allaient sautant
    Et chantant.

70

Quelqu'un récitait quelque chose,
    Vers ou prose,
Puis nous courions recommencer   75
    A danser.

Chacun de nous, futur grand homme
    Ou tout comme,
Apprenait plus vite à t'aimer
    Qu'à rimer.   80

Alors, dans la grande boutique
    Romantique,
Chacun avait, maître ou garçon,
    Sa chanson:

Nous allions, brisant les pupitres   85
    Et les vitres,
Et nous avions plume et grattoir
    Au comptoir.

Hugo portait déjà dans l'âme
    Notre-Dame,   90
Et commençait à s'occuper
    D'y grimper.

De Vigny chantait sur sa lyre
    Ce beau sire
Qui mourut sans mettre à l'envers   95
    Ses bas verts.

Antony battait avec Dante
    Un andante;
Émile ébauchait vite et tôt
    Un presto.   100

Sainte-Beuve faisait dans l'ombre,
　　Douce et sombre,
Pour un œil noir, un blanc bonnet,
　　Un sonnet.

Et moi, de cet honneur insigne　　105
　　Trop indigne,
Enfant par hasard adopté
　　Et gâté,

Je brochais des ballades, l'une
　　A la lune,　　110
L'autre à deux yeux noirs et jaloux,
　　Andaloux.

Cher temps, plein de mélancolie,
　　De folie,
Dont il faut rendre à l'amitié　　115
　　La moitié!

Pourquoi, sur ces flots où s'élance
　　L'Espérance,
Ne voit-on que le Souvenir
　　Revenir?　　120

Ami, toi qu'a piqué l'abeille,
　　Ton cœur veille,
Et tu n'en saurais ni guérir
　　Ni mourir;

Mais comment fais-tu donc, vieux maître,　　125
　　Pour renaître?
Car tes vers, en dépit du temps,
　　Ont vingt ans.

Si jamais ta tête qui penche
　　Devient blanche,　　　　　　　　　130
Ce sera comme l'amandier,
　　Cher Nodier.

Ce qui le blanchit n'est pas l'âge,
　　Ni l'orage;　　　　　　　　　　135
C'est la fraîche rosée en pleurs
　　Dans les fleurs.

　　　　　　　　　　　　　　Août 1843.

"ŒUVRES POSTHUMES"

138.　　　　　SONNET A MME JAUBERT

Qu'un sot me calomnie, il ne m'importe guère.
Que sous le faux semblant d'un intérêt vulgaire,
Ceux même dont hier j'aurai serré la main
Me proclament, ce soir, ivrogne et libertin;

Ils sont moins mes amis que le verre de vin　　5
Qui pendant un quart d'heure étourdit ma misère;
Mais vous, qui connaissez mon âme tout entière,
A qui je n'ai jamais rien tu, même un chagrin,

Est-ce à vous de me faire une telle injustice,
Et m'avez-vous si vite à ce point oublié?　　10
Ah! ce qui n'est qu'un mal, n'en faites pas un vice.

Dans ce verre où je cherche à noyer mon supplice,
Laissez plutôt tomber quelques pleurs de pitié
Qu'à d'anciens souvenirs devrait votre amitié.

PHILOTHÉE O'NEDDY

Paris, 1811—1875

"*Pandœmonium,*" a rhapsody too long for reproduction in full, stands as a most curious footnote to our remarks on *le Petit Cénacle,* and the meetings of Pétrus Borel, Joseph Bouchardy, Gautier, Gérard de Nerval, Jules Vabre, Dumas, Auguste Maquet and other *Jeunes-France* in the studio of Jehan Duseigneur, the sculptor. These sincere lines, "*ruisselant d'inouïsme*" (Gautier) convey the ardent enthusiasm of an apostolate: "*Devant l'Art-Dieu que tout pouvoir s'anéantisse!*" Théophile Dondey, who twisted his name into a fashionable pseudonym, had just reached his majority and was employed in the Ministry of Finance when *Feu et Flamme* was printed by his cousins Dondey-Dupré in 1833. His reading of *le Globe,* the revolution of July and the battle of *Hernani* made O'Neddy a republican in politics and a bold revolutionary in literature. However, the *Revue encyclopédique* was the only magazine which even noticed the existence of *Feu et Flamme.* The only literary joy which this *enfant perdu du romantisme* ever knew was Gautier's article in defense of his talent, now preserved in the *Histoire du romantisme.*

Feu et Flamme was reprinted with an introduction by Marcel Hervier in Girard's *Bibliothèque romantique,* 1926. O'Neddy's *Poésies posthumes,* were published by his friends in 1877.

FEU ET FLAMME

NUIT PREMIÈRE

139. PANDÆMONIUM

> Société, vieux et sombre édifice,
> Ta chute, hélas! menace nos abris;
> Tu vas crouler; point de flambeau qui puisse

Guider la foule à travers tes débris!

BÉRANGER

Bohémiens, sans toits, sans bancs,
Sans existence engaînée,
Menant vie abandonnée,
Ainsi que des moineaux francs
Au chef d'une cheminée!

PÉTRUS BOREL

I

Pour un peintre moderne, à cette heure de lune,
Ce serait, sur mon âme, une bonne fortune
De pouvoir contempler avec recueillement,
La scène radieuse au sombre encadrement
Que le jeune atelier de Jehan, le statuaire,   5
Cache dans son magique et profond sanctuaire!
Au centre de la salle, autour d'une urne en fer,
Digne émule en largeur des coupes de l'enfer,
Dans laquelle un beau punch, aux prismatiques flammes,
Semble un lac sulfureux qui fait houler ses lames,   10
Vingt jeunes hommes, tous artistes dans le cœur,
La pipe ou le cigare aux lèvres, l'œil moqueur,
Le temporal orné du bonnet de Phrygie,
En barbe jeune-France, en costume d'orgie,
Sont pachalesquement jetés sur un amas   15
De coussins dont maint siècle a troué le damas.

Et le sombre atelier n'a pour tout éclairage
Que la gerbe du punch, spiritueux mirage.

Quel pur ossianisme en ce couronnement
De têtes à front mat, dont le balancement   20
Nage au sein des flocons de vapeur musulmane
Qui des vingt calumets, comme un déluge, émane!
Quelle étrange féerie en la profusion
Des diverses couleurs que l'ondulation

Des flammes fait jouer parmi ces chevelures, 25
Sur ces traits musculeux, ces mâles encolures! . . .

II

Quand on vit que du punch s'éteignait le phosphore,
Mainte coupe d'argent, maint verre, mainte amphore,
Ainsi qu'une flotille au sein du bol profond,
Par un faisceau de bras furent coulés à fond. 60
Rivaux des Templiers du siècle des croisades,
Nos convives joyeux burent force rasades.
Chaque cerveau s'emplit de tumulte, et les voix
Prirent superbement la parole à la fois.

Alors un tourbillon d'incohérentes phrases, 65
De chaleureux devis, de tudesques emphases,
Se déroula, hurla, bondit au gré du rhum,
Comme une rauque émeute à travers un forum.

Vrai Dieu! quels insensés dialogues!—L'analyse
Devant tout ce chaos moral se scandalise.— 70
Comment vous révéler ce vaste encombrement
De pensers ennemis; ce chaud bouillonnement
De fange et d'or? . . . Comment douer d'une formule
Ces conversations d'enfer où s'accumule
Plus de charivari, de tempête et d'arroi 75
Que dans la conscience et les songes d'un roi? . . .

III

L'un des vingt, redressant sa tête qui fermente,
Pour lutter de vacarme avec cette tourmente,
D'une voix qui vibrait comme un grave Kinnor, 135
Se mit à réciter des strophes de Victor.

Bientôt on l'écouta.—C'était une série
De fragments détachés sur la chevalerie.

—Les sorcières dansaient en rond:—les damoisels
Couraient bride abattue aux nobles carrousels: 140
—Les couvents, les manoirs, les forts, les cathédrales,
Déployaient à l'envi leurs pompes sculpturales:—
La muse sur la scène amenait tour à tour
Des manteaux, des poignards, du sang . . . et de l'amour.

.   .   .   .   .

—Oh! les anciens jours! dit Reblo: les anciens jours!
Oh! comme je leur suis vendu! comme toujours
Leur puissante beauté m'ensorcèle et m'enivre!   165
Camarades, c'était là qu'il faisait bon vivre
Lorsqu'on avait des flots de lave dans le sang,
Du vampirisme à l'œil, des volontés au flanc!
Dans les robustes mœurs de l'ère féodale,
—Véritable forêt vierge—dans ce dédale   170
De superstitions, d'originalités,
Tout homme à cœur de bronze, à rêves exaltés,
N'avait pas un seul jour à craindre l'atonie
D'une vie encastrée avec monotonie:
Les drames s'en venaient d'eux-mêmes le chercher;   175
Mainte grande aventure accourait s'ébaucher
Sous sa fougue d'artiste:—Avoir des aventures!—
Oh! c'est le paradis pour les fortes natures! . . .

Le fraternel cénacle ému jusques au fond
De ses os, écoutait dans un calme profond.   180
Les poitrines, d'extase et d'orgueil oppressées,
N'exhalaient aucun souffle,—et toutes les pensées
Montaient faire cortège à l'élan de Reblo,
Comme des bandouliers qui suivent un fallot.

IV

Après quelque silence, un visage mauresque   185
Leva tragiquement sa pâleur pittoresque,

Et, faisant osciller son regard de maudit
Sur le conventicule, avec douleur il dit:

. . . . .

—Longtemps à deux genoux le populaire effroi
A dit: laissons passer la justice du roi.—
Ensuite on a crié, l'on crie encore: Place!
La justice du peuple et de la raison passe.
—Est-ce qu'épris enfin d'un plus sublime amour,   220
L'homme régénéré ne crîra pas un jour:
Devant l'Art-Dieu que tout pouvoir s'anéantisse.
Le poète s'en vient; place pour sa justice?—

. . . . .

—Silence! . . . écoutez tous, frères! . . . se mit à dire   250
Don José, l'œil en flamme et l'organe en délire:
Écoutez! je m'en vais vous prouver largement
Que nous pouvons scinder, même physiquement,
De la société l'armure colossale,
Et de nos espadons rendre sa chair vassale! . . .   255
—Il n'est pas au néant descendu tout entier
Le divin moyen-âge: un fils, un héritier
Lui survit à jamais pour consoler les Gaules:
En vain mille rhéteurs ont lancé des deux pôles,
Leur malédiction sur ce fils immortel: 260
Il les nargue, il les joue . . . or, ce dieu c'est le Duel.
—Voici ce que mon âme à vos âmes propose:—
Lorsqu'un de nous, armé pour une juste cause,
Du fleuret d'un chiffreur habille à ferrailler,
Aura subi l'atteinte en combat singulier,   265
Nous jetterons, brûlés d'une ire sainte et grande,
Dans l'urne du Destin tous les noms de la bande,
Et celui dont le nom le premier sortira,
Relevant le fleuret du vaincu, s'en ira,
Combattre l'insolent gladiateur: s'il tombe,   270
Nous élirons encore un bravo sur sa tombe:
Si l'homme urbain s'obstine à poser en vainqueur,

Nous lui dépêcherons un troisième vengeur;
Et toujours ainsi, jusqu'à l'heure expiatoire
Où le dé pour nos rangs marquera la victoire! . . .   275

V

Pendant que don José parlait, un râlement
Sympathique et flatteur circulait sourdement
Dans l'assemblée—et quand ses paroles cessèrent,
Les acclamations partirent, s'élancèrent
Avec plus de fracas, de fougue, de fureur   280
Qu'un *Te Deum* guerrier, sous le grand Empereur! . . .

Ce fut un long chaos de jurons, de boutades,
De hurrahs, de tollés et de rodomontades,
Dont les bruits jaillissant clairs, discordants et durs,
Comme une mitraille allaient cribler les murs!   285

. . . . .

Et jusques au matin, les damnés jeunes-Frances
Nagèrent dans un flux d'indicibles démences,
—Échangeant leurs poignards—promettant de percer
L'abdomen des chiffreurs—jurant de dépenser
Leur âme à guerroyer contre le siècle aride.—   290
Tous, les crins vagabonds, l'œil sauvage et torride,
Pareils à des chevaux sans mors ni cavalier,
Tous hurlant et dansant dans le fauve atelier,
Ainsi que des pensers d'audace et d'ironie
Dans le crâne orageux d'un homme de génie! . . .   295

1833.

Théophile Gautier

Tarbes, 1811—Paris, 1872

"Le bon Théo" was the nineteen-year-old art student, who, not content with recruiting six defenders for *Hernani* (*"Mort aux perruques!"*), had a doublet made of cerise satin to wear at this memorable first night. It left him Hugo's life-long admirer and decided his vocation as a writer. He published a thin collection of *Poésies* during the revolution of July 1830. Gautier then joined *le Petit Cénacle* of Pétrus Borel (see Notice), a refuge for youth oppressed by the difficulties of the period (cf. *"Sonnet VII"*), and the first center of the principles of art for art's sake. Théo's *Albertus* (1833), a poem echoing the satanism of the *Petit Cénacle*, is important only for its early affirmation of art for its own sake, a doctrine which marks Gautier as independent of all his elders in the romantic group: *"A quoi cela sert-il?—Cela sert à être beau . . . En général, dès qu'une chose devient utile, elle cesse d'être belle . . . Les bijoux curieusement ciselés, . . . les parures singulières sont de pures superfluités. Qui voudrait cependant les retrancher?"* (Preface).

Le Petit Cénacle broke up early in 1833, when Gautier published his *Jeunes-France, Romans goguenards,* *"espèce de précieuses ridicules du romantisme."*[1] In 1834, he joined the first

---

[1] The best known lines in *les Jeunes-France* are the little parodies placed at the beginning of the story *"Daniel Jovard ou la Conversion d'un classique:"*

I

Quel saint transport m'agite, et quel est mon délire!
Un souffle a fait vibrer les cordes de ma lyre;
O Muses, chastes sœurs, et toi, grand Apollon,
Daignez guider mes pas dans le sacré vallon!
Soutenez mon essor, faites couler ma veine,
Je veux boire à longs traits les eaux de l'Hippocrène,
Et, couché sur leurs bords, au pied des myrtes verts,
Occuper les échos à redire mes vers.

DANIEL JOVARD, *avant sa conversion.*

literary Bohème with Gérard de Nerval, Houssaye and others. Here Théo learned to live by his pen and had his first love affairs (see *"Chinoiserie"*). He was robust (see *"Fatuité"*), full of the *joie de vivre* and at work on his first novel, *Mademoiselle de Maupin*, Swinburne's "golden book of beauty" which Sainte-Beuve called *"une des Bibles du Romantisme"*. Its preface contained an attack upon journalists, with a defence of Greek beauty and of poetry for art's sake. *"Ç'a été une scission quand j'ai chanté l'antiquité dans la préface de Mademoiselle de Maupin."* Some poems of this period were published in 1838 to accompany the long *Comédie de la Mort*, forgotten now but cherished by Baudelaire.

Gautier never really sang. Fear of death is perhaps the strongest passion expressed in his verse. His gift was for the metrical rendering of plastic beauty. *"Je suis un homme pour qui le monde visible existe, . . . Dans cette révolution littéraire . . . j'étais le peintre de la bande."* A journey to Spain undertaken in 1840 is reflected in the group of poems entitled *"España"* published in 1845. Here and elsewhere, Gautier transposes arts with success. His pen is the first to reproduce pictures (*"A Zurbaran"*) or music (*"Symphonie en blanc majeur"*). These poems of 1845 are Gautier's last romantic writings.

Although himself the only active survivor of the romantics in Paris under the Empire, Gautier's last poems called *Émaux et Camées* (1852, re-issued with additions), were impersonal and decorative, in form the work of a *"poëte impeccable"* (Baudelaire), a disturbing example for the coming poetical generation which was sated with the egoistical, tearful, passionate declamations of the romantic group. In 1857, when Gautier's poem *"l'Art"* was printed in a magazine, he gave exact expression to the ideal of art for art's sake and the aims of Leconte de Lisle,

---

II

Par l'enfer! je me sens un immense désir
De broyer sous mes dents sa chair, et de saisir,
Avec quelque lambeau de sa peau bleue et verte,
Son cœur demi-pourri dans sa poitrine ouverte.
    Le même DANIEL JOVARD, *après sa conversion.*

Banville and the founders of the new Parnassian School. With
Gautier, French poetry deviates; for a time it becomes detached
and impersonal, its vocabulary precise and its syntax firm, just
as Flaubert's *Madame Bovary* (1857) also indicates a new and
similar tendency in the domain of fiction.

Gautier believed that the art of poetry could be taught and
learned, and his followers were many in all countries. The most
eminent were Baudelaire, Swinburne and, in prose, Lafcadio
Hearn.

There is no satisfactory life of Gautier. Consult Maxime Du
Camp, *Théophile Gautier*, 1890, and Gautier's own *Histoire du
Romantisme* for epic pictures of the battles of *Hernani*, and the
Petit Cénacle. R. Jasinski's *les Années romantiques de Théophile
Gautier*, 1929, is perfect as far as it goes. The text of Gautier's
prose and verse is often faulty. Critical editions: J. Madeleine,
Émaux et Camées (Hachette), 1927, R. Jasinski, *España* (Vui-
bert) 1929.

POÉSIES

1830–1832

140.   PAN DE MUR

> La mousse des vieux jours qui brunit sa surface,
> Ét d'hiver en hiver incrustée à ses flancs,
> Donne en lettre vivante une date à ses ans.
> *Harmonies.*

> . . . Qu'il vienne à ma croisée.
> PÉTRUS BOREL.

De la maison momie enterrée au Marais
Où, du monde cloîtré, jadis je demeurais,
L'on a pour perspective une muraille sombre
Où des pignons voisins tombe, à grands angles, l'ombre.
—A ses flancs dégradés par la pluie et les ans,   5
Pousse dans les gravois l'ortie aux feux cuisants,

Et sur ses pieds moisis, comme un tapis verdâtre,
La mousse se déploie et fait gercer le plâtre.
—Une treille stérile avec ses bras grimpants
Jusqu'au premier étage en festonne les pans;   10
Le bleu volubilis dans les fentes s'accroche,
La capucine rouge épanouit sa cloche,
Et, mariant en l'air leurs tranchantes couleurs,
A sa fenêtre font comme un cadre de fleurs:
Car elle n'en a qu'une, et sans cesse vous lorgne   15
De son regard unique ainsi que fait un borgne,
Allumant aux brasiers du soir, comme autant d'yeux,
Dans leurs mailles de plomb ses carreaux chassieux.
—Une caisse d'œillets, un pot de giroflée
Qui laisse choir au vent sa feuille étiolée,   20
Et du soleil oblique implore le regard,
Une cage d'osier où saute un geai criard,
C'est un tableau tout fait qui vaut qu'on l'étudie;
Mais il faut pour le rendre une touche hardie,
Une palette riche où luise plus d'un ton,   25
Celle de Boulanger ou bien de Bonnington.

141.   SONNET VII

          Liberté de juillet! femme au buste divin,
             Et dont le corps finit en queue!
                              G. DE NERVAL.

E la lor cieca vita è tanto bassa ch'invidiosi son d'ogni altra sorte.
                              Inferno, canto III.

Avec ce siècle infâme il est temps que l'on rompe;
Car à son front damné le doigt fatal a mis
Comme aux portes d'enfer: Plus d'espérance!—Amis,
Ennemis, peuples, rois, tout nous joue et nous trompe.

Un budget éléphant boit notre or par sa trompe.   5
Dans leurs trônes d'hier encor mal affermis,

De leurs aînés déchus ils gardent tout, hormis
La main prompte à s'ouvrir, et la royale pompe.

Cependant en juillet, sous le ciel indigo,
Sur les pavés mouvants ils ont fait des promesses   10
Autant que Charles dix avait ouï de messes!

Seule, la poésie incarnée en Hugo
Ne nous a pas déçus, et de palmes divines
Vers l'avenir tournée ombrage nos ruines.

"*POÉSIES DIVERSES*"

1833–1838

142.   PASTEL

J'aime à vous voir en vos cadres ovales,
Portraits jaunis des belles du vieux temps,
Tenant en main des roses un peu pâles,
Comme il convient à des fleurs de cent ans.

Le vent d'hiver, en vous touchant la joue,   5
A fait mourir vos œillets et vos lis,
Vous n'aviez plus que des mouches de boue
Et sur les quais vous gisez tout salis.

Il est passé le doux règne des belles;
La Parabère avec la Pompadour   10
Ne trouveraient que des sujets rebelles,
Et sous leur tombe est enterré l'amour.

Vous, cependant, vieux portraits qu'on oublie,
Vous respirez vos bouquets sans parfums,
Et souriez avec mélancolie   15
Au souvenir de vos galants défunts.

1835.

143.   LA CHIMÈRE

Une jeune Chimère, aux lèvres de ma coupe,
Dans l'orgie, a donné le baiser le plus doux;
Elle avait les yeux verts, et jusque sur sa croupe
Ondoyait en torrent l'or de ses cheveux roux.

Des ailes d'épervier tremblaient à son épaule;   5
La voyant s'envoler, je sautai sur ses reins;
Et, faisant jusqu'à moi ployer son cou de saule,
J'enfonçai comme un peigne une main dans ses crins.

Elle se démenait, hurlante et furieuse,
Mais en vain. Je broyais ses flancs dans mes genoux;   10
Alors elle me dit d'une voix gracieuse,
Plus claire que l'argent: Maître, où donc allons-nous?

Par delà le soleil et par delà l'espace,
Où Dieu n'arriverait qu'après l'éternité;
Mais avant d'être au but ton aile sera lasse: 15
Car je veux voir mon rêve en sa réalité.

                                                    1837.

144.   LAMENTO

                LA CHANSON DU PÊCHEUR

        Ma belle amie est morte:
        Je pleurerai toujours;
        Sous la tombe elle emporte
        Mon âme et mes amours.
        Dans le ciel, sans m'attendre,   5
        Elle s'en retourna;
        L'ange qui l'emmena
        Ne voulut pas me prendre.
        Que mon sort est amer!
Ah! sans amour, s'en aller sur la mer!   10

La blanche créature
Est couchée au cercueil.
Comme dans la nature
Tout me paraît en deuil!
La colombe oubliée   15
Pleure et songe à l'absent;
Mon âme pleure et sent
Qu'elle est dépareillée.
Que mon sort est amer!
Ah! sans amour, s'en aller sur la mer!   20

Sur moi la nuit immense
S'étend comme un linceul;
Je chante ma romance
Que le ciel entend seul.
Ah! comme elle était belle   25
Et comme je l'aimais!
Je n'aimerai jamais
Une femme autant qu'elle.
Que mon sort est amer!
Ah! sans amour, s'en aller sur la mer!   30

145.   CHINOISERIE

Ce n'est pas vous, non, madame, que j'aime,
Ni vous non plus, Juliette, ni vous,
Ophélia, ni Béatrix, ni même
Laure la blonde, avec ses grands yeux doux.

Celle que j'aime, à présent, est en Chine;   5
Elle demeure avec ses vieux parents,
Dans une tour de porcelaine fine,
Au fleuve Jaune, où sont les cormorans.

Elle a des yeux retroussés vers les tempes,
Un pied petit à tenir dans la main,   10

Le teint plus clair que le cuivre des lampes,
Les ongles longs et rougis de carmin.

Par son treillis elle passe sa tête,
Que l'hirondelle, en volant, vient toucher,
Et, chaque soir, aussi bien qu'un poète,   15
Chante le saule et la fleur du pêcher.

"POÉSIES DIVERSES"

1838–1845

146.   FATUITÉ

Je suis jeune; la pourpre en mes veines abonde;
Mes cheveux sont de jais et mes regards de feu,
Et, sans gravier ni toux, ma poitrine profonde
Aspire à pleins poumons l'air du ciel, l'air de Dieu.

Aux vents capricieux qui soufflent de Bohême,   5
Sans les compter, je jette et mes nuits et mes jours,
Et, parmi les flacons, souvent l'aube au teint blême
M'a surpris dénouant un masque de velours.

Plus d'une m'a remis la clef d'or de son âme;
Plus d'une m'a nommé son maître et son vainqueur;   10
J'aime, et parfois un ange avec un corps de femme
Le soir descend du ciel pour dormir sur mon cœur.

On sait mon nom; ma vie est heureuse et facile;
J'ai plusieurs ennemis et quelques envieux;
Mais l'amitié chez moi toujours trouve un asile,   15
Et le bonheur d'autrui n'offense pas mes yeux.

                                        1843.

"*ESPAÑA*"

147.   DANS LA SIERRA

J'aime d'un fol amour les monts fiers et sublimes!
Les plantes n'osent pas poser leurs pieds frileux
Sur le linceul d'argent qui recouvre leurs cimes;
Le soc s'émousserait à leurs pics anguleux.

Ni vigne aux bras lascifs, ni blés dorés, ni seigles;   5
Rien qui rappelle l'homme et le travail maudit.
Dans leur air libre et pur nagent des essaims d'aigles,
Et l'écho du rocher siffle l'air du bandit.

Ils ne rapportent rien et ne sont pas utiles;
Ils n'ont que leur beauté, je le sais, c'est bien peu;   10
Mais moi, je les préfère aux champs gras et fertiles,
Qui sont si loin du ciel qu'on n'y voit jamais Dieu!

                                        Sierra-Nevada.

148.   A ZURBARAN

Moines de Zurbaran, blancs chartreux qui, dans l'ombre,
Glissez silencieux sur les dalles des morts,
Murmurant des *Pater* et des *Ave* sans nombre,

Quel crime expiez-vous par de si grands remords?
Fantômes tonsurés, bourreaux à face blême,   5
Pour le traiter ainsi qu'a donc fait votre corps?

Votre corps modelé par le doigt de Dieu même,
Que Jésus-Christ, son fils, a daigné revêtir,
Vous n'avez pas le droit de lui dire: Anathème!

Je conçois les tourments et la foi du martyr,   10
Les jets de plomb fondu, les bains de poix liquide,
La gueule des lions prête à vous engloutir,

Sur un rouet de fer les boyaux qu'on dévide,
Toutes les cruautés des empereurs romains;
Mais je ne comprends pas ce morne suicide!   15

Pourquoi donc, chaque nuit, pour vous seuls inhumains,
Déchirer votre épaule à coups de discipline,
Jusqu'à ce que le sang ruisselle sur vos reins?

Pourquoi ceindre toujours la couronne d'épine,
Que Jésus sur son front ne mit que pour mourir,   20
Et frapper à plein poing votre maigre poitrine?

Croyez-vous donc que Dieu s'amuse à voir souffrir,
Et que ce meurtre lent, cette froide agonie,
Fassent pour vous le ciel plus facile à s'ouvrir?

Cette tête de mort entre vos doigts jaunie,   25
Pour ne plus en sortir qu'elle rentre au charnier,
Que votre fosse soit par un autre finie.

L'esprit est immortel, on ne peut le nier;
Mais dire, comme vous, que la chair est infâme,
Statuaire divin, c'est te calomnier!   30

Pourtant quelle énergie et quelle force d'âme
Ils avaient, ces chartreux, sous leur pâle linceul,
Pour vivre, sans amis, sans famille et sans femme,

Tout jeunes, et déjà plus glacés qu'un aïeul,
N'ayant pour horizon qu'un long cloître en arcades,   35
Avec une pensée, en face de Dieu seul!

Tes moines, Lesueur, près de ceux-là sont fades.
Zurbaran de Séville a mieux rendu que toi
Leurs yeux plombés d'extase et leurs têtes malades,

Le vertige divin, l'enivrement de foi   40
Qui les fait rayonner d'une clarté fiévreuse,
Et leur aspect étrange, à vous donner l'effroi.

Comme son dur pinceau les laboure et les creuse!
Aux pleurs du repentir comme il ouvre des lits
Dans les rides sans fond de leur face terreuse!   45

Comme du froc sinistre il allonge les plis;
Comme il sait lui donner les pâleurs du suaire,
Si bien que l'on dirait des morts ensevelis!

Qu'il vous peigne en extase au fond du sanctuaire,
Du cadavre divin baisant les pieds sanglants,   50
Fouettant votre dos bleu comme un fléau bat l'aire,

Vous promenant rêveurs le long des cloîtres blancs,
Par file assis à table au frugal réfectoire,
Toujours il fait de vous des portraits ressemblants.

Deux teintes seulement, clair livide, ombre noire;   55
Deux poses, l'une droite et l'autre à deux genoux,
A l'artiste ont suffi pour peindre votre histoire.

Forme, rayon, couleur, rien n'existe pour vous;
A tout objet réel vous êtes insensibles,
Car le ciel vous enivre et la croix vous rend fous;   60

Et vous vivez muets, inclinés sur vos Bibles,
Croyant toujours entendre aux plafonds entr'ouverts
Éclater brusquement les trompettes terribles!

O moines! maintenant, en tapis frais et verts,
Sur les fosses par vous à vous-mêmes creusées,   65
L'herbe s'étend:—Eh bien! que dites-vous aux vers?

Quels rêves faites-vous? Quelles sont vos pensées?
Ne regrettez-vous pas d'avoir usé vos jours
Entre ces murs étroits, sous ces voûtes glacées?

Ce que vous avez fait, le feriez-vous toujours? . . .   70

Séville.

ÉMAUX ET CAMÉES

149.   SYMPHONIE EN BLANC MAJEUR

De leur col blanc courbant les lignes,
On voit dans les contes du Nord,
Sur le vieux Rhin, des femmes-cygnes
Nager en chantant près du bord;

Ou, suspendant à quelque branche   5
Le plumage qui les revêt,
Faire luire leur peau plus blanche
Que la neige de leur duvet.

De ces femmes il en est une,
Qui chez nous descend quelquefois,   10
Blanche comme le clair de lune
Sur les glaciers dans les cieux froids;

Conviant la vue enivrée
De sa boréale fraîcheur
A des régals de chair nacrée,   15
A des débauches de blancheur!

Son sein, neige moulée en globe,
Contre les camélias blancs
Et le blanc satin de sa robe
Soutient des combats insolents.   20

Dans ces grandes batailles blanches,
Satins et fleurs ont le dessous,
Et, sans demander leurs revanches,
Jaunissent comme des jaloux.

Sur les blancheurs de son épaule,   25
Paros au grain éblouissant,
Comme dans une nuit du pôle,
Un givre invisible descend.

De quel mica de neige vierge,
De quelle moelle de roseau,   30
De quelle hostie et de quel cierge
A-t-on fait le blanc de sa peau ?

A-t-on pris la goutte lactée
Tachant l'azur du ciel d'hiver,
Le lis à la pulpe argentée,   35
La blanche écume de la mer ;

Le marbre blanc, chair froide et pâle,
Où vivent les divinités ;
L'argent mat, la laiteuse opale
Qu'irisent de vagues clartés ;   40

L'ivoire, où ses mains ont des ailes,
Et, comme des papillons blancs,
Sur la pointe des notes frêles
Suspendent leurs baisers tremblants ;

L'hermine vierge de souillure,   45
Qui, pour abriter leurs frissons,
Ouate de sa blanche fourrure
Les épaules et les blasons;

Le vif-argent aux fleurs fantasques
Dont les vitraux sont ramagés;   50
Les blanches dentelles des vasques,
Pleurs de l'ondine en l'air figés;

L'aubépine de mai qui plie
Sous les blancs frimas de ses fleurs;
L'albâtre où la mélancolie   55
Aime à retrouver ses pâleurs;

Le duvet blanc de la colombe,
Neigeant sur les toits du manoir,
Et la stalactite qui tombe,
Larme blanche de l'antre noir?   60

Des Groenlands et des Norvèges
Vient-elle avec Séraphita?
Est-ce la Madone des neiges,
Un sphinx blanc que l'hiver sculpta,

Sphinx enterré par l'avalanche,   65
Gardien des glaciers étoilés,
Et qui, sous sa poitrine blanche,
Cache de blancs secrets gelés?

Sous la glace où calme il repose,
Oh! qui pourra fondre ce cœur!   70
Oh! qui pourra mettre un ton rose
Dans cette implacable blancheur!

150. ## L'ART

Oui, l'œuvre sort plus belle
D'une forme au travail
  Rebelle,
Vers, marbre, onyx, émail.

Point de contraintes fausses!   5
Mais que pour marcher droit
  Tu chausses,
Muse, un cothurne étroit.

Fi du rhythme commode,
Comme un soulier trop grand,   10
  Du mode
Que tout pied quitte et prend!

Statuaire, repousse
L'argile que pétrit
  Le pouce   15
Quand flotte ailleurs l'esprit;

Lutte avec le carrare,
Avec le paros dur
  Et rare,
Gardiens du contour pur;   20

Emprunte à Syracuse
Son bronze où fermement
  S'accuse
Le trait fier et charmant;

D'une main délicate   25
Poursuis dans un filon
  D'agate
Le profil d'Apollon.

Peintre, fuis l'aquarelle,
Et fixe la couleur   30
    Trop frêle
Au four de l'émailleur.

Fais les sirènes bleues,
Tordant de cent façons
    Leurs queues,   35
Les monstres des blasons;

Dans son nimbe trilobe
La Vierge et son Jésus,
    Le globe
Avec la croix dessus.   40

Tout passe.—L'art robuste
Seul a l'éternité.
    Le buste
Survit à la cité.

Et la médaille austère   45
Que trouve un laboureur
    Sous terre
Révèle un empereur.

Les dieux eux-mêmes meurent.
Mais les vers souverains   50
    Demeurent
Plus forts que les airains.

Sculpte, lime, ciselle;
Que ton rêve flottant
    Se scelle   55
Dans le bloc résistant!

151.

NOËL

Le ciel est noir, la terre est blanche;
—Cloches, carillonnez gaîment!—
Jésus est né;—la Vierge penche
Sur lui son visage charmant.

Pas de courtines festonnées   5
Pour préserver l'enfant du froid;
Rien que les toiles d'araignées
Qui pendent des poutres du toit.

Il tremble sur la paille fraîche,
Ce cher petit enfant Jésus,   10
Et pour l'échauffer dans sa crèche
L'âne et le bœuf soufflent dessus.

La neige au chaume coud ses franges,
Mais sur le toit s'ouvre le ciel
Et, tout en blanc, le chœur des anges   15
Chante aux bergers: *"Noël! Noël!"*

NOTES

The figures in parentheses refer to the poems as numbered consecutively in the text. The italicized figures refer to the line numbers of the poems.

(1.) *"La Jeune Tarentine"*: first printed in *le Mercure*, 1 germinal, an IX (1801). Chénier's papers show that the suggestions of this poem came from his reading of the story of Andromeda as told in the *Astronomica* by Manilius (cir. A.D. 10). The rhythm of Chénier's first lines has been often imitated. *1. alcyon:* "halcyon", fabled bird nesting on the sea. *2. Thétis:* Thetis, sea-nymph, daughter of Nereus, her sisters are *néréides* (l. *19*). *4. Camarine:* city in Sicily. *22. Zéphyr:* the cape of Calabria in western Italy.

(2.) *1. Œta:* mountain in Thessaly where Hercules or *Alcides*, i.e., son of Alcæus, burned himself to death to escape torture from the blood of the centaur Nessus.

(5.) *1. Mincius:* the Mincio, which flows through Mantua, birthplace of Virgil. *20. Tamise:* Thames river. *109.* Democritus, Plato, Epicurus, Thales (philosophers). *112. Toricelli:* Torricelli (1608-47), pupil of Galileo who discovered the principle of the barometer. *141. l'Aveugle:* blind Homer. *144. Pinde:* Mt. Pindus in Thessaly, sacred to the Muses.

(6.) *"La Jeune Captive"*: Aimée de Coigny (1769-1820), aged 25 when imprisoned in Saint-Lazare where this poem was written. First printed in *Décade Philosophique*, 20 nivôse, an II (1795). *40. Palès:* goddess of shepherds and flocks.

(7.) *"Saint-Lazare"*: monastery used as house of detention in the 18th century, now a prison for women. Latouche changed the text of this poem to suggest that Chénier was unable to complete it. He placed the first 15 lines at the last of the *Iambes* with the note: *"Composé le 7 thermidor au matin peu d'instants avant d'aller au supplice"*. The meter is copied—externally—from Horace's *Epodes*, and is used in French solely for polemical or invective purposes, cf. the *"Iambes"* of Auguste Barbier, (110), (111) below.

(8.) *4. le chêne:* Napoleon, Arnault's protector.

(11.) *"L'Ermite de Sainte-Avelle"*: published in the *Almanach des Muses* for 1809. There is no saint of this name. *2. Berte:* Bertha Broadfoot, mother of Charlemagne. Other poems in the *goût troubadour* to be found in this volume are Vigny's *"Le Cor"*, (46), Hugo's *"La Fiancée du timbalier"*, (55), and the *"Chanson de Fortunio"*, (132), by Musset.

(12.) *21. Pinde:* see (5), note *144. 27. Morgan:* Lady Sidney Morgan (1783-1859), Irish novelist and poet, received in French society, author of two books on France that were immediately translated: *La France* (1817), *La France en 1829* (1830), critical of French literature. *Schlégel:* August-Wilhelm (1767-1845) German romantic, critical of Molière. *56. Despréaux:* Nicolas Boileau, *"législateur du Parnasse"*. *64. Rambouillet:* an anachronism. The *salon* of the Marquise de Rambouillet guided literary taste from 1610-1655, but Racine's best plays were presented between 1667-77. *73. Regnard:* Jean-François Regnard (1655-1709), comic poet and satirist. *75. Jean-Jacques:* Rousseau (1712-78), the great pre-romantic writer. *76. Fénelon:* (1651-1715), archbishop of Cambrai. This criticism of his didactic *Télémaque* and his *Dialogues des Morts* is just. *80. Welche:* or *velche*, Germanic form of Latin *Gallus*, a name given by the Germans to everything that is foreign.

(13.) *"Le Roi d'Yvetot"*: circulated in manuscript, 1813. The lords of Yvetot, a small town to the north-west of Rouen, held the title of king during the first part of the 16th century. *3. Se levant tard:* Napoleon slept very little. *41. Il n'agrandit point ses États:* the France of 1813 comprised 130 *départements* not including 24 in Italy.

(14.) Written in November 1816, to criticize the pretentions of the noble émigrés who swarmed back to France upon the fall of Napoleon, conquered by the Allies. *Carabas* is borrowed from Perrault's tale *le Chat botté. 12. vavassaux:* intended for *vavasseur*, "rear vassal". *24. Pépin:* king of the Franks in 751, father of Charlemagne. *32. tabouret:* the right of ladies of highest rank to use a stool in presence of royalty. *52. la dîme:* tithes paid the clergy had been abolished along with their immunity from taxa-tion by the vote of August 4, 1789. *56. tendrons:* "young girls" (familiar). *58. droit du seigneur:* ancient rights which the nobil-ity are said to have had over their vassals' wives. *62. encensoir:* before 1789 incense was burned before nobles in attendance at mass.

(15.) *40. Champagne:* capital Rheims, was ravaged in the in-vasion of 1814.

(16.) *17. Saint-Simon:* Claude-Henri, comte de Saint-Simon (1760-1825), founder of French socialism, proposed state owner-ship and wages in proportion to ability. *25. Fourier:* François Marie Fourier (1772-1837) propagated theories in 1826, basing social reform on cooperation. Society was to be organized into self-sufficient "phalanxes" housed in "phalansteries". *33. En-fantin:* Prosper Enfantin (1796-1864) organized the Saint-Simonians into a church with himself as Pope. He proposed the abolition of marriage to emancipate women.

(17.) This poem was published by Nodier's daughter in *La Perceneige, choix de morceaux de poésie moderne,* 1836. *1. Marais:* arrondissements III and IV of Paris, which formed the aristocratic quarter in the XVIIth century. *6. Chapelle:* Claude Luillier (1626-1686), famous wit, friend of Molière, Boileau, Racine, La Fontaine. He wrote the above stanza impromptu.

(18.) *13. Fatal oracle d'Épidaure:* "doctor". Epidaurus in Greece was the seat of the Æsculapian oracle. Millevoye altered the text of this poem several times.

(19.) *"Le poète mourant":* cf. poem with same title by Lamar-tine. So many poems on dying children and relatives were written at this time that *la Muse française* once proposed a competition on the theme of *L'oncle à la mode de Bretagne en pleine con-valescence. 10. Un arbre:* probably *le mancenillier* or "man-chineel", a West-Indian tree with poisonous sap, whose shade was held fatal to whatever came beneath its branches. *22. Comme l'Egypte au bord de son lac solitaire:* Diodorus Siculus (Book I, vii) states that the dead must be ferried over a lake, and that the living could protest against the passage of an unjust soul.

(21.) *20. envîrait: envierait.*

(23.) *Élegies.* As it has been impossible to consult the first editions of Mme Desbordes-Valmore's poems, the selections given here are presented under the titles and in the order adopted by A. Lacaussade, editor of her *Œuvres complètes* (Lemerre). 3. *Ton nom:* see biographical sketch. Her Christian names were Marceline-Félicité-Josèphe.

(27.) *Saadi* (1195-1296): Persian poet, author of the *Gulistan* or Garden of Roses.

(28.) *17. cœur: 19. cœur:* not a rime. *"C'est ainsi que chantait la dernière Valmore dans le ressentiment de ses jeunes et anciennes douleurs."* (Sainte-Beuve.)

(29.) *"La Couronne effeuillée":* judged a masterpiece by Anatole France. Nevertheless Desbordes-Valmore is not mentioned in the literary histories of Brunetière, Des Granges, Faguet, Lanson, Nitze and Dargan, while C. H. C. Wright brackets her with Mme Amable Tastu: "they are but tearful female sentimentalists". *2. Au jardin de mon père:* "paradise".

(31.) The text of the *Méditations* presented here is based on Lanson's reprint, which follows the order of Lamartine's first edition. Scant credence should be given to the *commentaire* added by the poet in the subscription edition of 1849.

Written at Milly (August 1818) in a mood of lassitude brought on by illness and introspection, *"l'Isolement"* serves as prelude to the twenty-four poems forming the first edition of the *Méditations poétiques.* The landscape is a composite creation, says Lanson, evoking memoires of Ossian—*"Ossian fut l'Homère de mes premières années,"*—8, *l'étoile du soir, 51, la feuille flétrie;* Gray's *Elegy,* lines *13-16;* Chateaubriand, *46, vague objet.* Lamartine did not know Du Bellay's sonnet *"l'Idée".* Note the presence of the XVIIIth century phraseology: *11, char de la reine des ombres,* "the moon"; *45, char de l'aurore,* "dawn, Aurora's chariot".

(32.) *"L'Homme"* (1819), made Byron one of the gods of French romanticism. It is addressed to a poet Lamartine had not met, who was then at the height of his popularity in Paris (French translation begun by Pichot, 1816, English edition published in Paris, 1818). Lamartine's plans for his marriage with Miss Birch were succeeding; he is optimistic in this plea for Byron's conversion. The latter, hearing of the poem in 1820, spoke of it as "a most sanguinary '*épître*' ". Following Lamartine's example, Musset published a long "*Lettre à Lamartine*", in the *Revue des Deux-Mondes*, March 1, 1836. *13. l'oiseau:* the nightingale. *15. Athos:* mountain in the Salonica peninsula. *111. J'ai devancé les temps:* "outstripped our times" (studied remote past and future). *112. passant les mers:* figuratively, studied the English and Oriental thinkers. *125. le lit des mourants:* allusion to Elvire's death, cf. below, *213* ff. *136-149.* The silence of the heavens inspires resignation in Lamartine but hopeless disdain in Vigny's "*Mont des oliviers*", (*51.*) *140. J'ai blasphémé:* allusion to "*le Désespoir*", (*34*). *154. Celui* refers to Lamartine. *257. Chantre des enfers:* "Not actionable! . . . A pretty title to give a man for doubting if there be any such place", see Estève, *Byron et le romantisme français*, 330.

(*33.*) "*Le Vallon*" was composed (1819) for a friend, Aymon de Virieu, who lived at the mouth of the valley of Férouillat, near Grenoble. The theme of this sentimental elegy is a romantic weariness, bringing precocious thoughts of death to a youthful heart. *3. Vallons de mon enfance:* Lamartine, whose childhood knew no valleys, speaks for his friend. In the 12th edition the singular replaced the plural here. *26. Léthé:* river of oblivion. *47. L'amitié te trahit:* Descognets, *Vie intérieure de Lamartine*, 111, points to rivalry between Lamartine and his friend Vignet for Miss Birch's favors. *55. Adore l'écho:* Estève, *Rev. universitaire*, Nov. 1920, cites a maxim of Pythagoras: "*Adore l'écho dans la tempête*", i.e., take refuge in solitude in times of civil strife. *59. L'astre du mystère:* "the moon".

(*34.*) "*Le Désespoir*" (1818), more subjectively personal than the original title, "*Ode au malheur*": "*n'est qu'une interrogation du désespoir, une vue de l'univers prise du mauvais côté*" (letters to Virieu). Lamartine, before publishing it, composed "*à contre-cœur*", to justify Providence, "*Méditation VIIe, la Providence à l'homme*". *100. Aux dieux vivants du monde:* "to the tyrants". *104. Caton:* Cato the Younger, who killed himself on learning of Cæsar's victory. He had spent the night reading the *Phædo*, Plato's demonstration of the immortality of the soul. Lanson shows that "*déchirant ses entrailles*" comes from Rousseau's *Nouvelle Héloïse*.

(35.) *"Le Lac de B***"*: the title *"Le Lac"* appeared in the second edition. Chateaubriand's *Atala*, and Rousseau's *Nouvelle Héloïse* (pt. iv, letter 17, the account of the boat ride of Saint-Preux and Mme de Volmar on the Lake of Geneva), suggest details of composition. The last four stanzas, appealing to Nature to preserve the poet's memories of love, are the most original and influenced other romantics, cf. Victor Hugo, *"Tristesse d'Olympio"* (73), Vigny, *"Maison du Berger"* (48), Musset, *"Souvenir"* (136).

(36.) Poem written after the autumn of 1819 (note the allusion, *25-28*, to Miss Birch, future wife of the poet). In its serene resignation, it forms an epilogue to the *Méditations*, and, like Millevoye's *"Chute des feuilles"* (18), is founded upon two romantic themes, autumn and the dying poet.

(37.) *"Le Crucifix"* (silent "x"), inspired by the death of Mme Charles, was not written at the time of his bereavement, despite Lamartine's "commentary" in the edition of 1849. His friend A. de Parseval gave him the crucifix presented to Elvire by l'abbé de Keravenant, a *"martyr"* (l. 6) of the revolution. The poet transfers himself in imagination to a death-bed where he was absent. Our text and punctuation follow that of Levaillant. *12.* Such lines of dots are frequent in the 1st edition of the *Nouvelles Méditations* and were intended to suggest improvisation. *43. Sur sa tombe:* no one now knows where it is. *69. Tu sais, tu sais mourir:* from Mme Charles' letter: *"Je vous pardonne tout, mais que je souffre. . . . Enfin* je sais mourir".

(38.) *JOCELYN//Épisode//Journal trouvé chez un curé de village*, composed in nine *"Époques"* with prologue and epilogue, was the only long romantic poem to attain immediate and lasting popularity. In 1836, the year when it was published, 25,000 copies were sold. Jocelyn, to provide a dowry for his sister, enters a seminary, from which he is driven by the tumult of the revolution. He takes refuge in a grotto in the Alps, where he shelters Laurence, a young proscript but a woman in disguise. Jocelyn, who falls in love with Laurence, is called to the bedside of his dying bishop. Here, he sacrifices this love and accepts ordination to absolve the dying man. Jocelyn later becomes priest of the village of Valneige. Summoned to help a dying traveller, he recognized Laurence. She is buried by the villagers and Jocelyn in the alpine grotto where their love was born.

"*La Neuvième Époque*" is much the longest, and contains many "meditations" unconnected with the story. Of these, "*les Laboureurs*" (the only subtitle in Lamartine's poem), is a noble hymn to labor: "*O travail, sainte loi du monde*". The representative extracts given here are richer in realistic detail than is usually the case with Lamartine, and his French is more incorrect than in the earlier *Méditations*. Text and many notes based on Levaillant's revision of the first edition. *283. le sacrifice:* of the mass. *334. émondent:* correct meaning, "prune". *337. attiédir:* for *s'attiédir. 340. qu'en pesant: en pesant sur elles. 341. rameaux découpés:* for *feuilles dentellées. 342. Des gouttes:* ungrammatical, should be *de gouttes. 380. leurs flancs:* ungrammatical; *ses flancs. 441. Un moment suspendu: leur travail ayant été suspendu. 452. crier de feu:* expression formed by analogy to *crier d'effroi,* etc. *569. pleurs:* should be masculine. *620. Et les filles des champs:* in a note appearing only in the first edition, Lamartine said he was inspired by a painting by Léopold Robert, "*les Moissonneurs*" (Salon of 1831, now in Louvre). *624. la fleur:* "the flower of the wheat".

(39.) "*La Marseillaise de la paix; réponse à M. Becker, auteur du* Rhin allemand," appeared in the *Revue des Deux-Mondes,* June 15, 1841, at a time when England, Russia, Prussia and Austria had sent an ultimatum to Egypt and war with Prussia seemed possible. Becker's brief poem, beginning Sie sollen ihn nicht haben, den freien deutschen Rhein, made Musset write "*le Rhin allemand*" which lacks the magnificently fraternal optimism of Lamartine's ode. Romain Rolland's great *Jean Christophe* embodies the same view of the Rhine, as a bond and not a barrier in Europe. "*La Marseillaise de la paix*" was published in a group of "*Épîtres et poésies diverses*" added to the *Recueillements poétiques* in the edition of his works which Lamartine published for subscribers in 1849. *41. Arminius:* German leader who checked the Roman invasion by defeating Varus; 9 A.D. *113. Joseph:* cf. Genesis, xxxvii. *114. Apis:* sacred bull, god of ancient Egypt.

(40.) "*Vers sur un album*", written impromptu in an autograph album, an extraordinary proof of Lamartine's gifts.

(41.) Lanson says this ballad of the Cid is almost the first poem on a medieval subject written in conformity with romantic taste and not in the *goût troubadour*. Scott, in 1811, and Southey, in 1814, had written poems on Roderick, the last Visigoth king of Spain, but Deschamps' source is Abel Hugo's partial translation of *El Romancero* (1822). The 60 verses of the Spanish original make 144 lines in the poem of Deschamps, due to the addition of picturesque details or "local color", i.e., lines *5, cédrats,* "large rough-skinned lemons"; *36, chapelet,* "rosary"; *42, Pater,* the "Lord's prayer"; *64* ff. the place-names (Xeres, Toledo, Ebro, Tagus) ; *77,* the tournament; *79,* the Spanish mules; *82,* the "grandees", *grands; 114,* bull fights; *115,* devotion to the Virgin; *119, autos-da-fe; 122,* the thoughts of suicide and the reference to Saint James; even a mention of the *gitanos, Bohémiens, 132.* "The Spanish romances were not Spanish enough for Deschamps"; he applied the ideas inherited from the XVIIIth century to a Spanish subject to dazzle the classicists and satisfy his own romantic temper.

(42.) The quotation, alluding to the second Messenian War (cir. 650 B.C.), comes from the didactic novel of ancient life, *Voyage du jeune Anacharsis en Grèce* by l'Abbé Barthélémy, 1788. *30. Varus:* Roman general defeated by the German Arminius, 9 A.D. The emperor Augustus was heard to exclaim: "Varus, give me back my legions!" *93. temple des arts:* the Louvre. *104. héros de Bouvines:* Philippe-Auguste of France who defeated the emperor Otto IV and king John of England at this village on the Franco-Belgian frontier, 1214. After the restoration the white flag with the lilies of France replaced the tricolor which had triumphed over the Austrians and Russians at Austerlitz in 1805. *117. Germanicus:* Roman general related to Augustus who defeated Arminius and avenged Varus, 16 A.D.

(43.) Vigny kept adding poems to the volume entitled in 1826, *Poèmes antiques et modernes.* The text given here is Estève's revision of the edition of 1854, the last published in Vigny's lifetime. To the ten pieces appearing in the *Poèmes* of 1822, twelve were added. *"Le seul mérite qu'on n'a jamais disputé à ces compositions, c'est d'avoir devancé en France toutes celles de ce genre, dans lesquelles presque toujours une pensée philosophique est mise en scène sous une forme épique ou dramatique."* (preface, 1829), cf. Notice on É. Deschamps.

"Moïse" is from *"Livre mystique".* Originally dedicated to Hugo, it bore the epigraph, *"Le souffle de Dieu dans l'homme est une lampe dévorante* (Prov. Salomon)." The date was added in 1829. Vigny wrote in a letter of 1838: *"Aucun (de mes poèmes) encore n'a dit toute mon âme, mais s'il y en a un que je préfère aux autres, c'est Moïse. Je l'ai toujours placé le premier, peut-être à cause de sa tristesse. . . . Mon Moïse n'est pas celui des Juifs. Ce grand nom ne sert que de masque à un homme de tous les siècles et plus moderne qu'antique: l'homme de génie, las de son éternel veuvage et désespéré de voir sa solitude plus vaste à mesure qu'il grandit. Fatigué de sa grandeur, il demande le néant."* The theme of this poem and the attitude of its hero are suggested by Byron's *Childe Harold*, III, 45: "He who surpasses or subdues mankind, Must look down on the hate of those below." Also *Manfred*, Act II, scene ii. *6-21.* The Bible names in English are Nebo, Pisgah, Gilead, Ephraim, Manasseh, Judah, Naphtali, Peor, Zoar, Canaan. See Deuteronomy, xxxiv, for many details. *49. solitaire:* This feeling is not biblical, but is an acute form of the romantic *mal de René,* cf. Canat, *Du Sentiment de la solitude morale chez les Romantiques et les Parnassiens. 51.* Numbers xi, 11-15, gives the complaints of Moses against the Lord. *65-68.* No plausible explanation of these lines is possible. *82. Le fleuve:* evidently the Red Sea, Exodus xiv, 21. *92.* Cf. *Manfred:* "My joys, my griefs, my passions and my powers, Made me a stranger." *115. Josué:* Joshua.

(44.) The title *"Symétha"*, says Estève, is borrowed from Mille-voye's *"Simèthe"*, a translation of Theocritus, ii. It appeared in the *"Livre antique"* of the *Poèmes*, 1822, without the date, 1815, added later to meet the just accusation that Vigny was influenced by Chénier. *Pichald:* Michel Pichat (1790-1828), dramatist. These plays were performed at the Comédie-Française in 1825 and 1830. *3. Eole:* Æolus, god of the winds. *5. Lesbos:* island in the Ægean sea. *12. saintes Théories:* "sacred processions". *14. Athénée:* Athena. *47. Pirée:* Piræus, port of Athens.

(45.) *"Le Bain d'une dame romaine"*, first published in *Annales romantiques*, 1827, a descriptive piece added to the *"Livre antique"*, shows how Vigny was a forerunner of the Parnassian movement. *"Est considéré comme parnassien tout essai de poésie impersonnelle ou décorative au XIXe siècle"* (Thérive, *Le Parnasse*). 4. *le compas d'Isis:* Estève quotes: *"sa tête était surmontée de deux cornes, symbole de la déesse Isis ou de la Lune."* (Bœttiger, *Sabine, ou la matinée d'une dame romaine à sa toilette,* French translation, 1813). 5. *Milet:* Miletus, in Ionia.

(46.) *"Le Cor", "Livre moderne",* appeared in 1826 in the *Annales romantiques.* The story, says Estève, is not based on the *Chanson de Roland,* but on an abstract of the *Chronique des prouesses et faits d'armes de Charlemagne.* 10. *Frazona:* Sp. Stazona; *Marboré:* ring of mountains in the Pyrenees. 27. *Roncevaux:* or Ronceval, where the rear guard of Charlemagne's army, under his nephew Roland, was destroyed by Basques in 778. They are represented as Saracens in the legend. 30. *Olivier:* Roland's friend and rival in prowess. 48. *Luz et Argelès:* valleys leading from the Brèche de Roland towards Lourdes. 50. *Adour:* a river falling into the Bay of Biscay. 56. *Turpin:* archbishop of Rheims, dies with Roland in the *Chanson.* 59. *Saint-Denis:* patron saint of France. 68. *Obéron:* fairy dwarf, character in the romance of *Huon de Bordeaux.*

(47.) Vigny died before bringing out in book form eleven poems, six of which had appeared in the *Revue des Deux-Mondes.* In 1864, Louis Ratisbonne published these *Œuvres posthumes du Comte Alfred de Vigny, Les Destinées, Poèmes philosophiques,* but the title and order were fixed by the poet. The Estève edition is quoted here.

"Les Destinées" are an unsuccessful attempt to write in the terza rima of Dante, which was revived by Gautier and others. Vigny was long preoccupied by the problem of fate, personified by Æschylus in the *Eumenides* and by Byron in *Manfred,* Act II, scene ii. 3. Cf. Vigny, *Journal d'un poète,* 1832: *"Je sens sur ma tête le poids d'une condamnation, que je subis toujours, ô Seigneur, mais, ignorant la faute et le procès, je subis ma peine."*

(48.) *"La Maison du Berger", Revue des Deux-Mondes,* 1844, is typical of Vigny's ability to touch the heights of poetry while unable to avoid incoherence and obscurity. The seven-line stanza was first used extensively by Vigny. *Éva. "Ne serait-il pas prudent d'admettre, jusqu'à plus ample informé, qu'Éva désigne pour Vigny à la fois la nature féminine et les femmes qui lui ont donné l'occasion d'en faire l'expérience, et dont plus d'une s'est dissimulée à son tour derrière ce pseudonyme collectif"* (Estève). *14. lettre sociale:* "T.F.", *"travaux forcés"*, branded on convicts. *49. Maison du Berger:* cabin on wheels, symbol of a refuge from nature and society. Cf. Chateaubriand, *Martyrs*, bk. x: *"Je n'ai jamais aperçu au coin d'un bois la hutte roulante d'un berger sans songer qu'elle me suffirait avec toi." 64-133.* Tirade against the dangers of the new railroads, inspired by a derailment on the Versailles line, May 8, 1842, in which many victims were burned to death. *74-77.* Allusions to the possible causes of the above-mentioned accident. *106. Évitons ces chemins:* like Ruskin, whenever possible Vigny and his wife travelled in their carriage. Note the exaggeration of the speed of the trains. *134. Poésie!:* After opposing the *"Maison du Berger"* to the railroad, Vigny contrasted *science* with *rêverie*. This suggests poetry, which is contrasted below with politics. *155. Orphée:* Orpheus. *163. Un vieillard:* Anacreon, Greek lyric poet of the Vth century B.C., singer of love and wine, called "the old man of Teos." *172. Et n'être que poète:* probable allusion to Lamartine's political career. *174. Aveuglés:* for *aveugles*, adj. *204. Diamant:* i.e. poetry. *207. Berger:* i.e. the poet. *211-214.* Incomprehensible lines. *217. Dieu Terme:* Terminus, god of landmarks, whose statues have no feet. *225. Éva:* Vigny's thought returns to Éva (who now is perhaps Eve), symbol of love which consoles the poet for the indifference of society and nature. Pt. III of this poem is in marked contradiction to *"La Colère de Samson"*, (49). *281-301.* Vigny's distrust of nature contrasts with the earlier romantic attitude, which represented nature as a consoler, cf. Lamartine, *"l'Automne"*, (36). *298. Sur l'axe harmonieux:* awkward allusion to the Pythagorean harmony of the spheres. *321. Journal* (1844): *"Ce vers est le sens de tous mes poèmes philosophiques. L'esprit d'humanité; l'amour entier de l'humanité et de l'amélioration de ses destinées." 327. Esprit pur:* title of Vigny's last poem. *335.* Shakespeare, *As You Like It*, IV, i: "I will weep for nothing, like Diana in the fountain."

(49.) *"La Colère de Samson,"* posthumous epilogue to Vigny's breach with Mme Dorval, expresses his emotions by means of a generalized symbol, suggested by Milton's *Samson Agonistes* and Judges, xiv-xvii. Vigny changed the Bible story, Samson slept

on Delilah's knees, *29*, and she was not present at the feast, *121* ff.
24. Hatsor: Hazor. *28. Anubis:* Egyptian god of the underworld,
not represented in a sitting position. *78. Sodôme:* usually *So-
dome*. *116. Dagon:* idol of the Philistines, Judges xvi, 23.

(50.)   *"La Mort du loup"*, *Revue des Deux-Mondes*, 1843, suggested by Byron, *Childe Harold*, IV, xxi:

> And the wolf dies in silence—not bestowed
> In vain should such example be; if they,
> Things of ignoble or of savage mood,
> Endure and shrink not, we of nobler clay
> May temper it to bear,—it is but for a day.

The wolf is a symbol of stoicism and energy; Leconte de Lisle,
leader of the Parnassians, repeats Vigny in *"le Vent froid de la
nuit"* (*Poèmes barbares*):

> Tais-toi. Le ciel est sourd, la terre te dédaigne.
> A quoi bon tant de pleurs si tu ne peux guérir?
> Sois comme un loup blessé qui se tait pour mourir,
> Et qui mord le couteau, de sa gueule qui saigne.

23. Loups-cerviers: the "lynx" is a species of cat. Vigny writes
as if it were a more powerful kind of wolf. *88.* Cf. Vigny. *Journal*
(1834): "ROMAN MODERNE; UN HOMME D'HONNEUR. *L'honneur
est la seule base de sa conduite et remplace la religion en lui . . .
A sa mort, il regarde la croix avec respect, accomplit ses devoirs
de chrétien comme une formule, et meurt en silence.*"

(51.)   *"Le Mont des oliviers"*, *Revue des Deux-Mondes*, 1843,
except for the strophe *"le Silence"*, added in 1862. The story of
Christ at Gethsemane has been gravely altered in spirit by Vigny.
23. But in Luke xxii, 43: "And there appeared an angel unto
him from heaven strengthening him." *62.* Vigny's verse is a
criticism of terrorist massacres for the good of humanity. *66-70.*
An indefinite, vague prophecy. *87-90.* Cf. *Journal* (*Poèmes à
faire*): "LE JUGEMENT DERNIER. *Ce sera ce jour-là que Dieu
viendra se justifier devant toutes les âmes . . . Il dira clairement
pourquoi la création et pourquoi la souffrance et la mort de
l'innocence, etc.*" *91. Lazare:* Lazarus, raised from the dead. *127.
Peines Éternelles:* cf. *"Les Destinées"*, (47).

(52.)   *"La Bouteille à la mer,"* *Revue des Deux-Mondes*, 1854.
First conception of the symbol, *Journal*, 1842: *"Un livre est une*

bouteille jetée en pleine mer, sur laquelle il faut coller cette étiquette: Attrape qui peut!" In his later years, Vigny was the adviser of many young men who wrote to him for counsel. His life-long interest in naval matters was due to his maternal grandfather, who sailed with Bougainville, the explorer. 5. *Chatterton,* see Notice, above. *Gilbert* (1751-1780) and *Malfilâtre* (1732-1767), French poets, believed to have starved to death. Cf. Gilbert's verse (*Satire I*): "La faim mit au tombeau Malfilâtre ignoré." 25. *rocs indiens:* South America. 37. *Terre-de-Feu:* Tierra del Fuego. 43. *Cap des brumes:* probably Cape Horn, though not a sentinel for the straits of Magellan. 46. *Ces pics noirs:* "Les pics San-Diego, San Ildefonso*"* (Vigny's note). 51. *Ferme . . . son flanc,* awkward line. 65. *Aï,* now Ay, little town near Rheims, producing champagne. 71-74. *les souffles de l'air* may be an allusion to the card, (Fr. *Rose des vents*) which is part of the mariner's compass, with its magnetic needle. 125. Obscure line. *Flammes* are pennants, therefore not to be covered with signals. 133. *Voile et vapeur:* Steam frigates were first launched between 1840-45.

(54.) *"Odes et Ballades",* 1828, contains all but three of the *Odes et Poésies diverses* of 1822, published at Abel Hugo's expense, the *"Odes"* added in the editions of 1823, 1825: *Odes et Ballades,* 1826, and 11 poems added in 1828. Recognizing Lamartine's superiority in the realm of feeling, the first *"Odes"* were generally political; echoes of Chateaubriand, of no interest today. However, Hugo moved from the orthodox legitimist view of the ode on *"Buonaparte",* 1822, to the liberalism of the *"Ode à la colonne de la place Vendôme".* The later *"Odes"* and the *"Ballades"* reveal greater virtuosity of execution. Where no indication is given to the contrary, text and dates of poems are reproduced from the *Édition de l'Imprimerie nationale.* However, Hugo's capitalization has been conventionalized.

"Encore à Toi": addressed to his wife. *Ahora,* etc.: "now and forever". *"Par les* Odes *Victor Hugo est bien le premier en date de nos poètes du foyer"* (Le Breton, *Jeunesse de Victor Hugo.*) 20. *Tobie:* cf. Apocrypha, Tobit, v. 23. *saint pasteur:* Jacob, who met Rachel at the well, Genesis, xxix.

(55.) *"La Fiancée du timbalier"* and *"La Ronde du Sabbat"* (56) were both published in the *Odes et Ballades* of 1826. Note

that Hugo's ballads are mere narratives like the poems of Bürger, Wieland, Goethe and Scott, not written in the French fixed
forms. *"L'auteur . . . a essayé de donner quelque idée de ce que
pouvaient être les poèmes des premiers troubadours du moyen
âge."* Preface, 1826. We cannot identify the *J. F.* to whom the
poem is dedicated. *Philippe Desportes* (1546-1605). *3. Nante:*
Nantes, seaport on the Loire; *Mortagne:* in Vendée. *25. Gildas:*
founder of a monastery in Morbihan. *61. égyptienne:* "gipsy".
77. piquiers: "pike-men". *87. templiers:* "knights-templars".

(56.) *"Ronde du Sabbat":* dedicated to Charles Nodier, inspired by his *conte fantastique, Smarra ou les démons de la nuit,*
1821. Motto, "here the vast chorus celebrate the orgy"; Avienus,
poet and geographer, 4th century. To understand the reception
given this poem based on popular tales of terror, read O'Neddy's
"Pandœmonium", (139). Louis Boulanger's lithograph of *"la
Ronde"* sold widely. *77. Zingaris:* cf. Ital. *zingaro,* "gipsy".
88. Psylles, "fakirs". *89. Aspioles:* "gnomes". *114. Matthieu:*
usually *Mathieu. 135.* ABRACADABRA: "abracadabra," cabalistic
magic formula. *139. Smarra: "le nom primitif du mauvais esprit
auquel les anciens rapportaient le triste phénomène du cauche-
mar"* (Preface to Nodier's *Smarra*).

(57.) *"Les Orientales"*, 1829, suggested to Hugo's imagination
by the victories of the Greeks over the Turks, also comprise
poems on Spain and others not oriental at all, such as *"Lui"*,
on Napoleon. Here he revived rhythms neglected since the renaissance. Consult Louis Guimbaud, *les Orientales de Victor Hugo,*
1928. Hugo read them to his friends from 1825-8: *"Victor"*, wrote
Paul Foucher, his brother-in-law, *"nous jette de temps en temps,
une Orientale, comme un pavé sur des fourmis."*

"Sara la baigneuse": poem quite in the later Parnassian style,
see note on Vigny's *"Symétha"*, (44), marks by its epigraph
from *"la Dryade"*, the earlier intimacy of the two poets. The
meter was successfully used in the XVIth century, see note on
Sainte-Beuve's *"A la rime"*, (105). *6. Ilyssus:* or Ilissus, flowed
from Mt. Hymettus in Attica. *61. capitane:* Span. *capitana,* "captain's wife." *82. heiduque: haidouk,* Hungarian soldier.

(58.) *"Les Djinns": "génie, esprit de la nuit"*, Hugo's note.
The *i* is not nasal. Motto, *Inferno,* v. 46-9. While this verse is

comparable as a tour de force to Wagner's prelude to *Lohengrin*, French opinion prizes more highly the music of Hugo's best alexandrines, see (71) and (76).

(59.) *"Rêverie"*: cf. note on *"Soleils couchants"*, (62). Motto, in Longfellow's translation, *Inferno* ii, 1-3:

> Day was departing, and the embrowned air
> Released the animals that are on the earth
> From their fatigues.

(60.) *"Feuilles d'automne"*, 1831. Consult F. Flutre, *"Éclair-cissements sur les F. d'A."*, *Revue d'hist. litt. de la France*, 1927. Title from a line by Victor Pavie: *"c'était une feuille d'automne."*

"Ce siècle avait deux ans": autobiographical poem (*Revue des Deux-Mondes*, Aug. 1, 1831) of prime importance for Hugo's self-characterization, *49-66*: *"un écho sonore"*. Motto, *Æneid*, I, 382, *"I followed the destiny created for me"*. *Saint-John*, English family made barons by Elizabeth. *1. deux ans:* really a year and 2 months in 1802, but Hugo counted 1800 as beginning the century. *Rome remplaçait Sparte:* the constitution which provided for consuls had replaced the five directors and *conseil des anciens* borrowed from Sparta. *2. Déjà Napoléon:* he was named consul for life in 1802. *5. ville espagnole:* the province of Franche-Comté was held by Spain, 1640-78. *6. jeté comme la graine:* Hugo's birth here was an accident of garrison life. *25-30.* Allusion to movements of the Hugo family ordered by Napoleon. *33. qui tonne avec l'orage:* cannons fired as signals of distress. *35. souvent éprouvé:* deaths of mother, 1821, first infant, 1823, father 1828, insanity of brother Eugène, 1822. *52. un roman:* Hugo was composing *Notre-Dame de Paris*. *53. la scène: Marion de Lorme* and *Hernani* belong to this period. *60.* Note the triple division of this line, without a medial cæsura.

(61.) *"Lorsque l'enfant paraît"*: probably commemorated the first steps of François-Victor, born 1828. *"Nul avant lui (Hugo) n'avait chanté le tout petit; jusqu'à lui nos poètes semblent tous de vieux célibataires"*, Souriau, *Hist. du romantisme*, ii, 63. Motto from Chénier's *"Mendiant"*.

(62.) Motto from *"Les aveugles de Chamouny"*, *Contes de la veillée*. Hugo wrote six *"Soleils couchants"*—sketches imitated later by Gautier and Verlaine—at a time when it was his custom

to walk at twilight with his friends toward Montrouge or Vaugirard; cf. the satirical lines of Musset, whose hero *Mardoche*
went to bed

> . . . précisement à l'heure
> Où (quand par le brouillard la chatte rôde et pleure)
> Monsieur Hugo va voir mourir Phébus le blond.

(63.)   *Les Chants du Crépuscule:* 1835, contain personal lyrics
as well as the political odes inspired by events since the revolution of 1830, announced by the last poem in *Feuilles d'automne,*
closing lines:

> Oh! la muse se doit aux peuples sans défense!
> J'oublie alors l'amour, la famille, l'enfance,
> Et les molles chansons, et le loisir serein,
> Et j'ajoute à ma lyre une corde d'airain!

"A la colonne": see notes on Barbier's *"l'Idole"*, (111). The
Colonne Vendôme was designed by Napoleon to commemorate
the campaigns of 1805-7. Like Trajan's column, it is covered
with bronze bas-reliefs, cast from the metal of 1200 Prussian
cannon. As Hugo came to know his father better and forget his
mother's prejudices, he joined Béranger and many of his fellow
countrymen in their hero worship of *"Napoléon, ce dieu dont
tu seras le prêtre."* (*Feuilles d'Automne,* *"Dédain"*). In *les Orientales*, XL, *"Lui"*, he wrote:

> Toujours lui! Lui partout!—Ou brûlante ou glacée,
> Son image sans cesse ébranle ma pensée. . . .
> Napoléon! soleil dont je suis le Memnon! . . .

Hugo's first attempt to strike an epic note in poetry was his
"Ode à la colonne de la place Vendôme" (*Odes et Ballades,*
1828), provoked by discourtesy to Napoleon's ex-field marshals
at the Austrian embassy, while the fifth poem in *Chants du
Crépuscule, "Napoléon II"*, was written upon the death of
Napoleon's son, 1832. *20. Encombrant de butin:* the art treasures
of Europe, brought to France by Napoleon. *45. un siècle:* "an
epoch". *47. Austerlitz:* battle (Dec. 2, 1805) fought in fine
weather: *"le soleil d'Austerlitz"* (l. *153*). *Eylau:* Feb. 7, 1807,
fought in the snow; cf. *Légende des siècles, "le Cimetière
d'Eylau"*. *49. Encelade:* Enceladus, one of the giants. *53.* victories
of four epochs, Arcola, 1796, Marengo, 1800, Wagram, 1809,

Champaubert, 1814. *58. Et que tu découvris:* however no dedication ceremonies were held and no procession. *62. Paul-Émile:* Æmilius Paulus who triumphed over Macedonia, 168 B.C. *73-81.* Reply of the 300 legislators (*avocats*). *76. Thabor:* Mt. Tabor in Palestine, scene of victory, 1799. *115. dans une cage anglaise:* Saint Helena. See (76), "*l'Expiation*", III. *137. La plus nouvelle:* Napoleon's race; *la plus vieille,* Bourbon dynasty (Charles X). *162. les chevaux de l'Ukraine:* horses of the Cossacks. *175. le flot marin:* Napoleon's grave at Saint Helena was believed to be by the seashore. *217. nous t'irons chercher:* Napoleon's ashes were brought back in 1840, and placed in the Invalides, cf. the chapter "*le Retour de l'Empereur*" (*Choses Vues*), and poem in *Légende des siècles. 217-218.* Both an explanation and an excuse for the Bonapartist sentiments of the young liberals of 1830. *224. nos batailles:* to carry the freedom won in 1830 into foreign lands.

(64.) "*Hymne*": originally *aux morts de juillet,* written at the request of the government to commemorate the first anniversary of the revolution of 1830, when the names of the fallen insurgents were placed on bronze tablets in the Pantheon. Sung for the burial of *le Soldat inconnu,* Armistice Day, 1919.

(65) and (66), written for Juliette Drouet; cf. "*Tristesse d'Olympio*", (73).

(67.) "*Date lilia*": cf. *Æneid* vi, 883. *Tu Marcellis eris. Manibus date lilia plenis,* "Thou shalt be Marcellis. Offer handfuls of lilies". Hugo knew Vergil practically by heart. This homage to his wife concludes the *Chants du Crépuscule.* It was criticized by Sainte-Beuve as in poor taste, coming from the lover of Mme Drouet. *53. Qui de mes propres torts:* cf. his wife's letter dated Aug. 27th: "*Mais, mon pauvre ami, je ne veux pas te dire rien qui puisse t'attrister de loin, ne pouvant être près de toi pour t'en consoler. Et puis, d'ailleurs, je crois que tu m'aimes au fond de tout cela, et que tu t'amuses, puisque tu tardes ainsi à revenir; et, en vérité, ces deux certitudes me rendent heureuse . . .*" (G. Simon, *le Vie d'une femme,* 212.).

(68.) *Les Voix intérieures,* 1837, were dedicated to the memory of Hugo's father, in these terms: "*A Joseph-Léopold-Sigisbert// Comte Hugo// Lieutenant Général des Armées du Roi// . . . NON INSCRIT SUR L'ARC DE L'ÉTOILE// Son fils re-*

spectueux// V.H." In *Feuilles d'Automne,* XV, a line reads: *"Le chœur des voix intérieures".*

"A l'arc de triomphe": magnificent arch at the Place de l'Étoile in the Champs-Élysées, begun by Napoleon in 1806, finished under Louis-Philippe, 1836. This poem of 446 lines illustrates Hugo's self-importance, since it was written for the sake of the last lines. *"On n'a pas écrit le nom de son père sous les voûtes de l'Arc de l'Étoile",* A. Fontaney wrote, Aug. 5, 1836, in his *Journal intime, "mais il s'en vengera dans des vers qui dureront plus que leur monument."* Although Hugo's father was a general in the Spanish army, he never held this rank in France, so he could not be listed among Napoleon's generals. *368. une colonne:* see (63), *"A la colonne". 370. une église:* Notre-Dame de Paris. *446. Phidias:* greatest Greek sculptor.

(69.) *"La Vache":* bucolic poem of Vergilian inspiration and restraint, which develops an optimistic symbol that is almost a myth. *4. bouges:* "dark holes".

(70.) *"Les Rayons et les ombres",* published May 16, 1840, opens with the ironic ode, *"Fonction du poète",* a declaration of principles opposed to art for art's sake, as exemplified by Gautier, or to detachment in the midst of society, like Musset's position. The poet later developed the same theme at great length in *"les Mages" (Les Contemplations).* Hugo, like Lamartine, yielded to political ambition about 1843, and published no more poetry until 1853.

(71.) *Écrit sur la vitre . . . ,* composed at Mechlin, quoted here to represent Hugo's musicianship in verse. Similar master-pieces, too long for citation are: *"Guitare"* and *"Que la musique date du XVIᵉ siècle"* in *R. et O.* and *"Éviradnus",* part XI, *Légende des siècles. 2. domestiques:* in latin sense, "national". *4. Castille:* Spain ruled Flanders through the 16th century. *18.* Scan: *Entend / de marche en marche / errer / son pied sonore!*

(72.) *"Ce qui se passait aux Feuillantines":* important auto-biographical poem, see *Victor Hugo raconté,* xxiii. The convent of this name was established in Paris in 1622 and located near the Val-de-Grâce church in 1631. All this part of Paris has been built over, and the garden cut by the rue d'Ulm, rue des Feuillan-tines, rue Gay-Lussac, rue Claude-Bernard. *30. Gautier:* see Notice on Théophile Gautier, below. *39. principal d'un collège:* the proviseur of the Lycée Charlemagne. *40. Coypel:* painter (1628-1707) much patronized by Louis XIV. *41. Watteau:* court painter (1684-1721) of the regency period. *42. Goya:* Spanish painter (1746-1828). *44. Callot:* Jacques Callot (1592-1635) painter and engraver, fond of grotesque subjects, the allusion is to his *Temptation of St. Anthony. 124. ébénier:* probably the "laburnum" or *faux ébénier. 194. Revoyait dans Virgile:* cf. *"O Virgile! O poète! ô mon maître divin", (Voix intérieures, "A Virgile").*

(73.) *"Tristesse d'Olympio":* consult M. Levaillant's essay and facsimile of mss., *Tristesse d'Olympio,* 1928. Olympio is V. Hugo's double, a demi-god of consolation, cf. *Voix intérieures,* xxx, *"A Olympio",* (1835). In 1836, Hugo projected a book of poems to be called *les Contemplations d'Olympio,* germ of the later *Contemplations. Tristesse,* not *la Tristesse;* Olympio is not a sad character, his sadness is transient, and caused by the betrayal of nature. This poem, on the theme of memory, was written for Mme Drouet. In 1834 and 1835, Hugo was the guest of Bertin, editor of the *Journal des Débats,* in the valley of la Bièvre, and Juliette was three miles distant, at the hamlet of les Metz, near Jouy. In October 1837, Hugo made a solitary pilgrimage to this region, redolent with memories, and composed his poem soon afterwards. In Lamartine's *"Lac",* nature was charged with the preservation of the memory of a fleeting happiness. Levaillant remarks that *"Tristesse"* begins where the *"Lac"* ended, Hugo had entrusted memories to nature, but was betrayed by her changes, as recounted in lines *53-80.* The virile conclusion, which owes nothing to Lamartine and suggests part of Musset's *"Souvenir",* (136), written three years later, glorifies human memory as outlasting nature and surviving her changes. *1. les cieux n'étaient pas mornes:* nature was not in harmony with the poet's sadness. *17. L'arbre:* a hollow chestnut, halfway to les Metz, which served as the lovers' letterbox, and sheltered them from a thunderstorm, Sept. 24, 1835.

(74.) *"Oceano nox":* "night on the ocean," two words taken from *Æneid,* ii, 250; Hugo's first sea poem. Romanticism, with Byron, introduces the sea into literature, but his themes found no immediate echo in France. In 1836, Hugo witnessed a storm at Saint-Valéry-en-Caux (sic), on the Norman coast and this poem was written at that time. He returns to the same subject in the long poem, *"les Pauvres Gens"*, in *la Légende des siècles*.

(75.) *"Les Châtiments"*: written between the autumn of 1852 and the end of May, published at Brussels, Nov. 1853. Neither the *Iambes* of Chénier nor the *Iambes* of Barbier gave any indication that satires such as these by Hugo could be composed in French. *"Son invective prend toutes les formes: elle va de l'ironie à l'anathème, de la chanson à l'épopée. On dirait que le souffle gigantesque de la mer, qui entourait . . . le poète à Jersey, a passé dans ses vers."* (Levaillant.) This volume is divided into *"livres"*, each with an ironical subtitle transcribed from official documents or speeches.

"Sacer esto": "He shall be sacred". This poem shows Hugo's consistent loathing of capital punishment even when he burns with violent hatred. His other poems on Cain are *"les Malheureux"*, *les Contemplations*, and *"la Conscience,"* in *la Légende des siècles*. *23. Le boulevard Montmartre:* unarmed crowds excited by the coup d'état were massacred here, Dec. 4, 1851— *"Opération de police un peu rude"*—because shots had been fired on patrolling troops. *cuvettes:* "wash-basins", for *cuves à teinture*, "dyeing vats". *25. Cayenne . . . Afrique:* Cayenne, capital of French Guiana, still a penal settlement. Deportation to Africa has ceased, except as a punishment in the army.

(76.) *"L'Expiation"*: three "visions" of genuine epic quality expressed in purely modern idiom, followed by reflexions (IV and V) upon Napoleon's glory, which lead to the satirical antithesis of Napoleon I and Napoleon III. As Levaillant shows, by founding Napoleon's power upon a crime committed against liberty, expiated by the rise of the Second Empire, Hugo reconciled his earlier admiration of the great Napoleon with his denunciation of his nephew. For historical sources of the poem, see V. Pinot, *"l'Histoire dans l'Expiation"*, *Rev. d'hist. litt.*, 1911. Note Hugo's free handling of the cæsura in this poem. *38. aux ponts:* special allusion to the crossing of the Berezina, Nov. 26-29, 1812. *40. Ney:* greatest hero among Napoleon's marshals, 1769-1815. This detail perhaps based on oral tradition. *71. Dans ton cirque:* cf. *les Misérables*, II, bk. 1. *88.* Marshal *Grouchy* was expected with reinforcements, but the Prussian *Blücher* arrived instead to turn the tide of battle. *107. colback:* fur cap in

shape of an inverted truncated cone. *108. Friedland . . . Rivoli:*
Napoleonic victories, 1807, 1797. *159. Un roc hideux:* Saint
Helena. *178. la flèche du Parthe:* recalls the great defeat of
Crassus by the Parthians, 59 B.C. *200. Marengo:* victorious battle,
1800. *206. Hudson Lowe:* tactless military governor of Saint
Helena. *218. A la colonne veuve:* Napoleon's statue, removed
from the Colonne Vendôme in 1814, was restored by Louis-
Philippe in 1831. *227. Essling, Ulm:* defeat of Napoleon, 1809,
surrender of Austrians, 1805. *245-280.* Lines written in 1847,
fused later into *"L'Expiation". 260. Saint-Cloud:* palace near
Paris, erected by Monsieur, brother of Louis XIV, burned in
1870. *283. le dôme doré:* of the Invalides, where he was buried
Dec. 15, 1840. *316. du cirque Beauharnais:* the mother of Napoleon III was Hortense Beauharnais, daughter of the Empress
Josephine by her first husband, and his father was Louis Bonaparte. *326. bonhomme de bronze:* i.e. statue of the Vendôme
column. *328. Fould:* first finance minister after *coup d'état;
Magnan:* general at Paris; *Rouher:* minister of justice; *Parieu:*
former republican. *337. Sibour:* archbishop of Paris, who celebrated a Te Deum in honor of the Second Empire. *342. Cartouche:*
bandit executed in 1721. *345. le grec: un grec,* "a sharper, a
cheat". *346. Avec le paysan:* the rural classes voted for the
Empire. *351. Carlier; 354. Maupas; 353. Piétri:* successive pre-
fects of police. *358. Poissy:* site of a penitentiary, 17 m. from
Paris. *363. pasquins:* grotesque servants in Italian comedy. *364.
Callot:* see note on (72), line *44. 366. Troplong paillasse:*
"Troplong (president of the Senate) as Pagliaccio"; *Chaix-
d'Est-Ange:* a famous lawyer. *368. Mandrin:* bandit, burned at
the stake in 1755. *383. Balthazar:* Belshazzar, cf. Daniel, v.
386. DIX-HUIT BRUMAIRE, (year XIII): Nov. 9, 1799, General
Bonaparte violated his oath to support the constitution of the
year III, by convoking the councils at Saint-Cloud to abolish
the Directory.

(77.) *"Stella":* the planet Venus, morning and evening star,
presented as symbol and prophet of liberty and light. *29. Sina
. . . Taygète:* Sinai, where Moses received the law, and Mt.
Taygetes, near Sparta, where Lycurgus was a legislator. *35. lion
océan:* note the use of noun as adjective.

(78.) *"Chanson":* there are six *chansons* in this volume. Here we have an echo of an anti-Bonapartist speech by Hugo in the *Assemblée législative*, July 17, 1851: "*Quoi! Après Auguste, Augustule! Quoi? parce que nous avons eu Napoléon le Grand, il faut que nous ayons Napoléon le Petit!*"

(79.) "*Ultima verba*": "last words," but next to the last poem in the volume. When the Second Empire was proclaimed (Dec. 2, 1852), a rumor of a political amnesty was in the air, but Hugo, as will be seen, only stiffens his resolute opposition to Napoleon; "*il*" in this poem. 8. *Sibour:* see (76), note *337.* 16. *Mandrin:* see (76), note *368.* 26. *renîrait:* for *renierait*, also *54. j'oublîrai. 62. Sylla:* Sulla, Roman aristocrat, first dictator to proscribe his enemies (82 B.C.).

(80.) "*Les Contemplations*": 1856; climax of Hugo's lyrical poetry, shows him sounding the problems of life like Dante, as a visionary. In addition, the two volumes contain a quantity of work held in reserve since the *Rayons et ombres* (1840). Hugo arranged these poems at the time of publication in the form of "*Mémoires d'une âme*". The two volumes, named "*Autrefois*" and "*Aujourd'hui*" each purport to resume a dozen years of his life (1830-43, 1843-55), the dividing point being the drowning of his daughter Léopoldine at Villequier. The dates given by Hugo in his book "*marquent les chapitres de la destinée*", but his mss., bequeathed to the Bibliothèque nationale, preserve the true dates of composition. Like other authors of memoirs, he sometimes distorts the past. The text given here, and many of the notes, are based on Joseph Vianey's reprint of the edition of 1856.

An eloquent passage of Hugo's preface: "*On se plaint quelquefois des écrivains qui disent moi. Parlez-nous de nous, leur crie-t-on. Hélas! quand je vous parle de moi, je vous parle de vous. Comment ne le sentez-vous pas? Ah! insensé, qui crois que je ne suis pas toi!*" is taken by Levaillant as a reply to Leconte de Lisle: "*. . . Bien que l'art puisse donner, dans une certaine mesure, un caractère de généralité à tout ce qu'il touche, il y a dans l'aveu public des angoisses du cœur et de ses voluptés non moins amères, une vanité et une profanation gratuites*" (preface to *Poèmes antiques*, 1852).

"*Réponse à un acte d'accusation*": characteristic humorous poem, dated Paris, January 1834, because Hugo had received in

January 1833 a pamphlet, *"De la littérature dramatique, Lettre à M. Victor Hugo par M. Alexandre Duval de l'Académie française,"* in which Hugo was compared to the satellites of Robespierre. It began: *"Vous me trouverez, sans doute, bien téméraire d'oser diriger contre vous une accusation; . . . Je vous accuse donc, Monsieur, d'avoir, par vos doctrines perverses et des moyens que vous seul savez employer, perdu l'art dramatique et ruiné l'art français."* Hugo was reminded of this *Lettre,* and of earlier criticisms of his vocabulary and style in A. Jay's *la Conversion d'un romantique,* by the receipt of two volumes of Jules Janin's *Histoire de la littérature dramatique* at Guernsey, October 1854. Note that *"Réponse"* is dated October 24th in the mss. *12. Racca:* cf. Matthew v. 22: "Whosoever shall say to his brother Raca (vain fellow) shall be in danger of the council". *42-43. Phèdre, Jocaste, Mérope,* tragic heroines of Racine, Corneille and Voltaire. *51-52. Vaugelas:* grammarian, author of *Remarques sur la langue française,* 1647. *F:* initial of *familier,* often placed after vulgarisms in dictionaries, and of *forçat,* branded on convicts. *58. Voltaire criait:* cf. *Commentaire de Voltaire sur Corneille,* 1764. *64. alexandrins carrés:* "squared", because evenly divided by cæsuras. *73. syllepse:* syllepsis; *litote:* litotes. *74. la borne Aristote:* lit. "the boundary stone Aristotle". The poet is comparing himself with a revolutionary ascending one of those stones, formerly numerous in Paris, in order to harangue the mob. *81. Guichardin:* Guicciardini, 1482-1540, author of a *Storia d'Italia*; *Borgia:* pope Alexander VI; *Vitellius:* cruel emperor, 15-69 A.D. *85-86. Vache:* "cow", replaced by *génisse,* "heifer", in classical poetry. *Margoton:* name for a servant girl; *Bérénice,* princess in Racine's tragedy. *88. Ça ira:* song of the revolution of 1789, like the *Carmagnole. 92. Quelle heure est-il?:* question asked by Don Carlos, in Hugo's *Hernani,* II, i. *97. Mithridate:* Mithridates besieged Cyzicus, 72 B.C. *99. Laïs:* name of several early Greek courtesans. *100. Restaut:* 18th century grammarian. *111. Lhomond:* 18th century writer of a Latin grammar. *113. Bouhours, Batteux, Brossette,* grammarians and professors, 17th, 18th and 17th cent. *118. Campistron:* author of tragedies (1656-1723), helped by Racine in his youth. *123. l'athos, l'ithos:* Mt. Athos, mentioned jestingly with ethos, "manners" a term of rhetoric, generally applied to inflated, unintelligible style. *124.*

matassins: comical dancers who pursue the provincial *Pour-ceaugnac* with syringes in Molière's comedy, asked by Hugo to mock *Cathos*, a *Précieuse ridicule. 125. Dumarsais:* author of *Traité des tropes,* 1730. *126. Permesse:* Permessus, stream sacred to the Muses. *131. récit de Théramène:* monologue in Racine's *Phèdre.* V, vi. *144. Dangeau . . . Richelet:* 17th century grammarians. *161. Beauzée,* grammarian, 1717-1782. *163. Tristan:* Tristan l'Ermite, grand prévôt de France under the despot Louis XI. *Boileau:* exercising control over literature. *171. reum con-fitentem:* Cicero; *Pro Ligario, "Habetis reum confitentem";* "You have an accused who confesses". *174. une mâchoire:* (archaic) "an ass". *198. Plaute:* Plautus, Roman comic dramatist. *214. dans le mot palpitant:* because living, cf. first and last lines of *"Suite",* the following poem in *les Contemplations:*

> Car le mot, qu'on le sache, est un être vivant . . .
> . . . Car le mot, c'est le Verbe, et le Verbe, c'est Dieu.

(81.) *"La Fête chez Thérèse":* probable idealization of fancy dress garden party given in the spring of 1843 by M. Biard, a fashionable painter, and his wife, whom Hugo admired, cf. Biré, *Victor Hugo après 1830,* II. 83. Note the similarity to Verlaine's *Fêtes galantes,* 1869. *13. Amyntas:* Aminta, shepherd in Tasso's pastoral. *29. lazzis:* ital., "jokes". *30. Pulcinella:* Punch; note names of other Italian comedy types below. *31. manteau d'Arle-quin:* (theatrical term) drapes framing the proscenium arch. *42. Alcantor . . . Arbate:* father-in-law of Sgnarelle in Molière's *Mariage forcé*; Mithridates dies in arms of Arbate in Racine's tragedy. *52. les ébéniers:* laburnum trees with yellow clusters of flowers, *falbalas,* "furbelows".

(83.) *"Le Rouet d'Omphale":* (date of mss. June 20, 1843), epical in inspiration and parnassian in expression, suggestive of the later *Trophées* of José-Maria de Heredia, rivals the work of Chénier. Hugo inspired also the symphonic poem composed by C. Saint-Saëns, 1872. In this episode of the myth of Hercules, condemned for the slaying of his friend Iphitus to slave three years for Queen Omphale, the latter symbolizes Mme Drouet and the former, Hugo. *1. atrium . . . rouet:* "antechamber" of Roman houses. The Greeks used the distaff only, the "wheel" being invented in the XVIth century. *5. Égine:* Ægina, island,

seat of a school of great sculptors. *7. Europe:* myth of Jupiter
and Europa, retold in a poem by Chénier. *11. Milet:* Miletus,
in Ionia, famous for its wools. *13-19.* Monsters slain by Hercules,
cf. Vergil, *Æneid*, viii, 184-306.

(84.) *"Crépuscule":* Jersey, Feb. 20, 1854, a romantic modi-
fication of epicurean morals: *". . . si la nature nous pousse à
aimer, Dieu veut qu'on aime; dès lors l'amour est un culte, et le
mérite qui vous suit dans la tombe, c'est d'avoir aimé. Aucun
romantique n'a peut-être poussé aussi loin qu'elle l'est ici l'idée
malsaine de la divinité de l'amour".* (Joseph Vianey.)

(86.) *"J'aime . . . l'ortie":* Hugo's early glorification of the
grotesque and the ugly led him to manifest his pity for despised
or abused animals. This poem was written July 1855. It is quoted
here to replace *"le Crapaud"* and *"l'Ane"*, characteristic poems
in *la Légende des siècles,* too long for quotation.

(87.) *Pauca meæ:* i.e. *pauca carmina meæ filiæ,* a few songs
for my daughter. See Notice. Léopoldine and her husband, vaca-
tioning at the village of Villequier, were sailing on the Seine,
Sept. 4, 1843 when their boat was capsized. Charles Vacquerie,
after vain efforts to free his wife, let himself drown. Book IV
contains 17 poems ranging from cries of despair to a tone of
final resignation. This is not the order in which the poems were
composed. Most of them received final form in the autumn of
1846, after the death of Claire Pradier, Mme Drouet's daughter,
revived Hugo's sense of bereavement.

"Oh! je fus comme fou"; undated in mss. Sept. 4, 1852 was
the first anniversary of the catastrophe to be spent by Hugo
in exile.

(89.) *"Demain, dès l'aube":* dated Sept. 3, 1847 to suggest
a pilgrimage on the morrow and introduce the following poem,
—the mss. date is October 4th.

(90.) *"A Villequier":* (greater part composed after visiting
the village cemetery on the first anniversary of the accident),
considered Hugo's finest lyric. The general idea comes from the
Book of Job (Cl. Grillet, *La Bible dans Victor Hugo,* 1910).
Vianey notes the combination in this "elegy of elegies" of the
two traditional French elegiac stanzas, that used in Lamartine's
"Isolement", with the stanza of Malherbe's *"Consolation à M.*

du Périer", 1607. *102, 104. Blasphémer . . . mer:* so-called Norman rimes (because frequent in Corneille and Malherbe, very rare in Hugo) which really represent the common XVIth century pronunciation.

(91.) *"Paroles sur la dune":* in rhythm reminiscent of the first stanzas of *"A Villequier"*, is Hugo's only pessimistic poem written in the summer of 1854. That is because it was written on the second anniversary of his banishment. *15. vautour aquilon:* note the use of a noun as an adjective, characteristic of Hugo's later style.

(92.) *"Mugitusque boum":* pronounce *bo-om*; Vergil, *Georgics*, II, 470, "And the lowing of oxen". This call to live, address d to man, beast, bush and stone, is also an eloquent proof that Hugo can attain classical restraint in art.

(93.) *"Pasteurs et Troupeaux":* dedicated to Mme L. Colet, a romantic "muse", who smuggled Hugo's letters into Paris. Poem composed in December 1854, from recollections of the spring. *1. Le vallon:* valley of Grouville, fifteen minutes walk from Marine Terrace. This is the only Jersey landscape in the *Contemplations*. *13. le vieil Homère: Quandoque bonus dormitat Homerus*, "the good Homer sometimes nods", Horace, *"Ars poetica,"* 359. *40. le pâtre promontoire:* this simile, based on a juxtaposition of nouns, is one of the most famous in Hugo's poems, and calls up (line *46*), by recollections of the *douce chevrière* (line *36*) and her flocks, an association with the *moutons sinistres de la mer*, meaning both "sheep" and "white caps".

(94.) *"Le Pont":* written Oct. 13, 1854, date when Hugo finished the long cosmogony of destiny called *"Ce que dit la bouche d'ombre"*. It is a natural preface to Book VI. *"Je ne passe pas quatre heures de suite sans prier. Je prie régulièrement chaque matin et chaque soir. Si je me réveille la nuit, je prie. Que demandé-je à Dieu? De me donner la force"* (1867; see Stapfer, *Rev. de Paris*, Dec. 15, 1904). *12. un fantôme blanc:* in the form of his dead child, Léopoldine.

(95.) *Ibo:* Vergil, *Eclogues*, x, 50; "I shall go". An apparently boastful poem, but remember Lanson's observation: *"Là où le poète romantique dit* je, *il veut dire* l'homme". Hugo praises the ascent of the human mind rather than his own. Poems like this one were written after the spiritualistic séances at Jersey. The stanza is that of Musset's *"Chanson de Fortunio"*, (132), now used tellingly for the expression of mysteries. *42. Amos:* prophet, whose visions do not include the winged lion emblematic of St. Mark. *117. Pourquoi:* addressed to the *vérités* of line *12* and line *64*.

(96.) *"Écoutez. Je suis Jean":* poem based on Revelations, xxii, 8-20 (in French): *"C'est moi Jean, qui ai entendu et qui ai vu toutes ces choses . . ."*. Vianey notes that in the Bible John says very little, whereas in this vision, the voice of God is only heard in a word of approbation.

(98.) *"Nomen, numen, lumen":* "name, omen, light"; meditation inspired by the constellation of the Great Bear or Dipper. Not dated in mss.

(99.) *"La Légende des siècles":* see Notice; four volumes in the ordinary edition, published in 1883, contains 71 *"livres"* and a prefatory *"Vision"*, grouped in the chronological order of history. This order is absolutely destructive of the philosophical progression which is very clear in the work as it was published in parts: *Première série, Histoire—Les Petites Épopées,* 2 vols. 1859; *la Légende . . . , nouvelle série,* 2 vols. 1877, development of the social and moral ideas indicated in the first series; *Livre complémentaire,* 1883, more metaphysical. In the later conception of the poet, *la Légende* was introduced by an unfinished posthumous volume, *Dieu,* and concluded by the posthumous *la Fin de Satan.* Chronological limits oblige us to make our quotations from among the thirteen *Livres* of 1859, but limits of space enforce an arbitrary selection. Text and many notes come from Paul Berret's reprint of the edition of 1859.

As indicated by previous notes, Hugo's essentially visionary and imaginative temperament led him often to give an epical cast even to his earlier writings. The most extraordinary dreams had the character of reality for Hugo, and this is an essential characteristic of epic poetry. His later experiences with table-turning only confirmed certain of his superstitions and strengthened his ability to use the marvellous with persuasive conviction. In *Notre-Dame de Paris* and *les Misérables*, Hugo gave epic grandeur to the novel. His drama *les Burgraves* (1843), reads

like an epic transposed into dialogue, and on the cover of this
play, he grouped the titles of all his earlier books by centuries,
as though they told the history of humanity. His satires, *les
Châtiments* (1853), which also sound the epic strain, advertised
the future publication of a collection to be called *les Petites
Épopées*. The publication of *les Contemplations* interrupted this
project. But from October 1857 to May 1859, Hugo worked upon
his epics, finally choosing *la Légende des siècles* as a title, but
preserving, at his publisher's request, *"Petites Épopées"* as a
subtitle. *"Mon père travaille jour et nuit;"* wrote Francois-Victor,
"il est dans le feu des Petites Épopées. *Il y a là de quoi faire
cent gloires."* Indeed, since the time of the medieval *chansons de
geste*, Hugo was the first person to create living poetical legends
in France.

   "Booz endormi": (same place in all editions, date of mss.
May 1, 1859), inspired by the book of Ruth, long familiar to
Hugo, cf. *"Aux Feuillantines"* (*les Contemplations*) :

> Mes deux frères et moi, nous étions tout enfants . . .
> Nous lûmes tous les trois ainsi, tout le matin,
> Joseph, Ruth et Booz, le bon Samaritain,
> Et toujours plus charmés, le soir nous le relûmes. . . .

14. candide: "stainless" (Lat. *candidus*). *32. mouillée . . . du
déluge:* cf. says Rigal, Bossuet, *Discours de l'Hist. Universelle*,
II, 2: *"le monde encore nouveau, et encore, pour ainsi dire, tout
trempé des eaux du déluge."* Boaz lived centuries after the flood.
33. Jacob: cf. Genesis xxviii, 12-16. *36. un chêne:* medieval art
represented the genealogy of Christ in a form known as the "tree
of Jesse". *40. un roi:* David, great grandson of Boaz. *68. Galgala,*
hills near Bethlehem. *81. Jérimadeth:* the most famous of Hugo's
mistakes, derived by alteration from the name of the tribe of
Jerahmeel. Grillet suggested a pun: *Je rime à -dait. 88. Cette
faucille:* comparison suggested by a *"Bucolique"*, written by
Louis Bouilhet.

   (100.)   *"La Rose de l'Infante": Livre* xxvi of vol. III in ordinary editions. Date of mss. May 23, 1859, one of the last of the
Petites Épopées, and one of Hugo's best known poems. When
writing *le Rhin* (1842) he had described the Grand Armada,
and returned to this episode when he sought to represent the
position of Catholic Spain in the XVIth century in *la Légende.*

2. *Elle tient à la main une rose:* Hugo reproduces a picture in the Louvre, portrait of the Infanta Marguerita-Maria-Theresa, daughter of Philip IV, by Velasquez. *4. Un bassin:* the scene is the palace grounds of Aranjuez, summer residence of the kings of Spain. *9. gloire:* "glory", a technical term: a representation of the heavens opening and revealing celestial beings. *33. Marie,* last daughter of Philip II, born 1580, died 1583, five years before the loss of the Armada. *44. Brabant:* capital, Brussels, province on the border of Belgium and Holland. *53. Si quelqu'un:* cf. the picture of Spanish court etiquette in *Ruy Blas.* Hugo's source is the *Mémoires de la cour d'Espagne* (1690), by Mme d'Aulnoy. *106. Iblis:* a fallen angel, in the Koran, chief of the demons. *107. son Escurial:* palace of the Escorial, built by Philip II. This passage, being a generalized portrait of the king, is not localized at Aranjuez. *119. l'Inde:* India, where ports were held by the Portuguese subject to Spain. *120. l'Afrique:* settlements at Tangiers and Oran. *155. Charles:* Charles V. *179. gastadour:* Span. *gastador,* "pioneer" (military term). *182. ourques:* or *hourques,* "flat-boats". *189. moços:* Span. *mozos,* "boys". *206. du Gange au Pausilippe:* i.e., from India to Italy. *216. Béit-Cifresil,* etc.: "envoy of God" and "servant of Allah". *218. Le Ciel est à Dieu:* "*Le ciel est à Dieu, mais la terre est aux hommes*" (Koran, psalm CXIII, quoted by Levaillant).

(101.) *"Après la bataille":* date of mss. June 18, 1850, will be found in vol. IV, *Livre* xlix, *"Le temps présent",* of the ordinary editions. Hugo's father is the hero of this well-known poem, but the anecdote does not appear in the *Mémoires du général Hugo,* edited by his son.

(102.) *Les Chansons des rues et des bois* (not yet included in the *Édition de l'Imprimerie nationale*): 1865, written in the summer of 1859 as relaxation after *la Légende*: *"je mets Pégase au vert".* Hugo used the octosyllabic quatrain for most of these poems, influenced by Gautier's successful handling of this stanza in *Émaux et Camées* (149-151). Hugo's literary taste and wit is not always sure in these *Chansons,* but the volume contains *"Saison des semailles",* a superb bucolic, traced in the Rochefort stage-coach in 1843, just before he learned of his daughter's death. Millet's painting *"Un Semeur"* was exhibited only in 1850.

(103.) *L'Art d'être grand-père:* 1877. Hugo's eldest son Charles married in Brussels in 1867, and Mme Charles Hugo brought her two babies, Georges, aged two, and Jeanne, only ten months, to visit their grandfather in Guernesey in July 1870. Hugo had already written poems of childhood, suggested by his own family, but of a general character. When he discovered the joy of being a grandfather, he wrote a certain number of pieces about Georges and Jeanne. After Charles died in March 1871, his wife and children joined their grandfather. After 1873, when François-Victor also died, the children were all the family remaining to the poet. The volume published in 1877 confirms Hugo's position as an interpreter of childhood, already established by the crea-tion of Cosette in *les Misérables* (1862).

(105.) *La Vie de Joseph Delorme* represents the poet as a reader of "*tous les romans de la famille de* Werther *et de* Del-phine; le Peintre de Saltzbourg, Adolphe, René, Édouard . . . ; *Sénancour, Lamartine et Ballanche, Ossian, Cowper et Kirke White*". "*Joseph appartenait d'esprit et de cœur à cette jeune école de poésie qu'André Chénier légua aux dix-neuvième siècle du pied de l'échafaud, . . . il a été sévère dans la forme, et pour ainsi dire religieux dans la facture . . .*". The Muse of this Wertherian is the consumptive daughter of a blind imbecile whom she supports:

> Si, pour chasser de lui la terreur délirante
> Elle chante parfois, une toux déchirante
> La prend dans sa chanson, pousse en sifflant un cri
> Et lance les graviers de son poumon meurtri.
> > *"Ma Muse"*

"*A la rime*", second of the *Poésies de Joseph Delorme*, revives a stanza popular with the poets of the *Pléïade*, anticipating and influencing the esthetics of the Parnassian school (cf. Banville's *Petit Traité de Poésie Française,* 1872: "*La rime est l'unique harmonie des vers et elle est tout le vers*"). *44. voltiger:* infinitive used as noun. *89. Cypris:* Venus.

(106.) "*Les Rayons jaunes*", the most discussed verses in this volume, were an attempt to reveal the poetry of daily life, marred by wilful eccentricity or *bas-romantisme* in its "yellows", but influencing Baudelaire and Verlaine. Epigraph (incomplete, cf. Merrill's ed. 320 ff.): "Moreover, whatever the jaundiced look upon becomes sickly-yellow, because many seeds of yellow stream off from their bodies to meet the idols . . ."

(107.) *"A M. Auguste Le Prévost"*: French historian and archaeologist, 1787-1859. Epigraph: "Who will remember thee after death and who wilt pray for thee". *1. Ile Saint-Louis:* island in the Seine behind the Ile de la Cité, and the quietest part of central Paris.

(108.)   *Le Livre d'Amour* was suggested by Hazlitt's frank *Liber amoris. 1. pont des Arts:* iron footbridge, with benches, connecting the Louvre and the Palais de l'Institut.

(110.) *"La Curée"*: "quarry". The French word retains the original sense of a treat given to hunting dogs after bringing down their prey. The comparison is fully developed in part VI. Poem published, Aug. 1830, in *la Revue de Paris* at the instance of H. de Latouche. All texts given here are those of Garnier, based on the manuscripts. *8. La Marseillaise:* a forbidden, rebel song from 1815-30. On July 25th, Charles X dissolved the newly elected Chamber and suspended the liberty of the press. Popular insurrection replied on the 27th, 28th and 29th, *"les trois glorieuses"*, when the king abdicated in favor of the Duke of Orleans who was proclaimed Louis-Philippe I, *roi des Français* on Aug. 27th. *17. tricolores flammes:* red, white, and blue cockades or ribbons, matching the new flag. *20. Gand:* Ghent in Belgium was the seat of Louis XVIII during the Hundred Days after Napoleon's return from Elba, 1815. During this exile, the King's partisans gathered and conspired on the boulevard des Italiens which was thus ironically nicknamed the *boulevard de Gand*. Translate: "royalist heroes". *45. Bastille:* from the date of the destruction of this fortress, 1789, to the end of the 1st republic was *cinq ans*, l. *48. 52. Capitaine de vingt ans:* Napoleon was captain at 24. *80. gueusant: gueuser, mendier, comme un gueux.*

(111.) *"L'Idole"*, May 1831, is a satire of deep general significance, but an isolated protest in its time against the growth of the Napoleonic legend, cf. Albert Guérard, *Reflections on the Napoleonic legend*. In 1830, General Lamarque had proposed that Napoleon's remains be brought back from Saint Helena and buried under the *"Colonne de la grande armée"*, Place Vendôme, cf. Hugo's *"A la colonne"*, (63). This was erected in 1805, covered with bronze bas-reliefs representing battles, and bore a statue of Napoleon as a Roman emperor. *8. le palais en feu:* the furnace, represented as a monster, must have a "fiery palate". *12. Chaque lingot se prend:* the ingots adhere as they melt. *20. le hautain:* haughty bronze. *33. un triste jour:* the statue of Napoleon was pulled down in 1814 by order of the Allies, while the Place Vendôme was guarded by Cossacks; *Le Hun,* l. *45. 53. l'invasion à l'ombre de nos marbres:* first foreign invasion since Henry VI of England. Some of the allied troops encamped near the Louvre. *70. messidor:* the first summer month of the revolutionary calendar, began June 19. *125. forçat de la Sainte-Alliance:* i.e. the exiled Napoleon. *130. flatteurs mélodieux; 131. poètes menteurs:* Béranger and minor poets. The veterans made frequent pilgrimages with wreaths to the decapitated column. *137. hauts quartiers:* Montmartre, Menilmontant, Montagne Sainte-Geneviève.

(113.) This poem has an irregular rime-scheme and is marred by three repetitions of the word *fait*. It has been frequently parodied.

(114.) Motto, first four lines of poem XIX, *"A mon ami Boulanger"*. The following verses precede the first paragraph of Bertrand's biography of the fictitious poet Gaspard. *3. Ciel d'optique:* "sky like that of a stereoscope". *13. Moult te tarde:* the ancient motto of the city was *Moult me tarde!* "I long greatly (to see you again)". Bertrand means that it is time to sing Dijon's praises. *15. moutarde:* prepared mustard is a specialty of the city. *16. Jacquemart:* mechanical figure striking the hours on the church of Notre-Dame, Dijon.

(115.) Poem best known to the members of the romantic group, recited for them by Bertrand on his arrival in Paris.

(116.) *"L'Alchimiste":* today one of Bertrand's most popular pieces. His efforts to transmute the base metal of prose into the gold of poetry make him appear a forerunner of the *"alchimie lyrique"* of Baudelaire and Rimbaud; cf. R. Lalou, *Vers une alchimie lyrique,* 1927. The editor can discover nothing about *Pierre Vicot. Raymond-Lulle:* Spanish alchemist (1235-1315).

Saint Éloy: bishop of Noyon, 588-659, patron saint of the goldsmiths.

(117.)   *Chèvremorte: "A une demi-lieue de Dijon"* (Bertrand's note). *"Bertrand est tout entier dans son Gaspard de la Nuit. Si j'avais à choisir entre les pièces pour achever l'idée du portrait, . . . je tirerais . . . du sixième livre . . . les trois pages de nature et de sentiment,* Ma chaumière, Sur les Rochers de Chèvremorte, *et* Encore un Printemps." (Sainte-Beuve's preface.)

(118.)   Save for the ballads, Gérard's rendering of *Faust* was in prose. Goethe was pleased and said to Eckermann (Jan. 3, 1830): "Ȝm Deutſchen mag ich den Fauſt nicht mehr leſen; aber in dieſer franȝöſiſchen Ueberſetȝung wirkt alles wieder durchaus friſch, neu und geiſtreich." *1. Thulé:* the most remote North spoken of by the Greeks and Romans. Berlioz used Gérard's text of Goethe's ballads in his opera, *Damnation de Faust,* 1846.

(119.)   The form of the *odelette* was suggested by Gérard's studies of the XVIth century poet Ronsard. This one appeared first in the *Annales romantiques* for 1832, then in the *Petits Châteaux de Bohême,* 1853. *2. Rossini:* for his opera *Othello, Mozart* for *Don Juan* and the *Magic Flute, Weber* for *Der Freischütz,* were the favorite composers of the romantics. *13. Une dame:* a vision of Adrienne,—*"fleur de la nuit éclose à la pâle clarté de la lune"* (Gérard de Nerval).

(120.)   Memories of *la bohème galante* in l'Impasse du Doyenné. Compare Gautier's *"Chinoiserie,"* (145).

(121.)   *El Desdichado:* Span. "the unfortunate." This obscure sonnet was first published in Alexander Dumas' newspaper *le Mousquetaire,* Dec. 10, 1853. *3. Ma seule étoile est morte:* Jenny Colon-Aurélia died in 1842. *6. Pausilippe:* Posilippo, a hill near Naples. Gérard visited Italy in 1834. *9. Amour ou Phébus, Lusignan ou Biron?* reincarnation of Cupid or Apollo, of Lusignan or Biron? (illustrious noble houses). *12. Achéron:* river of the lower world, crossed by Orpheus in pursuit of Euridice.

(122.)   This is the first poem of the *Rhapsodies,* a haughty blast against boudoir poets with aristocratic pretentions. *O'Neddy:* see Notice below. The *Victor Hugo raconté par un témoin de sa vie* shows that Philothée also used the name *Philadelphe. Mercier:* Louis-Sébastien Mercier (1740-1814), French dramatist and satirist. Although André Borel, a genealogist, traced their descent to the Hauterive family, his brother Pétrus never claimed noble descent. *28. électuaire:* "electuary", medical powder compounded in honey. *37. moutonnier parélie:* "sheep-like mock sun!" *parélie:* better, *parhélie*, spot on solar halo at which light is intensified.

(123.) *7. Obéron:* a fairy dwarf three feet high, son of Julius Cæsar, according to the romance of *Huon de Bordeaux. 17. Égérie:* Egeria, prophetic nymph, counsellor of king Numa of Rome, hence any woman giving secret and trusted advice.

(124.) In the first collected edition of Musset's writings, after his death, his poems were grouped by his brother in three volumes, *Premières Poésies, Poésies nouvelles,* and *Œuvres posthumes.* This arrangement permits the inclusion in chronological order of verse published in magazines but not reprinted in Musset's first books. The Charpentier reprint is the basis of the text given here.

"Au Lecteur": written at thirty, prefixed to the *Poésies complètes* of 1840.

(125.) *"Venise"* and (126), *"Ballade à la lune"*, published at the age of twenty, in *Contes d'Espagne et d'Italie* (1830), which original text is followed here. *22. Sainte-Croix:* Santa Croce, Venetian church and convent. The *"Ballade"*, (126), is a burlesque upon ballads, which became immensely popular because it shocked classicists. *59. prées:* old feminine form of *pré*.

(128.) *"A Mon Ami Édouard B(ocher)":* French legislator, 1813-1900, confessed later that he was never so greatly moved by Lamartine (cf. M. Donnay, *Alfred de Musset*). Musset's admiration for the poet finds fullest expression in his long *"Lettre à Lamartine"*, composed in February, 1836, too long for quotation in full:

> Qui de nous, Lamartine, et de notre jeunesse,
> Ne sait par cœur ce chant, des amants adoré,
> Qu'un soir, au bord d'un lac, tu nous as soupiré?
> Qui n'a lu mille fois, qui ne relit sans cesse
> Ces vers mystérieux où parle ta maîtresse,
> Et qui n'a sangloté sur ces divins sanglots,
> Profonds comme le ciel et purs comme les flots?
>
> (1. 69-75)

10. Moïse: cf. Exodus, xvii, 6.

(129.) The "dedication" of *"la Coupe et les Lèvres, poème dramatique"*, to Alfred Tattet is Musset's witty reply to his critics and a declaration of individualism in literature, politics and religion. Love is all that moves him. It appeared in the volume *Un Spectacle dans un fauteuil* (1833) and is abridged, not expurgated, in our collection. *142. les rêveurs à nacelles:* allusion to Rousseau's Saint-Preux and his boat ride on lake Geneva with *Julie* (l. *178*). *143. Les amants . . . des lacs:* Lamartine and his imitators. *177. Amélie:* Amalia von Edelreich, heroine of Schiller's first drama, *Die Raüber. 179. Ils ont aimé:* cf. *"le Lac"*, (35), l. *64. 180. mes rimes bien mauvaises:* Musset sought spontaneity of expression which he was unwilling to sacrifice in pursuit of rare or "rich" rimes. *"Il était important de se distinguer de cette école rimeuse, qui a voulu reconstruire et ne s'est adressée qu'à la forme, croyant rebâtir en replâtrant." 192. au pied des autels:* Michæl Angelo's last work was an altar piece; *la Pietà.*

(130.) *"Rolla"*, *Revue des Deux-Mondes*, Aug. 15, 1833, like the *"Nuits"* and *"Lettre à Lamartine"*, belongs to the *Poésies complètes* of 1840. It is the Byronic story of a rich young skeptic who swore to kill himself after spending his fortune in sensual pleasures. The following extracts were instantly popular, but now judged harshly as hollow declamations. *57.* Obscure verse. The meaning is probably that modern astronomical discoveries, by dispelling old beliefs, have made the sky seem empty. *IV, 1. Voltaire:* Musset's father edited the works of Rousseau, and Séché suggested that Alfred inherited a prejudice against the freethinking rationalist, deist that he was. *26. Commandeur:* father of one of Don Juan's victims who wreaks vengeance on a debauchee like Rolla.

(131.) *"La Nuit de mai"*, cf. Notice, above; written in two days and a night, a few weeks after the break with George Sand. Title perhaps suggested by the *Night Thoughts* of Edward Young (1683-1765). *2. La fleur . . . sent ses bourgeons:* Musset is not a botanist. *74-79.* Places mentioned in *Iliad*, II, catalogue of ships: Pteleos, Messe, Titaresios, Oloosson, Kameiros. *86.* ff.: The Muse names over subjects of poetry. *93. Tarquin:* Sextus Tarquin, the betrayer of Lucretia. *119. pamphlétaire:* probably Barthélémy, who had attacked Lamartine in his paper *Némésis*

(1831). *153. Lorsque le pélican:* famous simile based upon folk
lore, repeated in *King Lear* and Byron's *Giaour* (951-6):

> It is as if the desert-bird,
> Whose beak unlocks her bosom's stream
> To still her famish'd nestlings' scream,
> Nor mourns a life to them transferred,
> Should rend her rash devoted breast,
> And find them flown her empty nest.

(132.)   *"Chanson de Fortunio":* from the comedy, *le Chandelier,
Revue des Deux-Mondes,* Nov. 1, 1835.

(133.)   In *"la Nuit de décembre":* Musset, subject to real hallucinations, beholds his double, present in every hour of sorrow
and bereavement, to whom he reveals another disappointment in
love (cf. the verses *"A Ninon"*, 1837). The poet's language is
far more vehement when he speaks of George Sand's betrayal.

(135.)   *"Une Soirée perdue"* (1840) was republished with
"Souvenir" etc., in *Poésies nouvelles* (1840-1849), 1850.
4. Alceste: hero of *le Misanthrope,* 1666. During the romantic
period, Molière's comedies were out of favor, though of course
retained in the repertory of the official Théâtre-Français. The
popular plays were dramas by Alexandre Dumas père, Victor
Hugo and Eugène Scribe, distinguished by their complicated arti-
ficial plots. Molière's plays often end awkwardly. *10. mirliton:*
"reed whistles", once sold with slips of verse or riddles wrapped
around them. *16. Quelle mâle gaîté, si triste:* Musset's criticism
(which follows Rousseau's views as set forth in his *Lettre à
d'Alembert*), has led some actors to give a tragic interpretation
to several of Molière's comedies. *28. Un vers d'André Chénier:*
last lines of *"les Colombes"*, publ. *Revue des Deux-Mondes,*
1833. *43. comme dit la chanson:* the allusion has never been
explained. *55-60.* Reminiscences of *Misanthrope,* I, ii. Alceste
wears the *rubans verts. 60. mettre au cabinet:* put away in a desk,
as worthless.

(136.)   *"Souvenir":* compare with Lamartine's *"Lac"*, and
Hugo's *"Tristesse d'Olympio"*; the epilogue to *"les Nuits"*. The
scenes described are near the Gorge de Franchart, forest of
Fontainebleau, visited with George Sand in 1833, revisited in
1840. The poem was written after meeting George Sand by chance

at the theater. *57. Dante:* cf. the episode of Francesca da Rimini, *ton ange de gloire* (l. 77.) *Inferno*, V, 121-3:

> . . . Nessun maggior dolore
> Che ricordarsi del tempo felice
> Nella miseria . . .

Romanticism, with the cult of tears and that of the crowded moment, often finds the joys of memory more precious than the satisfactions of the present. *113. Oui, les premiers baisers:* Musset repeats a fragment from Diderot's *Supplément au voyage de Bougainville*, in order to challenge it: *"Le premier serment que se firent deux êtres de chair, ce fut au pied d'un rocher qui tombait en poussière; ils attestèrent de leur constance un ciel que n'est pas un instant le même; . . . O enfants! toujours enfants!"* *164. En regardant les cieux:* to call Heaven to witness the crime.

(137.)   *"Réponse à M. Charles Nodier":* a reply to Nodier's last verses in the same meter, from which we quote the delightful evocation of his salon in 1824. *66. Marie:* Marie Nodier. *94. Ce beau sire: le bon roi Dagobert,* hero of an anti-monarchical song surviving in the nursery. *97. Antony:* see Notice on Antoni Deschamps.

(138.)   Not published in Musset's works, but given in Paul de Musset's *Biographie*, p. 300. It was written in 1844, after his *marraine* had plead with him to stop drinking.

(139.)   The epigraph from Béranger comes from *"les Quatre Ages historiques"*, the other lines are from Borel's poem *"A Jules Vabre"*. *5. le jeune atelier de Jehan:* according to Gautier's *Histoire du romantisme*, situated in the rear of a fruiterer's shop on the rue de Vaugirard near the Luxembourg gardens. Among the posthumously published poems of Gautier is an ode to Jean Duseigneur (1831)

> Oh! mon Jean Duseigneur, que le siècle où nous sommes
> Est mauvais pour nous tous, oseurs et jeunes hommes,
> Religieux de l'art que l'on nous a gâte! . . .

9. un beau punch: since the days of Byron, the fashionable romantic drink. *13. bonnet de Phrygie:* "Phrygian liberty cap", symbol of republicanism. The portrait of Borel, frontispiece of *Rhapsodies*, shows him, dagger in hand, wearing this cap. *14. En barbe jeune-France:* "*Une barbe! cela semble bien simple aujourd'hui, mais alors il n'y en avait que deux en France: la barbe d'Eugène Devéria et la barbe de Pétrus Borel. Il fallait pour les porter un courage, un sangfroid et un mépris de la foule vraiment héroïques*" (Gautier, *Histoire du romantisme*). *19. ossianisme:* admiration for the poems of Ossian. *21. vapeur musulmane:* "vapor of Turkish tobacco". *61. Templiers:* the order of knights-templar was accused of debauchery before its suppression, 1312. *66. tudesques:* "Germanic". *72. pensers:* poetic license for *pensées. 135. Kinnor:* Hebrew harp, mentioned in Chateaubriand's *Martyrs. 136. Victor:* strophes of Hugo's "*la ronde du sabbat*", (56). *163. Reblo:* anagram of Borel. *184. bandouliers:* "bandits", used in this sense by Corneille. *185. un visage mauresque:* that of Dondey himself. "*C'était un garçon qui offrait cette particularité d'être bistré de peau comme un mulâtre et d'avoir des cheveux blonds . . .*" Gautier. *251. Don José:* Joseph Bouchardy (1810-1870), later a successful popular playwright. *255. espadons:* "two-handed swords".

(140.) "*Pan de Mur*" and (141), "*Sonnet VII*" appeared in the volume *Albertus*, 1832. The first epigraph is from Lamartine's "*Milly ou la terre natale*", *Harmonies poétiques*, 1830. *1. la maison momie . . . au Marais:* Gautier was then Hugo's neighbor in the district now called Place des Vosges. *26. Boulanger:* (Louis, 1806-67), French romantic painter. *Bonnington:* Richard Bonington, 1801-28, English artist resident in Paris. Cf. Sainte-Beuve, *Pensées de Joseph Delorme*, xvi: "*les Bonington, les Boulangers devinent et reproduisent la couleur intime, plus rare, plus neuve, plus piquante . . .*"

(141.) Epigraphs:—1. Last lines of "*En avant marche*", 1831; 2. "And their blind life is so base that they are envious of all other kind."

(142.) "*Poésies diverses*" were published with *la Comédie de la mort*, 1838.

"*Pastel:*" original title "*Rococo*", a transposition of arts. *8. quais:* the Seine embankments on which are fixed stalls for the sale of old books and prints. *10. Parabère:* 1693-1750 (?), mistress of Philippe d'Orléans, the Regent. *La Pompadour:* 1721-64, powerful mistress of Louis XV.

(143.) *"Chimère"*: (myth.), the chimæra, fabulous monster slain by Perseus. In French, any creation of the imagination.

(144.) *1. Ma belle amie est morte:* a dirge for la Cydalise, beauty living with Camille Rogier, a painter, in l'Impasse du Doyenné.

(145.) *"Chinoiserie"* written in honor of la Cydalise (1835). Gautier, deriving his information from books about China, is the first French poet of the XIXth century to manifest interest in that country, cf. Schwartz, *The Far East in French Literature*, Champion, Paris, 1926. *2-4. Juliette, Ophélia:* Shakespeare's heroines; *Béatrice:* Dante's muse; *Laure:* Petrarch's Laura. *8. Au fleuve Jaune:* the Hoang-Ho, Yellow River.

(146.) *Poésies diverses* and *España*, published in *Poésies complètes*, 1845. The text of *España* is that of Jasinski's edition.

"Fatuité": cf. Gautier's declaration reported in the *Journal des Goncourt*, III, 43-4: *"Moi, . . . j'ai fait faire une bifurcation à l'école du romantisme, à l'école de la pâleur et des crevés . . . Je n'étais pas fort du tout. . . . Tous les jours, je me suis mis à manger cinq livres de mouton saignant, à boire trois bouteilles de vin de Bordeaux, à travailler avec Lecour deux heures de suite. . . . Voilà, et j'ai amené avec un coup de poing sur une tête de Turc—et encore sur une tête de Turc neuve—j'ai amené 520 . . ."*

(147.) *"Dans la Sierra"*: *Revue des Deux-Mondes*, 1841. A year after Hugo proclaimed the social mission of poetry, cf. (70), *"Fonction du Poète"*; Gautier, ll. *9-12*, redeclared his belief in the principles of art for art's sake.

(148.) *1. Zurbaran:* Francisco Zurbaran, 1598-1662, Spanish painter best known for his religious pictures, 81 of which Gautier saw in Paris (1837) and wrote: *"La toile la plus singulière . . . est assurément celle du religieux* (a missionary) *dont on dévide les boyaux sur un tourniquet . . ."* As the Spanish monks had just been secularized, Gautier in Spain was unable to paint monastic life from reality; he is obsessed by romantic tradition. The poem (published 1844), a transposition of arts, is one of six written in terza rima. *37. Lesueur:* Eustache Lesueur, 1616-55, French painter.

(149.) In Gautier's lifetime there were six editions of *Émaux et Camées*, with additions. *"Ce titre exprime le dessein de traiter sous forme restreinte de petits sujets, tantôt sur plaque d'or ou de cuivre avec les vives couleurs de l'émail, tantôt avec la roue du graveur de pierres fines sur l'agate, la cornaline ou l'onyx."* Selections given here follow the critical edition of J. Madeleine.

"Symphonie en blanc majeur": probably in honor of the great dancer Carlotta Grisi, had as subtitle in the *Revue des Deux-Mondes*, 1849, *"Variations"*. This poem has been imitated in many ways, e.g. Whistler's "Nocturnes". 26. *Paros:* Parian marble. 50. *ramagés: couverts de ramages.* 52. *Ondine:* water sprites of Germanic and Scandinavian mythology. 61. Greenlands and Norways. 62. *Séraphita:* heroine of Balzac's mystical novel of that name (1835).

(150.) *"L'Art":* published in *l'Artiste* for Sept. 13, 1857, dedicated to Théodore de Banville, a reply to his *Odelette* in the same meter, addressed to Gautier:

> Maître qui nous enseignes
> L'amour du vert laurier,
>   Tu daignes
> Être un bon ouvrier.
>   (*Les Stalactites*).

Republished 1858, in the 3rd edition of *Émaux et Camées*, *"l'Art"* is the last poem in the ordinary reprints of this book.

(151.) *"Noël":* a transposition of arts, was added in the 1863 edition.